D1205448

決定版
まんが
日本昔ばなし
101
川内彩友美/編

# もくじ

# 桃太郎

むかしむかし、あるところに、おじいさんとおばあさんがおった。おじいさんは山へしばかりに、おばあさんは川へせんたくにいった。

ある日、おばあさんが川でせんたくをしていると、川上から大きなももが、どんぶらこっこ、どんぶらこっこと流れてきた。

おばあさんは、そのももを、「どっこいしょ。」とひろいあげると、だいじにかかえて家に帰った。

山から帰ったおじいさんもびっくり。ももをなでながらいうた。

「りっぱなももだのう。」

「いっちょう、切ってみるか。」

「おお、そうすべえ。」

と、ももをまないたの上においた。

おばあさんが、ほうちょうをももにあてた、そのとき……、ももがごそごそ、ころん、と動いたんじゃあ。

「ももが、ももが生きている〜っ。」

と思ったら、ももがぱかんとまん中からわれて、中から元気な男の子がとびだしたあ。

おじいさんもおばあさんも、びっくらこいた。もっとびっくらこいたのは、この男の子の元気のよさ。すぐにごはんをぱくぱく。その食いっぷりときたら、食うわ、食うわ。むしゃむしゃ、ぺろり。むしゃ、ぺろり。

大きなおわんでなんばいものおかわりじゃあ。

おじいさんとおばあさんは、たいそうよろこび、ももから生まれた桃太郎と名づけた。

桃太郎は、食えば食っただけ、みるみるうちに大きく育っていった。

おまけに、おとなもかなわないほどの力持ち。重いものでも、ひょい、ぽんと、かるがると持ちあげる。こうして桃太郎は強い子に育っていった。

ところが、ちょっとだけ心配なことがあったんじゃ。

「桃太郎や、べろべろばあ〜。」

と、おばあさんがあやしても、桃太郎はだまったまま。おじいさんがにっこりわらいかけてもしらん顔。

「やれやれ、こまったもんじゃわい。」

いつまでたっても、ち〜っとも話をしない桃太郎に、おじいさんもおばあさんも、どうしたもんかと気にかけておった。

「この子、どうして口をきかんのじゃ。」

と、二人が顔を見あわせたときじゃ。

「やるぞ〜っ。」

桃太郎がとつぜん大声を出したあ。

口をきいたあ！

「じいちゃん、ばあちゃん、おら、鬼たいじにいくう。」

おじいさんとおばあさんは、ただおどろいて、ぽけ〜っとしておった。

「したくしてけれ〜っ。」

桃太郎の大きな声に、おばあさんははっとしていうた。

「鬼たいじなんて、そんなおそろしいことを……。」

そのころ、村にはたびたびおそろしい鬼があらわれて、ものとり、人さらいと、ありとあらゆるらんぼうをはたらいて、村の人たちをくるしめておった。

桃太郎は、これを知って、もうがまんできなかったんじゃあ。

おじいさんとおばあさんは、かわいい桃太郎のために、きびだんごや晴れ着をそろえてやった。

とうとう、出発の日がやってきた。

桃太郎は、おじいさんのつくった晴れ着をきて、おばあさんのつくったきびだんごのつつみをこしにつけた。

おじいさんとおばあさんは心配で心配で……。それでも、桃太郎は、はりきって家を出ていった。

「たっしゃでなあ……。」

「ぶじに帰ってきてくれやなあ……。」

見送るおじいさんとおばあさんは、とうとうなきだしてしもうたと。

さて、桃太郎はというと、心配するおじいさんとおばあさんの気持ちも知らず、一直線に鬼が島めざす。

とちゅう、いぬが一ぴきやってきて、桃太郎に声をかけた。

「桃太郎さん、桃太郎さん。こしにつけたきびだんご、一つください。くれたら家来になるよ。」

いぬはきびだんごをもらって、家来になった。

しばらくいくと、さるが出てきた。

「桃太郎さん、桃太郎さん。こしにつけたきびだんご、一つください。くれたら家来になるよ。」

さるもきびだんごをもらって、家来になった。

こんどは、きじがとんできた。そしておなじことをいった。

「桃太郎さん、桃太郎さん。こしにつけたきびだんご、一つください。くれたら家来になるよ。」

きじもきびだんごをもらって、家来になった。

いぬ、さる、きじをおともにつれて、
ゆくはわれらが桃太郎。
花もあらしもふみこえて、
心にきめた鬼たいじ。
鬼が島めざしてまっしぐら。
おそれを知らぬ桃太郎。
一度ちかった大きな夢は、
なにがなんでもやらねばならぬ。
それが男の生きる道。

桃太郎の一行は、野をこえ山をこえ、海べについた。

船にのりこんだ桃太郎たち、力をあわせてこぎすすむ。

えんやあ、とっと。
えんやあ、とっと。
広い海原、広がる世界。
でっかい夢のせ、
えんやあ、とっと。

こうして何日か、海をこぎすすんでいった。

とうとうついた、鬼が島。海の中からつきでている岩山の島、それがめざす鬼が島だ。

きじが、島のていさつ飛行へと、とびたった。

「鬼どもに見つかるなよ。」

船はそ〜っと島に近づいて、いよいよ桃太郎たちも島に上陸だ！

そこへきじがもどってきた。

「なに？　鬼どもは酒もりのさいちゅうだと。ようし、いまだあ！」

と、「鬼が門」へむかっていく。ところ

が、門はしっかりしまっていて、びくともしない。

「ここはまかせろ、わけないさ。」

さるが、ぴょんと門をとびこえて、うらからかぎをはずす。

桃太郎は、鬼が門をギーッとあけた。鬼たちは酒もりのまっさいちゅう。

とつぜんあらわれた桃太郎たちに、鬼たちはぽか〜んとしておった。

「われこそは、日本一の桃太郎！ 鬼どもをせいばつにきた！」


鬼たちはおどろいて目を白黒。ぽかんとしている鬼たちの頭の上を、いぬがワンワン、さるがキャッキャッ、きじがケンケン。かみついたり、ひっかいたり、つついたり。

つづいて、怪力桃太郎がぽかりぽかり。その強いこと強いこと。

いやはや、鬼たちのあわてたのなんの。上を下への大さわぎ。そこへ、いかりくるった鬼の親分があらわれた。

「う〜ん、こしゃくなこぞうめ。おれさまがあいてだあ。」

鬼の親分は、桃太郎めがけて、ふとい鉄棒をびゅ〜んとふりまわす。

ガキーン！

なんと、桃太郎の頭にぶつかった鉄棒が、ぽきっとおれてしもうた。これには、鬼の親分もまいった。そして、鉄棒をもおる桃太郎のかたい頭で、親分の頭にゴチーンと、頭つき一発！

勝負あった！

鬼の親分、目をまわしてばったり。

「どうだ、もうわるさをしねえか。」

「もう、村をあらしたり、わるさはしません。おゆるしください。」


こうして、鬼からとりもどしたたからものを船につんで、帰ることになった。

「お送りします。」

と、鬼は、「フーッ。」と息をふいて、船をうごかしてくれた。

桃太郎は、おじいさんとおばあさんのところへ、ぶじに帰っていった。

桃太郎にとって、なによりうれしかったのは、でっかい鬼たいじの夢をやりとげたことだったそうな。

（おわり）

# そら豆の黒いすじ

そらまめの頭に、どうして黒いすじがあるかというお話じゃ。

むかしむか〜し、あるところで、わらと炭とそらまめが出あって、お伊勢まいりにいこうということになった。

「いや〜、なんともいい天気だな。」

「旅って、なんと楽しいものだべ。」

と、三人は、のんきな旅をつづけた。

「わらどん、おめえ、下ばかり見て歩いて、なにやっとりなさる？」

「下を見て歩いておったら、小判を見つけたものがおったもんでな。」

そう聞いて、そらまめと炭も、わらとおなじように下をむいて歩きはじめた。

ふと顔をあげた三人の前に大きなねずみが立ちふさがっていた。

「た、助けてくだされ。わしたちはこれからお伊勢まいりにいくところです。どうか命だけはお助けくだされ。」

助けをもとめる三人に、ねずみはさらに近づいてきて、大声でいうた。

「わしは、はらがすいとるんじゃあ。」

すると、炭とわらは、そらまめを前におしだしながらこういった。

「そ、それなら、このそらまめがうめえです。」

そらまめは大あわて。

「そんなことはねえ。生で食ったってうまかねえ。おらを食うにはまずになきゃなんねえだ。それには火をおこさねばなんねえぞ。」

ひっしでいうそらまめに、炭もいいかえす。

「そんなことはねえだ。そらまめは生で食ったってうめえだ。」

「そう、生でもうめえ。」

わらも炭のおうえんじゃ。

そらまめと、炭とわらのいいあらそいは、いつまでたっても終わらない。

火だ生だといいあらそう三人に、ねずみは頭にきてどなった。

「うるせえ！　おめえたちみんなまとめて食ってやる！」

これを聞いて炭はかっときた。体にぐっと力を入れると、かっかっかともえてきた。赤くなった炭がねずみにとびついた。

「ぎゃあ、あっちちち、あちぃ！」

あつさにもだえるねずみをおいて、

三人はぶじにげだすことができた。

けど、そらまめはおもしろくない。

「やい、炭！　わら！　よくもおらのこと、先に食わそうとしたな。」

と、炭をぽかりとなぐりつけた。

「なにするだ、でも、さっきはおらのおかげで助かったんでねえか。」

けんかをはじめた二人に、わらがいった。

「けんかしてる場合じゃねえ。川があるぞ。」

「川をどうやってわたるだね。」

川岸まできた三人は、こまった。

「う〜ん、どうすべえ。」

しばらくして、わらがいった。

「どうだろう、おらが橋になるで、おめえたちがそれをわたって、それからおらをたぐりよせるというのはどうだ。」

「そうだ、それにすべえ！」

ところが、こんどはどちらが先にわたるかで、またけんか。

「そうだ、じゃんけんできめよう。」

じゃんけんで勝った炭が先にわたりはじめた。

「あわわ、こわいよう。」

川のまん中で、炭はふるえてわらにしがみついた。

「こわいよう、こわいよう〜。」

炭はだんだん赤くなり、ついにはわらにもえうつってしまった。

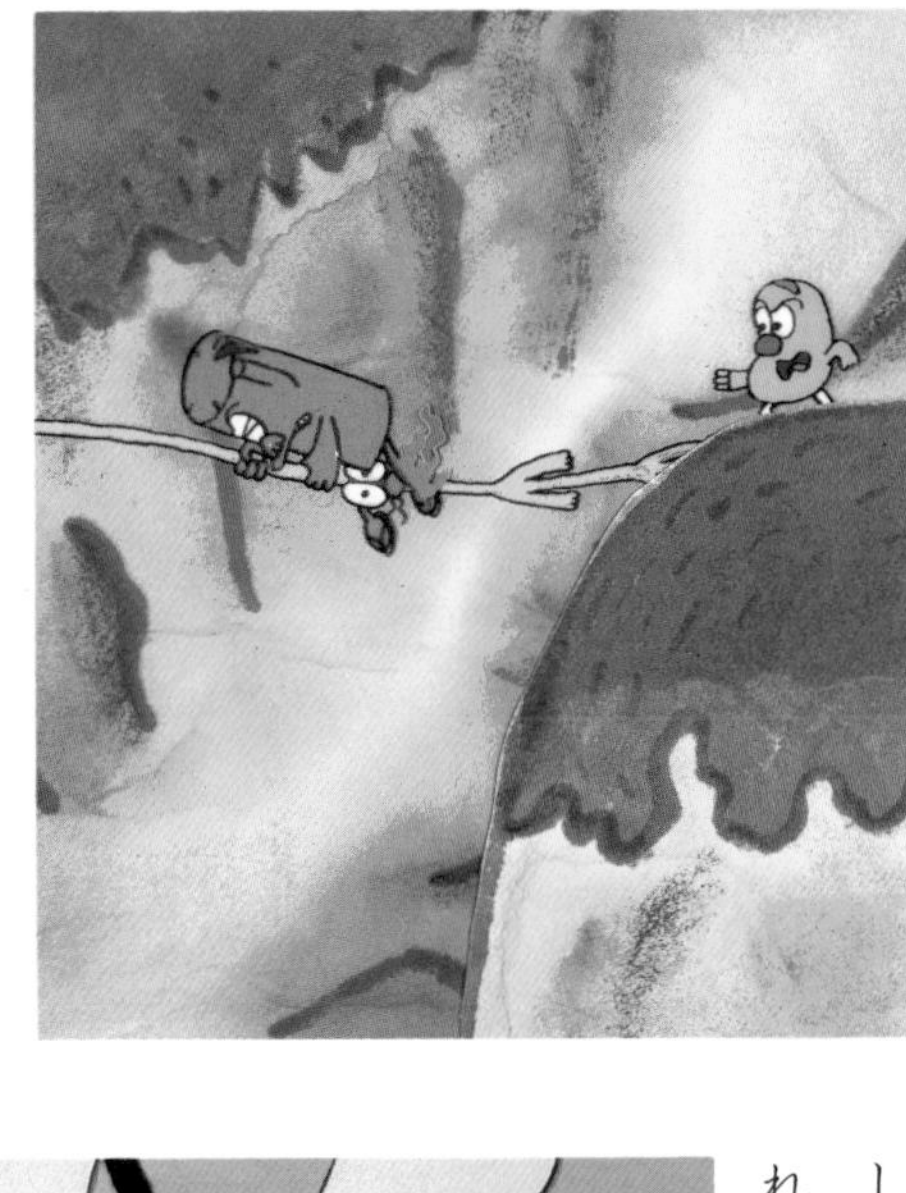

「あ〜っ。」

わらはもえつきて、炭といっしょに川へ落ちてしもうた。

川をのぞいていたそらまめは、大声でわらいだした。

「あはは、あはは、天ばつじゃ、天ばつじゃ。あっははは……。」

と、プチンと音がした。

「うわあ〜ん、いたいよう〜。」

なんと、そらまめは、わらいすぎて、頭がわれてしもうた。

すると、そのとき、女の人の手がひょいとのびてきて、いたさでころげまわっているそらまめをつまみあげた。

「あらまあ、頭がわれてしまったのね。かわいそうに、糸でぬってあげましょう。あら、黒い糸しかないわ、これでかんべんしてね。」

女の人は、黒い糸でそらまめの頭をぬいあわせたそうな。

大よろこびしたそらまめじゃったが、頭には、いまも黒いすじがのこっているんじゃと。

（おわり）

# さるかに合戦

むか～しむかし、あるところに、とてもおなかをすかせた、かにのお母さんがいました。

「なにか食べないと、おなかの子どもが育たないわ。さて、食べものをさがしにいくことにしましょう。」

ちょうどそこへ、おいしそうなかきを二つもって、お手玉遊びをしながら、らんぼうもののさるがやってきました。

かには、そのかきを、じいっと見ていました。

「どうだ、食いたいか。おいしいぞ。」

かきをもらえるのかと、かにはよろこびました。ところが……、

「これでも食らえ～。」

と、さるはかきのたねを投げつけました。

なんていじわるなさるなんでしょう。

「ひひひ……、うまい、うまい。」

さるは、もう一つのかきも、かにに見せびらかすようにして、食べてしまいました。

かにはがっかりして、また食べものをさがしにいきました。

そのときです。大きなおにぎりが地面にころがっていました。

さるもそれを見つけてしまいました。

かには、ひっしでおにぎりにとびつきました。

「これは、わたしが先に見つけたんです。わたしのものです。」

さるは、にやにやして近づきます。

「ひひひ、それを、おらにくれねえか。」

「だ、だめです。これはわたしのものです。」

「そうだ、それじゃかにさん、このかきのたねととりかえっこしねえか。」

「そんなもの食べられないわ。」

かにがおこると、ずるいさるはいいました。

「このたねからはな、かきの木がはえて、そのうち食いきれないほどのあまあい実が、どっさりなるんだぜ。おにぎりは、食ってしまえばそれっきりだもんな。」

さるはそういって、かきのたねをかにのそばにおくと、おにぎりをぱくぱく食べてしまいました。

「ひゃあ、うまかった。」

かには、くやしくてなみだが出てきました。

しかたがありません。かにはかきのたねを植えることにしました。かには、おなかがすいて、もうふらふらになっていましたが、力をふりしぼってくわをふるい、あなをほってかきのたねを植えました。

「早く芽を出せ、かきのたね。
出さぬとはさみでちょんぎるぞ。」

かには、いっしょうけんめい地面に向かって声をかけました。すると、地面がもぞもぞして、小さな芽が出てきたではありませんか。

かには、その芽に水をかけながら、はさみをちょきちょきさせました。

「早く木になれ、かきの芽よ。
ならぬとはさみでちょんぎるぞ。」

芽はみるみるうちに大きくのびて、大きな木になりました。

「はやく実がなれ、かきの木よ。
ならぬとはさみでちょんぎるぞ。」

かにのねがいが通じたのか、大きな木に青い実が、どっさり実りました。

青い実は、だんだんとおいしそうに赤く色づいてきました。かにのくろうが、やっと実りました。

（さあ、食べようかな……。）

と、かにが木にのぼろうとしたのですが、あれれ……、悲しいことに、かきの実に手がとどきません。

そこへあらわれたのが、あのいじわるなさるでした。

赤いかにも、まっさおになっておどろきました。

「これは、わたしのかきの木です。」

「でも、どうやって実をとるんだ？」

そういうと、さるはかってにするするとかきの木にのぼってしまいました。

「おらにまかしときな。おいしいかきをとってやるからな。」

さるは、まっかなかきの実をもぎとりました。かにはわくわくして木の下で待っていました。ところが、さるは、がぶりとかきにかじりつきました。

「う〜ん、うめえ。」

さるは、かにのことなどわすれたように、つぎからつぎへと、かきを食いちらかします。

「さるさん、わたしにもかきをとっておくれ。」

「そうだそうだ、わすれてた。ようし、おまえにもとってやるからな。」

と、青い実をとってかにに投げつけたのです。かわいそうに、かたい実をぶつけられたかにには、大けがをしてしまいました。

そのとき、かにのこうらがわれて、三びきのかわいい子がにが生まれました。

さるは、おなかいっぱいかきを食いちらすと、自分のすみかに帰ってしまいました。

それから何日かたって、お母さんがには、そのけががもとで死んでしまったのです。

「あのいじわるなさるのことは、けっしてわすれないぞ。」

三びきの子がにたちは、そうやくそくしました。

こうして大きくなった子がにたちは、ある日、にくいさるをやっつけようと、ついに家を出ていきました。

とちゅうで出あったくりが、声をかけました。

「子がにたちよ、どこさいく！」

「あのいじわるさるを、やっつけに。」

「ようし、おらもいっしょにいく。」

くりも、さるにいじわるされていたというのです。

つぎに出あったのが、はちどん。そして、牛のくそどんも、うすどんも、み〜んな、いじわるさるをなんとかしてやっつけたいと思っていたのです。

こうして、子がにといっしょに、くり、はち、牛のくそ、うすも、さるの家をめざして歩いていきました。

さるは、わるがしこいらんぼう者です。いつどこからおそってくるかわかりません。そこで、はちが、さるの家のようすを見てくることにしました。

「さるは、るすだぞ〜っ！」

みんなは家の中にかくれて、さるを待つことにしました。

「さるのやつ、帰ってきたら、寒い寒いと、いろりにあたるだろう。」

「それなら、ぼくが灰の中にかくれて、パチンとはじけておどろかせてやろう。」

と、くりは灰の中へ。くりがはじけると、さるはやけどします。

「あいつあついと、水でひやしに水がめのところへいくだろう。」

「そんじゃおいらは、ひしゃくの柄にかくれて、ちくりとさそう。」

と、はちもかくれました。

「はちにさされたさるは……、いたい、いたいと、外へにげだすだろう。」

「じゃあ、おいらはふみ石の上で待ってやろう。」

牛のくそどんが、こういいます。

牛のくそをふんづけりゃ、さるはつるりとすっころぶにちがいありません。

そこでうすどんは、こういいました。

「じゃ、おらは、ひさしの上で待っていよう。ころんださるの上に、ドシーンだ。」

うすの中には、子がにがかくれました。

こうしてみんなは、さるが帰るのを待ちました。

まだかな、まだかな。さるはなかなか帰ってきませんでした。

でも、山のからすがカーカー鳴いて、夕ぐれになると、やっとのことでさるは帰ってきました。

「ひぃ〜、寒いぜ、寒いぜ。」

みんなが思ったとおり、さるはいろりのそばへ……。

「やれやれ、あったまることにしよう。」

そのとき、あつあつにやけたくりが、パチンとはじけて、さるに命中。

「あちち……、水、水だあ。」

待ってましたとばかり、はちは、ちくり。

「いてて……。」

戸口のほうへにげるさる。牛のふんをふんづけて、つるり。そこへうすが落ちて、ドスン、ぎゅう〜。

らんぼう者のさるも、こうしてさんざんいためつけられました。
それからは、子がにたちは力をあわせて、いつまでもしあわせにくらしましたとさ。ちゃんちゃん。（おわり）

# にんじんとごぼうとだいこん

むかしむかし、神さまが、この世にいろ～んなものをお作りになったばかりのころのことでした。

山また山のそのおくに、やさしい神さまがおられました。

きゅうりになすびにほうれんそう、み～んなこの神さまがお作りになったという、やさいの神さまでした。

この神さまがさんぽに出ると、やさいたちがみ～んな集まってきて、あいさつします。

「これこれ、きゅうり、子どもは元気かね？」

「はい、神さま。ありがとうございます。おかげさまで。」

やさいたちは、いつもこの神さまがやさしく見守ってくれているので幸せにくらせると、かんしゃしているのでした。

そんなある日、神さまは考えました。

「もっとやさいのしゅるいをふやしたい。もっともっとみごとなやさいを作りたい。」

そう思った神さまは、えのぐをとりだして、なにやら紙に絵をかきはじめました。

「一つは、小さくて短いもの。もう一つは、細くて長いもの。もう一つは、丸くて大きいもの。さ～て、どんな色にするかな。そうだ、もようを入れてみよう。ぺたぺた……と。ふふふ、これはなかなかおもしろい。」

神さまが、すっかり気に入った新しいやさいができました。

「さて、どんな名まえにしようかな。そうじゃ、おまえは、に～んじん、おまえは、ご～んぼう、おまえは、だ～いこん、というのでどうじゃ。よしよし、これでできあがりじゃ。」

神さまが絵を指さすと、絵のやさいがとびだしました。

「にんじん、ごぼう、だいこん、なかよくするんじゃぞ。」

「は～い、神さま。きれいな着物をありがとうございました。」

ほかのやさいたちは、きれいなもようがうらやましくてたまりません。

「いいなあ、おらたちも、あんなもようの着物をきたいなあ。」

「いいだろ、きれいだろ～。」

新しく生まれた三しゅるいのやさいは、大とくい。ほかのやさいたちに見

せびらかすように、はたらくときも、遊ぶときも、ねるときも、いつもいっしょ。

　ある日、このやさいたちは、むちゅうで遊んでいるうちに、体じゅうどろだらけになってしまいました。そこで、三人いっしょにおふろにはいりました。

　ところが、ごぼうはおふろにはいったとたん、ごぼ〜んと出てしまいました。ごぼうは、おふろが大きらいなんですって。

　だいこんはきれいずき。ごしごし、ごしごし、体じゅうをきれいにあらいました。

　にんじんはというと、いつまでも、いつまでもおふろにはいったまま。

　つぎの日、神さまのところへ、にんじんとごぼうとだいこんがやってきました。なんだか元気がありません。

　それもそのはず、なんと！　にんじんは、ま〜っかっか。ごぼうは、ま〜っくろ。だいこんは、ま〜っしろになっていたのです。

「なんだ、おまえたち、わしのかいてやったあの着物はどうしたんじゃ！　なんだ、そのかっこうは！」

「はい、神さま、あの〜、その〜。」

　三人は、おふろにはいったときのことを話しました。

　それによると、だいこんは、体じゅうをあらいすぎて、そのままばっさ〜んと、着物ごとあらい流してしまいました。それで、ま〜っしろけ。

　ごぼうは、ろくろくおふろにはいらず、そのうえ、どろんこの中でころんでしまったので、ま〜っくろけ。

　にんじんは、あまり長いあいだ湯にはいりすぎて、ま〜っかっか。

　三人は、もう一度、まえのような着物をきせてほしいと、神さまにおねがいしました。でも、神さまはおっしゃいました。

「おまえたちは、あの着物を、ほかのやさいたちにじまんしとったから、そのままでよろしい。」

　それからというもの、にんじんは赤、ごぼうは黒、だいこんは白い色になってしまったということです。(おわり)

# かさ売りお花

「雨ふれ、雨ふれ。
雨ふりゃ、魚がよろこぶぞ。
雨ふれ、雨ふれ。
雨ふりゃ、かさ屋がもうかるぞ……。」
月夜の道をかささして、歌いながら歩いていくのは、お花。

お花は、おとうとおかあのつくったかさを売って歩く、働きものの娘じゃった。

雨の日も風の日も、毎日売り歩いておったが、雨のふらない日がつづくと、かさは売れないので、つい、遠くまで足をのばしてしまう。それで、家へ帰るのは、いつも夜おそくなってしまうのじゃった。

「雨ふれ、雨ふれ。
雨ふりゃ、かさ屋がもうかるぞ……。」

お花にとって、かさを売り歩くことは、つらいことではなかった。でも、まっ暗な夜道を、ひとりで歩くのがこわかった。

ある日のこと、いつものように夜道を一人で歩いていると、うしろのほうでなにか物音がする。おばけでもついてくるような気がして、おそろしかった。

おっかなびっくり、お花はうしろをふりかえった。でも、だれもいない。

お花が歩きだすとまた物音が……。

きみがわるくなったお花は、かさをしまって走りだした。

すると、だれかが追いかけてくる。

そして、お花の手を、ぎゅっとつかんだものがおったんじゃ。

「うわ〜っ、たすけて〜っ。」

おどろいたお花が、ふりかえると、そこにいたのは、ばあさまじゃ。

「さっき歌っていた歌、聞かせろや。雨ふれ、雨ふれって歌……、おらも、雨、大すきじゃ〜。」

そう、ばあさまが話しかけてきた。

一人で心細かったお花は、すっかりうれしくなってしもうた。

「雨ふれ、雨ふれ。
雨ふりゃ、かさ屋がもうかるぞ……。
雨ふれ、雨ふれ。
雨ふりゃ、魚がよろこぶぞ……。」

お花とばあさまは、声をそろえて歌う。

「雨ふりゃ、黒川よろこぶぞ……。
雨ふれ、雨ふれ。
雨ふりゃ、女川もよろこぶぞ……。」

お花は、こわかったこともわすれて、ばあさまとならんで歩いておった。

「おばあさん、どこまでいっしょにいけるんや。」

お花がたずねると、ばあさまはにっこりしていう。

「ずうっといっしょにいけるぞえ……。わしゃ、となり村の黒川へあそびにいくんじゃが、おまえも、いっしょにいこう。黒川も雨が大すきじゃで、おまえの歌、きっと気に入ると思うんじゃ。」

「おら、おとう、おかあが待っとるで、家に帰らなきゃ……。」

「そりゃ、なんねえ！　黒川んとこいかなきゃだめじゃ〜。家に帰っちゃなんねえぞ！」

そういうばあさまの手と足には、なんと、うろこがついているではないか。

ぎょっとしたお花は、

「ご、ごめんくださいまし……。おらあ、家へ帰る。おら、帰る〜っ！」

と、むちゅうでかけだした。

「なあに、いってるんじゃ。黒川へいくんじゃよ〜っ。」

にげるお花をばあさまが追う。

ドスン、ドスン！

その足音は、まるでばけものじゃ。

ひっしににげるお花。ふりかえると、すぐうしろに、ばあさまの手がせまっておった。

その手はぬうっとのびて、みるみるうちにばけものの手にかわり、お花をひょいとつまみあげた。

「わ〜っ、たすけて〜っ。家に帰りたいよ〜。」

「だめじゃ〜。おまえは黒川の主へのみやげじゃ〜。わしは、女川の主じゃ。わしのいうことをきかんと、食ってしまうぞ。わかったか？」

「は、は、はい。いうことをきくで、たすけてくれろ〜。」

ばあさまはにんまりして、ぶるぶるふるえているお花を地面におろした。

そのときお花は、遠くの塩たき小屋のあかりに気がついた。浜の塩たき小屋では、夜通し塩をたいているので、あそこまでいけば、たすかるかもしれないと思ったんじゃ。

お花は、ばあさまのすきをみて、いちもくさんににげだした。

「しようのねえ娘じゃ〜。こら、待たんか。」

おこったばあさまは、正体をあらわした。そのすがたは……、大がっぱ。

大がっぱは、すうっと地面に消えたかと思うと、いつのまにかにげるお花の先まわりをして、塩たき小屋の前でぬうっとあらわれた。

「きゃあ〜っ、たすけて〜っ。おらを食わねえでくれっ。おらの命よりだいじなこのかさをあげますで、食わねえでくれろ。」

「かさとはなんじゃ？　そんなにだいじなものなんか。」

お花がさしだしたかさを、大がっぱはふしぎそうに見ている。

「おとうとおかあがこしらえた、だいじなかさじゃ〜。雨がふると、こうしてぱ〜っとひろげてな……。たくさん売れるんだよ。」

「雨ふりゃかさ屋がもうかる、とはこのことか。こりゃええ……。あっはっはっは。わしゃ、雨が大すきでな。」

大がっぱは、かさを手にして、きげんよく歌いはじめた。

「雨ふれ、雨ふれ。
雨ふりゃ、かさ屋がもうかるぞ……。
雨ふれ、雨ふれ。
雨ふりゃ、かさ屋がもうかるぞ……。」

塩たき小屋の入り口で、おじいさんが、そうっとお花を手まねきしている。

お花は、大がっぱがかさに気をとられているすきに、小屋ににげこんだ。

おじいさんは、小屋の戸をしっかりとしめて、お花を塩かごの中にかくした。そして、そのまわりに、まよけの塩をたっぷりまいた。

大がっぱが、はっと気がついたときには、お花のすがたはもうない。

「こらっ、にがしはしないぞ〜。」

すぐ追いかけた大がっぱ。小屋の前の塩を見て、はっと、足をとめた。

「うひゃ〜っ、し、塩じゃあ。わしに、小屋へはいるなということか。ふん、いくら塩をまいたってだめじゃ。なんともねえぞ〜っ。ふふふふ……。」

大がっぱは、頭をかべにつっこんで、小屋の中をぐるりと見まわした。塩をまいた土間には、おじいさんがすわってねむっておった。

「娘はどこじゃ。」

小屋の中に、たくさんの塩かごがつみあげてある。おくのほうの一つのかごを見て、大がっぱは、にた〜っ。

「あれが、そうだ……。」

かべのすきまから、頭だけするりとはいっていく大がっぱ。おじいさんの目の前をよこぎり、お花のいる塩かごにせまる。

かごの中では、お花がぶるぶるふるえておった。

大がっぱが大きな口をぱっくり開けて、いまにもかごごと飲みこもうとしたときじゃ。

おじいさんが、たくさんのかごをしばっていたあみを引っぱった。

がさごそ、ドドーンと、つみあげておいたかごがいっせいにくずれた。

「ぎゃ〜っ！　塩がかかった〜っ！」

大がっぱは、苦しそうにからだをくねらせ、悲鳴をあげながら、かべからぬけだしてしもうた。

塩まみれになった女川の主の、うでと頭とからだはとけてしまい、のこった足だけが、まっ暗な夜の道をにげていったそうな。

こんなこともあったが、つぎの日もまた、お花はかさ売りに出かけていく。

「おとう、おかあ、いってきまあす。」

女川の主を追いはらった、塩たきのおじいさんとお花はひょうばんになって、お花のかさはたいそう売れ、おとうとおかあをよろこばせた。

お花にとって、なによりもうれしかったのは、雨のふらない日がつづいても、かさが売れるようになって、もう、おそろしい夜道をひとり帰らないですむようになったということじゃった。

（おわり）

# 猿地蔵

とんとむかし、ある山に、らんぼうもののさるたちがすんでおってな。秋になると、みんなして里へやってきて、そのへんの田や畑をあらしまわっておったそうな。

里の入り口にすむ、じいさまとばあさまは、さるのわるさにはこまりはてておってな。なんとかやめさせる方法はないものかと、頭をなやませておった。

そんなある日、ばあさまがいうたそうな。

「じいさんが、じぞうさんにばけて、畑のまん中に立っとったらどうじゃろう。さるたちは、どんならんぼうものでも、じぞうさんの前では、おとなしゅうするという話を聞いたことがあるで。」

「ふうむ、畑や作物を守るためじゃ。やってみよう。」

そこでばあさまは、米の粉をじいさまの体にまぶして、赤いよだれかけをかけたじぞうさんにしたてあげ、畑のまん中に立たせておいた。

集まってきたさるたちは、とつぜんあらわれたじぞうさんを見つけて大さわぎじゃ。

「はれえ、りっぱなじぞうさんだ。こげなところにおきっぱなしじゃもったいねえ。山のお堂におうつしするだ。」

これにはじいさまもあわてたが、ここで動いたら、さるたちになにをされるやわからん。じっとがまんをしていると、さるたちは、じぞうさんにばけたじいさまをかついで、「わっせ、わっせ。」と、運んでいっただと。

とちゅう、川にさしかかると、さるたちは声をそろえて、

「ほれほれ、川だぞ、気をつけろ！　じぞうさんをたおしちゃなんねえぞ！

さるべのしりさ、ぬらすとも、

じぞうのしりは、ぬらすなよ。

よいやさ、よいやさ！」

と、かけ声かけながら、わたっただと。

じいさまは、そのかけ声がおかしかったども、ここでわらっちゃなんねえと、じっとがまんしておった。

やがて、山のお堂についた。

「ありがたいおじぞうさんを、ただ立たしておくわけにはいかねえ。なにか下にあてがわねばならんだども、なんでもいいってもんでもねえな。そうだ、千両箱がええ。」

そこでさるたちは、どこから持ってきたのか千両箱を二つ、じいさまの足の下にあてがった。

そうして、さるたちはむにゃむにゃとおがむと、どこぞへ出かけていってしもうた。

「ありゃ、思わぬおたからをもらっちまったぞ。」

じいさまは、その千両箱二つをかかえて、家へ帰っていったそうな。

さて、これを知ったとなりのものぐさじいさまとばあさま。おらたちもおたからをもらうべえと、さっそくじいさまをおじぞうさんにばけさせ、畑に立たせた。

すると、またさるたちがやってきて、

「はれまあ、じぞうさん、どこへいったかと思うたら、こげなところにござる。もったいねえ、早く、お堂におうつししろ！」

と、ものぐさじいさまのじぞうさんを運んでいったと。

「うまくいったぞ。ふふふ……。」

と、ものぐさじいさまがよろこんどると、やがて、川にさしかかった。

さるたちは、じいさまをかかえあげ、また歌った。

「ほれ、ほれ、川じゃぞ、気をつけろ。

わっせ、わっせ、わっせ、

さるべのしりさ　ぬらすとも、

じぞうのしりは　ぬらすなよ。

よいやさ、よいやさ！」

その歌があんまりおかしかったので、ものぐさじいさまは、思わずぷっとふきだし、わらいだしてしもうたそうな。

「やっ、じぞうさんがわらった！」

「じぞうさんじゃねえ。人間だ！」

さるたちはおこった、おこった！よってたかってじいさまをひっかいて、ドブ～ンと、川へほうりだしてしもうた。

ものぐさじいさまは、おたからをもらうどころか、体じゅうきずだらけになって、ばあさまの待つ家へ帰りつくのがやっとだったそうな。（おわり）

# 古屋のもり

むか〜し、ある山里に、古い一けんの農家がありましたそうな。古ぼけた小さな家には、おじいさんとおばあさん、それに小さなまごと、たいそうりっぱな馬が一頭かわれておりました。

ところである日……、この馬をぬすもうとねらっている、一人のどろぼうがこの家にしのびこんでおりました。

このどろぼう、にんそうはわるいのに、走り方もかくれ方も、自分ではかっこいい……、ひょっとすると、日本一のどろぼうではないかと考えていたのです。

どろぼうは、ずっとまえから計画を立てていたらしく、馬屋にしのびこむと、柱をつたい、はりにのぼり、家のものがねしずまるのをじっくり待つことにしたのです。

ところがこの日、その馬をねらっているもう一つのかげがありました。

おおかみです。

口が大きくさけ、みるからにおそろしそうなおおかみは、今日、はるばる山をぬけだしてやってきたのです。

おおかみも、ずっとまえから、この家の馬をねらっていたのでした。

そして、そろそろと馬屋へしのびこむと、やはり、夜のふけるのを待つことにしました。

ふしぎなことに、その日は、どろぼうとおおかみが、同じ家で夜のふけるのを待っていたのです。

夜もだんだんふけてきました。

おばあさんは、いつものようにまごにお話を聞かせてやり、ねかせつけようとしましたが、どういうわけか、この日ばかりは、なかなかねむりません。

「おばあちゃん、もっとお話しして。」

「おや、もっとかい？」

「おばあちゃん、この世でいちばんこわいものってなあに？　どろぼうやおおかみより、もっともっとこわいものってあるの？」

（なになに、おれさまよりもこわいものじゃと？）

思ってもいなかったことばに、おおかみもどろうぼうも、じっと聞き耳をたてました。

おばあさんは、まごにいいました。

「それはな、ふるやのもりじゃよ。」

「ふるやのもり？」

（な、なんじゃ、それは……。）

おおかみもどろぼうも、びっくり。そんなもの、いままで一度も聞いたことがありません。

「そうじゃあ、いちばん～んこわいのは、ふるやのもりじゃあ。はやくねないと、今夜あたりくるかもしれんのう。」

これを聞いていたどろぼうもおおかみも、自分よりもっと強いやつがくるというので、気が気ではありません。馬屋のはりの上と下で、ぶるぶるふるえておりました。

ところで……、ふるやのもりとは、古い家の雨もりのこと。雨の多いこの地方では、雨もりにはとてもこまっていたのです。

いつのまにか、外の雨ははげしくなってきました。

古びた家の天じょうから、しずくが落ちてきました。

ぴしゃ！　ぽたっ！

「たいへんじゃあ～、ふるやのもりがきたあ！」

おばあさんがさけぶと、まごはあわててふとんをかぶりました。

この声を聞いたどろぼうは大あわて。馬屋のはりをふみはずして、おおかみの上にドスーン！

あたりはまっくら。どろぼうはひっしで、おおかみのくびにしがみつきました。

「あわわわ……、わ～～～！」

「ギャオ～ッ、オオ～ッ。」

くびをつかまれたおおかみもびっくり。大あわてで家からとびだしました。おおかみは、自分のせなかにいるものが、おそろしいふるやのもりだと思ったのです。どろぼうはどろぼうで、てっきりふるやのもりの上に落っこちたと思いこんでいたのです。

なにしろ暗いし、雨はふるしで、なにがなにやらさっぱりわかりません。

おおかみは、なんとかしてふるやのもりを振り落とそうとして、めったやたら走りまわりました。

どろぼうも、ふり落とされたら食べられてしまうと、ひっしでおおかみにしがみついていました。

「ギャ〜ッ、ギャオ〜。」

「ひ〜っ、た、たすけてくれ〜っ。」

やがて雨もあがり、空には月まで顔を出したというのに、どろぼうにもおおかみにも、相手のすがたが見えません。

野をこえ、谷をわたり、おおかみは一ばんじゅう山の中を走りまわりました。

おおかみのせなかで、どろぼうは考えていました。

「どこかににげるところはないかなあ。あ、あったぞ！　あそこがいい。」

どろぼうは、ちょうどいい木のえだを見つけて、思いきって、一、二、三！と、とびうつりました。

おおかみは、いきおいよく走りつづけて、そのままどこかへいってしまいました。

「ああ、たすかった。また、ふるやのもりが帰ってきたらたいへんじゃで、かくれてしまおう。よっこらしょっ。」

どろぼうがとびうつった木の太いみきには、大きなあながあいていたのです。

「おお、これはちょうどいい。ここにかくれるとしよう。」

どろぼうは、木のあなにもぐりこみました。ところが、このあなは、深く深く根もとのほうまでつづいていたのです。

どろぼうは、あなのそこまで落ちて、出られなくなってしまいました。

ところで、おおかみのほうは、やっとふるやのもりをふりほどいて、安心して山のなかまのところへ帰っていきました。

おおかみは、おそろしいふるやのもりのことを、山のなかまに話します。でも、だあれも、ふるやのもりなんて知りません。

「そうじゃ、もの知りのさるどんなら、知っとるじゃろう。」

さるどんだって、知るわけがありません。でも、もの知りといわれて、だまっているわけにはいきません。

「うん、そうじゃ。あいつはものすごくおそろしいやつじゃあ。あんなおそろしいやつが、このへんをうろうろしていたら、おらたち安心できねえ。」

というわけで、動物たちは、ふるやのもりがいなくなったという場所へいってみることにしました。

「ふ〜ん、どうもあの木のあながあやしいぞ〜。」

動物たちは、おそるおそるどろぼうが落ちた木のあなに、近づきました。

「さるどん、おめえの長いしっぽで、ちょっくら中をさぐってみねえか。」

さるどんは、あまり気がすすみませんでしたが、それでも、びっくらおっくら、長いしっぽをたら〜り、あなの中にたらしました。

「おっ、な、なんだや？　これは。」

あなの中のどろぼうは、木のつるがおりてきたと思い、つかまってよじのぼっていきました。

さるどんはびっくり。ふるやのもりにつかまったと思ったからです。引きずりおろされたら、食われてしまうと思い、全身の力をふりしぼって、ふんばりました。

「うんしょ、うんしょ。」

どろぼうは、どんどんよじのぼります。

「もうすこしだ。よいしょ。」

あなにひきずりこまれないように、さるどんはひっしでふんばります。

「あ、あっ、しっぽが切れる〜。」

ぷっつん！

もう一息であなの外というところで、どろぼうは、ドシ〜ン！　またまたあなのそこに落ちていきました。

さるどんはというと、しっぽが切れたひょうしに、前につんのめり、地面で顔をすりむいてまっかっか。それに、しっぽもちぎれてみじかくなってしまいました。

「おーい、待ってよう！」

なきべそのさるどんは、ころがるようにみんなのあとをおいました。

それからです。さるの顔が赤くて、しっぽがみじかくなったのは。

（おわり）

# うばすて山

むかしむかし、まわりを山にかこまれた、小さなまずしい国がありました。

この国の城主は、「六十さいになった老人は山にすてること」というおそろしいおふれを出しました。そして、そのおふれにそむいたものには、きびしいばつがかけられたそうです。

人々は、この山を「うばすて山」とよんでおりました。

この国に、年おいた母親とやさしい息子がおりました。二人はなかよくくらしておりましたが、母親はとうとう六十になってしまいました。

あすはうばすて山へいかねばなりません。母親は、悲しむ息子をなぐさめます。

「早いほうがええ。わしはほとけさまのところへいくんじゃ。悲しむことはねえ。」

夜があけると、息子は母親をせおって山へはいっていきました。

山はだんだん深くなり、道は細くけわしくなっていきます。

ポキン、ポキン。小さな音に息子は気がつきました。それは、母親が木のえだをおっているのでした。

「おっかあ、木のえだなんかおってどうするだ？」

「おまえが山をくだって帰るとき、道がわからなくならんように、道しるべをつくっとるんじゃ。」

こんなときにまで、自分のことを心配している母親……。息子のむねにはいっそう悲しさがこみあげてきました。

「おっかあ！　帰ろう！　家さ帰るんだ！」

息子は思わずさけびました。

「そんなことしたら、おとがめが……。」

「いいんだ、どんなことがあっても、おっかあをすてたりはできねえ！」

息子は母親を家につれて帰ると、ゆかの下にあなをほって、そこに母親を住まわせることにしました。

「おっかあ、つらいだろうが、しんぼうしてくれよなあ……。」

こうして何日かすぎていきました。

ある日、となりの国の殿さまが、この国の城主に無理難題をふっかけてきたのです。それができなければ、すぐにせめてくるというのです。

城主は国じゅうに高札を立て、人々のちえをもとめました。それには……

「灰でなわをなって持ってきたものには、ほうびをとらせる」とありました。

いくさになってはたいへんです。息子もあれこれ考えましたが、わかりません。そこで、母親に相談してみました。

「そんなことわけないわ。かたくなわをなって塩水につけ、よくかわかしてから戸板の上でもやせばいい。」

なるほど、灰のなわができました。

そのなわをお城にとどけると、城主はたいそうよろこび、たくさんのほうびをくださいました。

ところが、それからしばらくすると、となりの国の殿さまは、またまた難問をふっかけてきたのです。こんどは、「七ふしまがった小さい竹の中に、糸を通してみよ。」というのでした。

息子はまた母親に相談しました。

「かたほうの口にさとうをぬって、もうかたほうの口から、糸さゆわえたありんこを入れればいいだ。ありんこがさとうをほしがって、穴をもぐるだけで竹の中を糸が通るだよ。」

息子は、さっそくこのことを城主に知らせました。

しばらくすると、となりの国から、三度めの難問が出されました。

「打たずになるたいこを作れ。」というのです。

息子はまた母親に相談します。

「たいこの中にくまんばちをいっぱい入れるとええ。くまんばちがあばれて、打たんでもたいこがなるわさ。」

息子は、さっそくたいこを作ってお城にとどけました。

城主は、よろこびながらも、ふしぎそうにたずねました。

「これは、おまえひとりで考えたのか？」

息子はこれまでのことを、おそるおそる城主に話しました。

「なるほど、年よりのちえがなかったら、この国はほろぼされていたかもしれない……。」

深くはんせいした城主は、老人を山へすてるというしゅうかんをやめさせたそうです。

（おわり）

# かちかち山

むかしむかし、あるところに、それはそれは気のいい、じいさまとばあさまがすんでおりました。

こんなじいさまとばあさまに、前山のうさぎがすっかりなついて、毎日のようにあそびにやってきました。

二人は、そのうさぎを自分の子どものようにかわいがっておりました。

いっぽう、うら山のたぬきも、ちょくちょくあそびに顔を出しておりました。

ところが、このたぬき、ひょうばんのいたずらもの、人なみはずれた食いしんぼうときておりましたから、じいさまもばあさまも、すっかり手をやいておりました。

さて、そんなある日、じいさまは畑に豆をまこうと、せっせとくわをふるっておりました。

そこへ、またもやあらわれたのが、いたずらだぬき。畑のそばにおいてあった豆のはいったざるをかかえこんで、豆をむしゃむしゃ食べてしまいました。

「のんきなじいさま、くわもって、豆もないのに、ほいさっさ。」

と、たぬきは、はやしたてるのでした。

あまりいたずらがひどいので、気のいいじいさまも、とうとうおこりました。たぬきをつかまえて、なわでぐるぐるまきにしばりあげてしまったのでした。

「これならもう、いたずらできめえ。」

と、しばったたぬきを天じょうからつるして、じいさまは、畑へ出ていってしまいました。

家にのこったのは、ばあさまだけです。ずるいたぬきは、なんとかにげだす手はないものかと、考えておりました。

「ようし、なきおとしの手だ。」

そうきめると、たぬきはうそなきをはじめて、気のいいばあさまをだましにかかりました。

「ばあさま〜、おらは、なんちゅうばちあたりじゃろう。くすん……。せめて死ぬまえに、いままでのつみほろぼしをしてえ。なあ、ばあさま、このなわをほどいてくれ〜。おら、ばあさまのてつだいをしてえんだ。」

たぬきは、なみだを流しながら、話しつづけます。

「ばあさま、おまえさまは年よりだあ。おらあ、ばあさまにこうこうをしてえからよう。」

聞いていたばあさまは、首をふりました。

「んにゃ、だまされてなるものか。」

ばあさまは、そう自分にいい聞かせました。

「なあ、ばあさま、おまえさまは、おらがだますと思ってござるじゃろう。死ぬまぎわに、だれがうそなんかつくもんかえ。てつだいを終えたら、またおとなしくしばられる。な、死ぬまえの、たった一つのおねげえだ。なあ、ばあさま……。」

ひっしのたぬきのたのみに負けて、気のいいばあさまは、つい、なわをほどいてしまいました。

「それじゃ、しごとてつだえ。」

と、ばあさまがたぬきにきねをさしだしました。

「ほんじゃ、つかしてもらおうかい。ばあさまをつくんじゃい！」

たぬきは、きねでばあさまをつくと、さっさとにげだしました。

そこへ、じいさまが帰ってきました。

「このあくたれたぬきめ、ばあさまになにをしたんじゃ！」

じいさまは、あわてて家の中へとびこみました。

「ばあさま、ばあさま！　ああ……。」

なんとばあさまは、土間にたおれたまま、息をひきとっておりました。

ほんとにひどいたぬきです。

ばあさまをなくしたじいさまは、もうしごとをする元気もありません。毎日毎日、ばあさまのはかの前でないておりました。

そんなじいさまを見ていた前山のうさぎは、ばあさまのかたきは、きっとわたしがうちますからと、じいさまをなぐさめるのでした。

それからいく日か、うさぎはたぬきが出てくるのを待ちました。

そんなこととは知らず、のんきな顔でたぬきがやってきました。

「なにしてるだ？」

たぬきがたずねると、うさぎはかわいい顔で、じ〜っとたぬきを見つめながらいいました。

「山へいってたきぎひろいをしたいんだけど、おら、足がいたくて……。」

「おらにまかせろ、かついでやるでよ。」

うさぎとたぬきは、いっしょに山へいきました。そして、たくさんのたきぎを集めたのです。

やくそくどおり、たぬきは重いたきぎをせおって山をおります。

うさぎはうしろから、そっとたきぎに火をつけようと、火打ち石を鳴らしました。

「おい、うさぎどん、カチカチいうのは、なにごとだ？」

「かちかち山のかちかち鳥が鳴いたんだよ。」

「そうかい、そうかい。」

そのうち、たきぎがもえだしました。

「おい、うさぎどん、ボーボーいうのは、なにごとだ。」

「ぼ〜ぼ〜山の、ぼ〜ぼ〜鳥が鳴いたんだよ。」

「そうかい、そうかい。」

なんにも知らないで歩きつづけるたぬきは、あつさであせびっしょりです。

「なんだかあついなあ……。」

たぬきが気がついたときは、せなかのたきぎは、ボーボーもえていました。

「あっ、あちちちちっ！　火事だあ。」

あわててかけだしたたたぬきは、川にとびこんで、やっと火は消えました。

そのあいだに、うさぎはにげだしてしまいました。

せなかに大やけどをしたたぬきは、

「あのうさぎを見つけたら、ただじゃおかんぞ！」

と、うさぎをさがしまわりました。

するとみそをすっているうさぎを見つけました。

「この〜っ、よくも、おらを！」

「人ちがいしないでよ。あたしは中山のうさぎよ。前山のうさぎじゃないわ。」

「ほんとかや？」

うさぎはたぬきをだますと、すました顔でこういいました。

「あんた、やけどしているようね。やけどには、このすりみそがよくきくのよ。」

「おう、これはありがたい。」

うさぎがすっていたみそには、じつは、とうがらしがはいっていたのです。

まってましたとばかり、うさぎはたぬきのせなかに、べったりとぬってやりました。

「ぎゃお〜っ、しみる〜っ。」

せなかのやけどにからしみそをすりこまれたたぬきは、もう、ふらふらになって、山をくだりました。

「こんどあのうさぎを見つけたら、ただじゃおかんぞ！」

そう思っていたたぬきが、またも、うさぎに出あいました。

「この〜、よくもひどいめにあわせたな〜！」

「人ちがいじゃない？　あたしは、後山のうさぎよ。」

「後山の？　ほんとかあ？」

うさぎは、またもたぬきをだましにかかりました。

「あんた、魚を食べたくない？」

「魚？　食いてえ！」

「じゃ、ふねをつくるのよ。重いたぬきどんは、重いどろぶねでなきゃだめよ。」

たぬきは、魚を食べたいばかりに、せっせとどろのふねをつくりはじめました。

ふねができました。うさぎは木のふね、たぬきはどろのふねで、川にこぎだしました。

ところが、どろのふねは水にぬれると、どろりととけてきます。

「うわっ、ど、どうしよう。たすけてくれ〜っ。」

「ばあさまのかたきだ。思いしれ。」

「やっぱりおまえは前山のうさぎ！」

とうとうたぬきは、どろのふねといっしょに、ぶくぶくと水にしずんでしまいました。

うさぎは、ばあさまをころしたたたぬきを、ゆるすことができなかったのです。

（おわり）

# ねずみの嫁入り

むかしむかし、あるところに、それはそれはなかのいい、ねずみの若者と娘がおりました。

二人は、しょうらい、きっと結婚しようとちかいあっておりました。

ところが……、がんこな庄屋ねずみがゆるしません。この庄屋は、娘のおやじどのです。

「わしの娘は、この世でいちばん強いおかたの嫁にするのだ。」

おやじどのは、いつもこういいつづけておりました。

「その、いちばん強いおかたとは……、おてんとさまじゃ！」

娘と若者はがっくりです。

「なんてことだ！　おてんとさまには勝てっこないし、村でいちばんえらい庄屋さまが決めちまったんだ。どうしようもない。もうだめだ。」

「わたしだって、どうしたらいいか。」

娘と若者がなげきあっているところへ、村のお年よりが通りかかりました。

なかのいい二人のことを心配して、お年よりは娘のおやじどののところへきていいました。

「のう、おやじどの。この世でいちばん強いのは、まことにおてんとさまかの？　お雲さまはどうじゃな？」

「な、なんじゃと！」

「強いはずのおてんとさまが、お雲さまにすっぽりつつまれておるわい。」

「なるほど。それじゃ娘のむこは、お雲さまだ！」

「なんの、なんの。そのお雲さまも、お風さまがふくと、ぴゅ〜っとふきはらわれてしまう。」

「ありゃ〜っ、それじゃ、お風さまがいちばん強いのか？」

「とんでもない。お風さまがいくら強くふいても、びくともなさらんおかべさまのほうが、もっと強い。」

「なら、おかべさまがいちばんんか？」

そこで、ここぞとばかり、お年よりはいいました。

「そのおかべさまに、あなをあけたり、

道を作ったりしとるのは、どこのどなたさまじゃ？　わしらねずみじゃないか！」

おやじどのは、すっかり感心してしまいました。

「なあるほど、この世でいちばん強いのは、わしらねずみか。ようしわかった。娘は、ねずみのなかでいちばん強いものにやることにする！」

というわけで、いちばん強いものが庄屋ねずみの娘を嫁にもらえるという話がひろまると、たちまち名のりをあげたのが、力持ちのねずみです。

「おじょうさんは、わしがもらった。」

ほかのねずみたちは、だれもこの力持ちにはかなわないと思いました。

けれども、若者ねずみは、どうしても娘ねずみをあきらめることができませんでした。

「おじょうさんはおらがもらう。おらとおじょうさんは、すきおうとるだ。」

と、とびだしてきた若者ねずみを、力持ちねずみはせせらわらいました。

「ほほう、おまえなんぞ、ひねりつぶしてやるわい。かかってこい！」

若者ねずみがとびかかっていきましたが、たちまち投げとばされてしまいました。

「どうだ、まいったか。」

「いや、まだまだ。」

こんどもまたかるく投げとばされてしまいました。投げられても、投げられても、若者はあきらめませんでした。

「いいかげんに、まいったといえ！」

「いいや、まだまだ。」

きずだらけになっても、すこしもひるまずとびかかってくる若者ねずみに、力持ちねずみは、とうとういいました。

「わかった、おらの負けだ。すきおうとるものの力にはかなわねえ。おじょうさんはおめえのものだ。庄屋どんも、いいな？」

おやじどのも、若者ねずみのひたむきさに、すっかり心を打たれ、うなずきました。

「ああ、おてんとさまより、お雲さまより、お風さまより、おかべさまより、もっともっと強いのは、すきあったどうし。娘のむこは若者ねずみじゃ！」

こうして、若者と娘はめでたく結婚し、いつまでも幸せにくらしましたとさ。

（おわり）

# 青と赤の天狗さん

むか〜しむか〜し、あるところに、たか〜いたか〜い、まるでうそのようにたか〜い山がありました。

そのたか〜い、たか〜い山のてっぺんに、とてもなかのよい、青いてんぐさんと赤いてんぐさんがすんでいました。

青てんぐと赤てんぐは、いつものように、きょうも山のてっぺんで、人間たちのいる下界をながめています。

赤てんぐがいいました。

「な、青てんぐ、おれたちがこの山にすんで、何年になるかな？」

「ん……、そう、五百年になるかな。」

「五百年か……。こうして下界のようすを見ていると、おもしろいようにかわっていくが、おれたちは、ち〜っともかわらないな。」

赤てんぐがいうと、青てんぐはのんびりこたえます。

「ふむ……、下界のれんちゅうは、年がら年じゅう、いそがしくけんかばかりしているからなあ……。」

「そうか、けんかをしてかわっていくのか。」

「ああやって、せっかくきれいな町をつくったかと思うと、けんかをはじめて、ぜんぶもやしてしまう。そしてまた、せっせと新しい町をつくっては、またけんかをする。まったく、よくいやにならずにけんかをするもんだよ。」

それを聞いていた赤てんぐ、ぴょんととびあがっていいました。

「そうか！　わかった！　おれたちもけんかをしなくちゃだめなんだ。」

「なんだい、とつぜん？」

青てんぐは、目をぱちくり。

「おれとおまえは、五百年のあいだ一度もけんかをしたことがない。」

「なかよしなんだから、いいじゃないか。」

青てんぐがそういっても、赤てんぐはききません。

「いいや、けんかをしないというのは、進歩がないんだ！」

「そうかなあ……。」

「ともかくおれは、きょうから、おまえ

とけんかすることにきめた。いいいか、しばらくはいっしょに遊ばないからな。」

「なんだかよくわからないけど……、そうしてみるか。」

というわけで、青てんぐと赤てんぐは、ひょんなことから、けんかをしてみることになりました。

いままでは、いつも二人でなかよくやってきたのですが、その日から、山をはさんでべつべつにすごして、できるだけ顔を合わせないようにしよう、ということになりました。

そんなある日、

「あ〜あ、一人でいるとたいくつだなあ。なにかおもしろいことないかな。」

青てんぐは、一人で下界をながめておりました。すると……、

「ん？　なんだ、あれは？　どうしてお城があんなにぴかぴか光っているんだろう。そうだ、あそこまでちょっと鼻をのばしてみよう。

鼻、のびろ〜、鼻、のびろ〜。」

そういいながら、鼻をこすると、青てんぐの鼻は、するするとお城のほうへのびていきました。


さて、そのころお城では、お姫さまの侍女たちが、お姫さまの着物を虫ぼししているまっさいちゅうでした。

「んまあ！　このきんらんどんすのすばらしいこと！　きらきらとお日さまにかがやいて、まるでほうせきのようだわ。」

「でも、おめしものがあんまりたくさんで、もうほすところがありませんわ。どういたしましょう……。」

そこへ、青てんぐの鼻が、するするとのびてきたものですから……、

「あら、ちょうどいい青竹がありました。ずいぶん長いさおだこと。」

侍女たちはつぎからつぎへと、青てんぐの鼻に、着物をほしました。

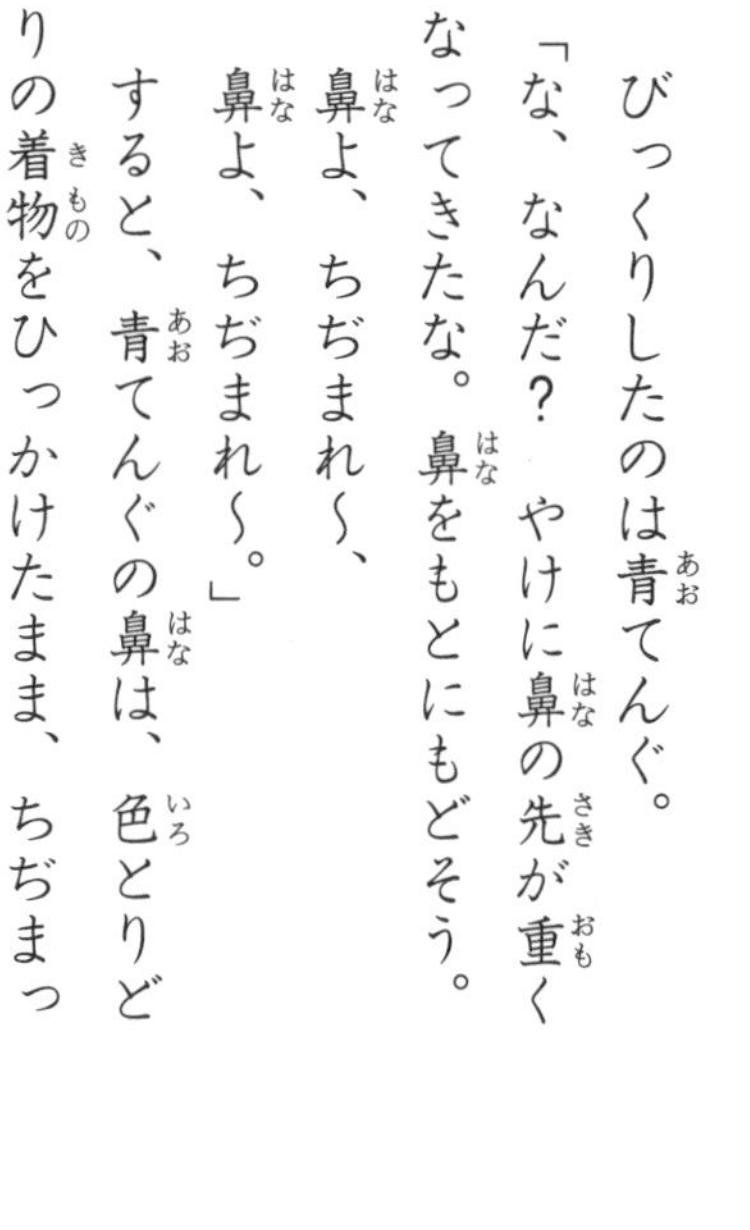

びっくりしたのは青てんぐ。

「な、なんだ？　やけに鼻の先が重くなってきたな。鼻をもとにもどそう。

鼻よ、ちぢまれ〜、
鼻よ、ちぢまれ〜。」

すると、青てんぐの鼻は、色とりどりの着物をひっかけたまま、ちぢまっていきました。

「あれえ！　おめしものが。どろぼう！」

侍女たちは大あわて。でも、着物は青空にきんらんどんすをきらきらとかがやかせながら、とんでいってしまいました。

鼻をちぢめた青てんぐは、自分の鼻にかかっている美しい着物を見て、またびっくり。

「なんだ、こりゃ？」

こうして青てんぐは、お城に鼻をのばしたおかげで、お姫さまのきれいな着物を、どっさり手に入れることができました。

青てんぐは大よろこび、着物をかわるがわる着ては、遊んでおりました。

そこへやってきたのは赤てんぐです。

「なにをあほみたいなことしているんだ。」

青てんぐは、色とりどりの着物を見せながらいいました。

「お城に鼻をのばしたらな、こんなきれいな着物がついてきたんだ。まだまだたくさんある、おまえのぶんもちゃんとむこうにとってある。」

ところが、赤てんぐは、ぷいっと横をむき、

「ふん、ばかばかしい。そんなぺかぺかしたもんなんか着られるか！」

そういって、さっさと山のむこうがわに帰ってしまいました。

赤てんぐは、いじをはってあんなことをいいはしたものの、ほんとうは青てんぐがうらやましくてたまりません。

「いいなあ、城に鼻をのばすんか。おれもやってみよう。

のびろ、鼻、のびろ〜、鼻。」

赤てんぐの鼻は、するするとお城へのびていきます。

畑仕事をしていた男が、空を見上げてびっくり。

「あれま、こんどは赤いものがとんできた。きょうはへんなものがよくとんでくるなあ。」

そのころお城では、お殿さまが、家来たちに武芸のけいこをさせているところでした。

「天下泰平のときこそ、武芸にはげむときじゃ。しっかりやれい！」

「たあ〜っ、とう〜っ。」

「きえ〜っ。」

家来たちは、刀ややりをふりまわし、しゅぱっ！　しゅぱっ！

そこへ、赤てんぐの鼻がのびてきました。

「ひゃあ〜。」

「な、なんだ、この赤いものは？」

その鼻に切りかかったり、弓で射ようとするお殿さまの家来たち。みんなが大さわぎで見ているあいだにも、鼻

は、ずんずんのびつづけます。

お殿さまが、おそるおそる赤てんぐの鼻にさわってみると……。

「はて、あったかい。ふにゃふにゃしておるぞ……。え～い、きみのわるい！　切れえ！　切れえ！」

しゅぱっ！　しゅぱっ！　しゅぱ。家来たちは、いっせいにうちかかりました。さあ、おどろいたのは赤てんぐです。いたいのいたくないのって、大あわてで鼻をちぢめました。

かわいそうに、赤てんぐはお城に鼻をのばしたおかげで、きれいな着物を手に入れるどころか、とんでもないめにあってしまいました。鼻はいたいわ、着物は手にはいらないわ、なにがおきたのかさっぱりわかりません。

赤てんぐがしょんぼりと岩にすわっていると、青てんぐがやってきました。

「おうい、赤てんぐ、どうした。いやにしずかにしてるな。」

青てんぐは、赤てんぐの鼻のほうたいを見てびっくり！

「ど、どうしたんだ、その鼻は？」

「ほっといてくれ。」

「そうはいかないよ、どれ、見せてごらん。ひどいきずじゃないか。かわいそうに。」

青てんぐのやさしいことばに、赤てんぐの目からは、なみだがぽろり。

「いたいよう……。」

赤てんぐは、青てんぐにだきついてなきだしました。

「だいじょうぶだ、だいじょうぶだ。けがなおったら、きれいな着物を半分やるから、がまんしな。」

「あ～ん、あ～ん、いたいよう～。」
というわけで、赤てんぐもやせがまんをやめて、青てんぐから着物をわけてもらい、またなかよくくらすことになりましたとさ。
（おわり）

# 河童の雨ごい

むかーし、森にかこまれた小さな村があったぞな。その森の中に、古いぬまがあって、一ぴきのかっぱがすんでおったという。

このかっぱ、ひどいいたずらものでな、畑をあらしたり、ぬまへ人をひきずりこんだりのわるさをするので、村の人たちはたいそうこまっておった。

ある日のこと、この村にやってきた旅のぼうさんが、いたずらがっぱの話を聞いた。

ぼうさんは、さっそくぬまへいって、かっぱをよびだしていうたのじゃ。

「おめえさんは、わるいことばかりしとるようじゃが、いったい、なにが気に入らんで、そんなことするんじゃあ？　うん？」

するとかっぱは、こんなことを話しはじめたんじゃや。

「わしはなあ、かっぱの身の上がつらいんよ。こんなすがたでは、人間のなかまには入れてもらえず、そうかといって、魚やかめのなかまでもねえ。おもしろくねえ。だからおらあ、ときどきむちゃくちゃあばれまわっとるのよ。」

話しているうちに、かっぱはなんだか悲しくなってきた。

「おぼうさま、人間に生まれかわるには、どうしたらいいだ。」

「それはのう、おまえが生きているあいだに、なにか人のためになることをすることだ。」

ぼうさんは、やさしくかっぱに話すと、帰っていった。

その年の夏のことじゃった。

村は何日も何日も日でりがつづいて、作物はかれるし、いどの水もなくなってしもうた。

村人たちは、毎日毎日広場に集まって、朝からばんまで空に向かって雨ごいをした。うらない師のおばあさんも、くるったようにいのりつづけた。

「雨をふらせてたもれ、雨をふらせてたもれ！」

そのころ、あのぬまのかっぱがとことこと、村の中へはいってきた。

「わ〜っ、かっぱじゃ。やっつけろ！」

村人たちは、かっぱをとりかこんでおそいかかった。日ごろのうらみをはらそうと、なぐったりけったり。さんざんかっぱを打ちのめした。

じゃが、かっぱはおとなしくされるまま。そして、いまにも死にそうなようすでやっと顔を上げると、雨ごいをさせてくれとたのんだのじゃった。

村人たちは、またかっぱがいたずらでもするのかと思ったが、このひどい日でりに、わらをもつかむ思いで、かっぱをしばったまま、広場のやぐらの上につれていった。

かっぱはしばられたまま、やっとのことで体をおこし、天をあおいでいのりはじめた。

「神さま、おら、いままでわるいことばかりして、村の衆にめいわくをかけてきた。だから、おらの命とひきかえに、村に雨をふらせてはくださらんか。どうか、おねげえですだ。」

かっぱの雨ごいは、何日も何日もつづいた。そのあいだ、かっぱは水も飲まなければ、食べものも食べなかった。

かっぱのいのりの声は、苦しそうにとぎれとぎれになっておった。

「神さま……、おねげえです……だ。……雨をふらせて……けろ……。」

かっぱのいのりがあんまり熱心なので、いつのまにか、村じゅうの人たちもいっしょになっていのりはじめた。

やがて……、なんというふしぎなことか。空には急に雨雲がたちこめて、大つぶの雨がぽつり、ぽつり。

とうとう雨がふってきた！

雨はみるみるはげしくなり、やがて、たきのようにふりだしたのじゃ。

「かっぱの雨ごいが天にとどいた。」

じゃがそのとき、かっぱはやぐらの上で、はげしい雨に打たれながら、死んでおった。

それからしばらくして、旅のぼうさんがまたこの村をおとずれて、このことを知った。ぼうさんは、人間になりたがっていたかっぱの話をした。

「命がけでつみほろぼしをしたんじゃもの。いつか人間に生まれかわって、この村にくるかもしれんなあ。」

村人たちは、ぬまの近くに、小さなかっぱのはかを立て、いつまでもかっぱの雨ごいの話を語りつたえたそうな。


（おわり）

# 舌切り雀

むかしむかし、あるところに、おじいさんとおばあさんが住んでいました。

おじいさんは、いつものようにきょうも山でしごと。

「ばあさんや、いってきますよ。」

おばあさんはとてもよくばりで、おじいさんがもっとはたらけばいいと思っていましたから、ぷんとした顔でおじいさんを見おくりました。

でも、おじいさんは、そんなことはすこしも気にかけていませんでした。

おじいさんは、山の中であせを流してはたらくのが楽しいのです。木を切り、土をほりおこし、畑をつくるしごとです。

「やれやれ、それじゃあ、こんどはしばをかるとしよう。」

おじいさんは、もっと山のおくへはいっていきました。

しずかな森、ひんやりとした空気、谷川の音にまじって、小鳥のさえずりも聞こえます。

そのとき、なきさけぶようなすずめの声が聞こえてきました。

「はて、たしかこっちのほうで聞こえたようじゃが……。」

声のしたほうへ目を向けると、

「うっ、ややや……。」

おじいさんは、かれえだの下でもがいている子すずめを見つけました。

「おお、かわいそうに。けがをしとるな。よしよし……。」

すずめを両手でだきあげて、やさしく話しかけました。

「すぐになおしてやるからな。さ、わしの家にいこう。すぐによくなるよ。」

そういって、子すずめをだいじにふところへ入れてやりました。

おじいさんは、家に帰ると、さっそく子すずめのきずの手当てをしました。

ところが、おばあさんはこれが気に入りません。

「ふん、しごとをほったらかして、子すずめなんかと遊んでおって……。」

そんなおばあさんを見て、子すずめはふるえています。

「まあまあ、ばあさんや、そんなにがみがみいわんでも。このすずめは、けがをしておるんじゃよ。おお、よしよし、かわいそうにのう。」

おじいさんは、手のひらにのせた米つぶをすずめに食べさせました。

「だいじな米を、すずめなんかに食わして、あきれたもんだよ。」

おばあさんは、すずめをにらみつけて出ていきました。

心のやさしいおじいさんは、子すずめをほうっておく気にはなれません。

おじいさんは、せっせとこの子すずめをかいほうし、おちょんという名まえまでつけてやりました。

おかげで、おちょんは元気になっていきました。

そんなある日、おじいさんはまた、山へ出かけていきました。

「おちょんをたのみますよ、ばあさん。」

「わかっていますよ。」

おじいさんを見おくると、おばあさんは「なにがおちょんだ。」と、つめたい顔。こんなふうでしたから、もちろんえさなどあたえるはずもありません。

おちょんをのこして、さっさと川へせんたくにいってしまいました。

ひとりぼっちのおちょんは、おなかがすいて、思わずおばあさんが作ったのりをチュンチュン食べはじめました。

「おいちい、おいちい。」

とうとうおちょんは、すっかりのりをたいらげてしまいました。 

さあ、たいへん。帰ってきたおばあさんは、かっかとおこりました。

「待てえ、のりどろぼう！　もう二度とできないように、おまえのしたをこうしてやる。」

ちょき〜〜〜ん！ 

かわいそうに、おちょんはしたをはさみで切られてしまいました。

したを切られた子すずめは、なきなき山へ帰っていきました。

「なんじゃと！　おちょんのしたを切ったって？　なんということを……。」

話を聞いておじいさんは、なみだを流しました。

「ゆるしておくれ、いたかったろうに。」

おじいさんは、おちょんのことが心配でなりません。おちょんをたずねて、山のおくへとはいっていきました。

「おちょんはどこにいるんじゃろう。」

おじいさんは、林の中をあちらこちらさがしまわりましたが、おちょんのすがたはどこにも見えません。

「そうじゃ、すずめのお宿というのがあると聞いたことがある。そこへいけば、きっとあのおちょんにあえるにちがいない。」

おじいさんは、もっともっとおくへはいっていきました。

「チチチ、チチチ、こっち、こっち。」

おじいさんの目の前を、二、三わのすずめがとびかいました。

「おお、すずめじゃ。すずめのお宿はどこかの？」

「こっち、こっち、チチチチ……。」

おじいさんは、すずめの声にさそわれるように、竹やぶのそのまたおくへ、ずんずん歩いていきました。

「いらっしゃいませ。ちゅ〜んとお待ちしておりました。」

「ところで、おちょんはどこかい？」

「チュンチュン、おちょんはこっち。」

おくのざしきにはいると、おちょんがかけよってきました。

「おお、おちょん。おまえのことが心配で、心配で……。」

おじいさんは、おちょんと、ほかのすずめたちの大かんげいをうけました。

たくさんのごちそうや、楽しい歌やおどりで、おじいさんはすっかり時がたつのをわすれてしまいました。

おちょんが元気なことがわかったので、おじいさんは、もう家に帰ろうと思いました。

そのとき、すずめたちが、二つのつづらをおじいさんの前へおきました。

「わたしたちからのおれいです。大きいほうと小さいほうと、どちらかおすきなほうをお持ちになってください。」

「すまんのう。それじゃあ、わしは年よりだから、小さいほうをもらっていこうかのう。」

よくのないおじいさんは、小さいつづらをせおって帰っていきました。

さて、家に帰ってつづらを開けてみると、出るわ出るわ、小判に着物、たくさんのたからものがざっくざく。

「大きいつづらと小さいつづらを出されたんじゃが、重いのはこまるから、小さいほうにしたんじゃ。」

と、おじいさんがいうのを聞いて、おばあさんはおこりました。

「どこまでまぬけじゃ。大きいほうなら、たからものはもっと多かろうに。よし、わしがいって、大きいほうのつづらをもらってくる。」

というが早いか、おばあさんは走りだしました。山でも坂でもなんのその。よくのかたまりのようになって、つっ走りました。

すずめのお宿をたずねあてたおばあさんは、わざとらしくわらいながらいいました。

「おちょんや、わしはおまえのめんどうをみてやったはずだね。さあさあ、お茶なんかいいから、早くつづらをお出しよ。」

すずめたちは、すぐに二つのつづらを持ってきて、おばあさんの前におきました。

「わしゃ、この大きいほうをいただくよ。」

「おばあさん、そのつづらは、家へつくまで開けないようにね。おねがいよ。」

すずめがいうそんなことばは、おばあさんの耳にははいりません。わが家めざして大いそぎ。

でも、よくばりばあさんは、とても家まで待ちきれません。早くたからものを見たくて、山道のとちゅうでつづらをおろし、ギーッと、ふたを開けてしまいました。

「あわっ、きゃ〜っ。」

つづらの中からもくもく、もくもくけむりが上がり、うじゃうじゃ出てきたのはばけものばかり。一つ目、からかさ、妖怪変化。

おどろいたのなんのって、おばあさんは、つづらを投げだして、山道をころげるようにかけおりました。

あんまりよくをかきすぎると、こんなおばけをもらっちゃうぞ〜っていうお話は、これでおしまい。（おわり）

# 豆つぶころころ

むかしむかし、あるところに、正直ではたらきもののおじいさんとおばあさんが住んでおりました。

ある日、おばあさんが家の中のそうじをしていると、豆が一つぶ、ころりんころころ……と、土間にころげ落ち、かまどにはいってしまいました。

「やれやれ、一つぶの豆でもそまつにはできん。」

おじいさんは、そう思って、かまどの中をかきまわしました。

すると、かまどのそこに、ぽっかりとあながあいて、おじいさんはあなの中へ、すぽ〜ん。ごろごろ……。

「あいた、た、た。」

おしりをさすりながらふと見ると、そばにおじぞうさまが立っています。

「じぞうさま、じぞうさま、豆を知りませんか？」

「豆なら、わしが食ろうたよ。」

「それなら、よかった、よかった。豆がむだにならずによかった。」

おじいさんがもどろうとしますと、おじぞうさまはいいました。

「一つぶの豆でも、おれいをせんとな。この先をいくと、赤いしょうじの家があるから、米つきをてつだえ。

またその先には、黒いしょうじの家があるから、天じょううらにのぼって、にわとりのまねをせい。きっといいことがあるぞ。」

おじいさんは、教えられたとおりに、あなの中を歩いていきました。

しばらくいくと、赤いしょうじの家があって、おおぜいのねずみたちが、嫁入りじたくのまっさいちゅう。

「ニャーという声、聞きたくないぞ。ニャーという声、聞きたくないぞ。」

といいながら、米をついていました。

「おめでとうさんで、米つきをてつだいましょう。」

おじいさんは心をこめて、いっしょうけんめい米をついてやりました。

ねずみたちは大よろこびで、おじいさんに赤い着物をくれました。

またしばらくいくと、がけの上に、黒いしょうじの家がありました。

その家の中では、大ぜいのおそろしいすがたの鬼どもが金銀をつんで、ぴったんこ、ぴったんこ、花札ばくちをしていました。

おじいさんは、こわいのをがまんして、天じょううらにのぼって、大声でさけびました。

「コケコッコー！　一番どりだぞう！
コケコッコー！　二番どりだぞう！
コケコッコー！　三番どり！」

「うわあ！　朝だ、朝だ！」

鬼どもは、あわててにげだしました。あとには、金銀、小判の山。

おじいさんは、そのおたからを持って家に帰ってきました。

おばあさんも大よろこびです。

この話を、すっかりぬすみ聞きしていたのは、となりに住む、よくばりなおじいさんとおばあさんでした。

「こりゃあ、いいことを聞いたぞ。」

よくばりなおじいさんは、ざるにいっぱい豆を入れ、となりの家へやってくると、いきなりかまどの中へ、豆をザーッとぶちまけてしまいました。

「おらもいってくるで！」

そういうと、このおじいさん、むりやりかまどのそこのあなの中へ……。

「やあ、いた、いた、じぞうさまが。これ、じぞうさま、おらの豆を食うたじゃろう！　いまさら返そうたってだめじゃい。おれいはどうした、おれいは！」

えらいけんまくでどなられて、おじぞうさまはしかたなく、さっきと同じことを教えました。

そこでおじいさんは、どんどん進んで、ねずみの家に着きました。

「ニャーという声、聞きたくないぞ。」

「ははあ、ここだな。ようし、おどかして、ねずみのたからものをとってやれ。」

「ニャーオ……、ニャーオ！」

ねずみたちはびっくり。米つきのきねをおじいさんに投げつけました。

「あいた、た、た。やめろ、やめろ。」

おじいさんはにげだして、こんどは鬼どもの家へ。

ところが、鬼たちがあんまりこわかったもので、ふるえながらいいました。

「一番どり〜！　二番どり〜！
三番どり〜！　……あわわわ……。」

「なんじゃ、こいつは？」

おこった鬼どもは、よくばりおじいさんをつかまえ、谷底へけとばしてしまいましたとさ。

（おわり）

# 力太郎

むかしむかし、あるところに、ものすご～くものぐさの、じさまとばさまがおった。

この二人、村の人たちがどんなにいそがしくはたらいとっても、な～んもせん。

着物をぬぐのもめんどうで、ふろにもはいらんかったそうな。

二人はいつも、体じゅうあかだらけじゃった。

ある日のこと、じさまがいった。

「ばさまや、おらたち、子どももお金もなくて、ちとさびしいのう。」

「そんじゃ、この体じゅうのあかをこすって、人形でも作るべか。」

と、二人は、ごしごしあかをこすり落として、そのあかをまるめて人形を作ったんじゃ。

すると！

「ほげ～、ほげ～。」

おどろいたことに、その人形がとつぜん大声をあげてなきだした。
「なんじゃ、こりゃ。ほんとの赤んぼうみてえじゃ。」
子どものいなかった二人は大よろこび。さっそく、人形にめしを食わせた。

ところがこの人形、食うわ、食うわ。一ぱい食っては、ほげ～。二はい食っては、ほげ～。三ばい食っては、ほげ～。みるみるうちに家じゅうのめしをたいらげ、ずんずん大きくなっていったと。

そんなある日、この子がはじめて口をきいた。


「おとう、おかあ。おら、力だめしの武者修行にいくだ。百かんめの金棒がほしいんじゃ。」

この子の力の強いのなんのって。お

となでも持てない百かんもある金棒を、指先でひょいと持ちあげてしまう。

そんなわけで、この子は、力太郎という名まえをつけてもらい、力だめしの武者修行に出かけた。

しばらくいくと、赤いお堂が見えた。

「あそこでひと休みしよう。」

力太郎が、お堂にこしかけると……、

「あれれっ？」

とつぜん、お堂がゆらゆらと動いて持ちあがった。なんと、男がそのお堂をせおって歩いとる。

男は、力太郎に気がつくと、大声でがなりたてた。

「こらあ！　おらのお堂に乗っかってるやつは、だれだあ！」

「おめえこそ、だれだあ？」

「おらあ、天下一の力持ち、御堂っこ太郎さまじゃ。」

「こりゃおもしろい。おらは、力太郎というもんだでや。」

二人の力じまんがそろえば、力くらべのはじまりじゃ。

「いくぞ！　そりゃ～っ。」

「なんの、なんの。」


御堂っこ太郎も強いが、力太郎のてきではない。力太郎の金棒で、御堂っこ太郎は、どこかへふっとんでいった。

「助けてくれ！　助けてくれ！」

上のほうで声がする。見ると、御堂っこ太郎が、高い松の木にひっかかっておった。

「おらの負けだ。家来になるから、ここからおろしてくれぇ。」

こうして力太郎は、御堂っこ太郎を家来にして、力だめしの旅をつづけた。

しばらくいくと、どこからか石がとんできた。

「れれっ？　なんだ、これは？」

見ると、石切り場で一人の男が、素手で石をガキーン、ガキーンと、くだいておる。そのかけらがこっちへとんでくるんじゃ。

力太郎は、身がまえると、とんできた石を金棒でうちかえした。

カキーン！　うちかえした石は、その男の頭にみごと命中。

「いてっ、だれだあ。天下一の力持ち、石っこ太郎さまに石をぶつけるやつは。」

「いやあ、よく天下一がいるもんじゃ。」

力太郎は、大わらい。御堂っこ太郎はかしこまってこういった。

「こちらにおられるのが、ほんとうの天下一の力持ち、力太郎さまだぞ。おらは、家来の御堂っこ太郎だあ！」

「それなら、おれと勝負しろ！」

また力くらべがはじまった。まずは、御堂っこ太郎が相手じゃ。

「さあ、見合って、見合って。はっけよい、のこった、のこった。」

「う〜ん、う〜ん。」

どひょうの上で、がっぷり組んだまま、いつまでたっても勝負がつかん。

「御堂っこ太郎、そっちゃどけ。おらが相手してやる。」

そういって力太郎は、石っこ太郎にぶちあたった。

ドーン！　石っこ太郎はひとっとび。石の中に頭をつっこんでしまったと。

石っこ太郎は、力太郎の強さにおそれいって、家来になり、三人でずんずん旅をつづけた。

三人は、ある町までできたが、きみょうなことに、この町は、し〜んとしずまりかえっていて、人っ子ひとり見えん。

町一番の長者の家までくると、どうしたことかと、ようすを見にたちよってみた。すると、しくしくと娘のなき声が聞こえてきたんじゃ。

「娘っこ、なしてないておる？」

長者の娘は、なきなきいった。

「この町では、ばけものが出て町の娘を一人ずつさらっていくのです。そして今夜は、わたしの番なのです。」

それを聞いた三人は、いまこそ自分たちの力の見せどころと、大はりきり。

「ばけものなんか、三人でたいじしてやる。」

その夜、三人は、長者の家で、いまやおそしとばけもののあらわれるのを待ちかまえた。

やがて、真夜中……。

「ウオーッ、ウオーッ。」

ついにばけものがあらわれた。そのおそろしいこと、でっかいこと。

「娘っこはどこじゃあ！　かくれてもむだだあ。ウオーッ、ウオーッ。」

おそろしい声が町じゅうにひびいた。

と、そこへ、

「待て〜っ、ばけもの！」

御堂っこ太郎がとびだして、ばけものの足にくらいついたが、ばけものはびくともせん。

「なんだ、おまえは。」

と、御堂っこ太郎を指先でつまみ、ぽいっとのみこんでしまった。

「ちくしょう！　御堂っこ太郎のかたきだ〜っ。」

石っこ太郎がとびかかっていったが、これもぱくりとやられてしまった。

かわいい家来を、二人とも目の前でのみこまれた力太郎、だまってひきさがるはずがない。

「おのれ、ばけもの！　力太郎が相手だあ。この百かん棒をうけてみよ！」

と、突進したが、ばけものも強い。力太郎のふりかざす金棒をぐにゃりとまげると、力太郎をひとつかみ。あんぐり口をあけ、いまにものみこみそう。

「食われてたまるか！　え〜いっ！」

力太郎は、ばけものの鼻っぱしらを力のかぎりなぐりつけた。

「いてててて……。」

ばけものがひるんだすきに、ばけものの足をとり、投げとばした。

ばけもののはらの中では、御堂っこ太郎と石っこ太郎が大あばれ。ついにばけものは目をまわして、ひっくりかえってしまった。

なんと、ばけものの鼻のあなから、御堂っこ太郎と石っこ太郎が元気にとびだした。力太郎は大よろこび。

三人のかつやくに、長者どんはもちろん、町じゅうの人が、うんとこさよろこんで、なにかおれいをしたいといった。すると力太郎はこういった。

「なあに、れいなどいらん。はらいっぱい、まんまさ食わしてけれ。」

長者どんは、なんとよくのない人じゃと、たいそう感心して、娘を嫁にもらってくれとたのんだ。

そこで、力太郎は、一番めの娘を、御堂っこ太郎は、二番めの娘を、石っこ太郎は、三番めの娘を嫁にもらったと。

長者どんのむことなった力太郎は、里のおとうとおかあをよんで、いつまでも楽しくくらしたということじゃ。めでたし、めでたし。

（おわり）

# 屁ひり女房

むかあし、ある村に、おっかあと息子がなかよう住んでおった。

その息子が嫁ごをもらうことになってな。きょうは嫁ごがくる日じゃ。

息子はとうげまで嫁ごをむかえに出てな、馬っこのせなかにゆられている嫁ごを、ちらっと見てはにこ~っとしておった。

この嫁ごは、たいそうなはたらきものでな。朝から晩までようはたらいた。そのうえ、なかなかやさしい嫁ごでな。息子だけでなく、おっかあもそれはそれは気に入っとった。

ところがじゃ、十日たち、二十日たつうちに、この嫁ごが急に元気がのうなってきた。

おっかあが、嫁ごにたずねた。

「これこれ、嫁ごや、おめえ、どこぞからだのぐあいでも悪いんじゃあねえかい。」

すると嫁ごのいうことにゃ……。

「おっかあ、おら、屁がひりてえ。」

嫁ごがいうには、嫁入りしてからずうっと、屁がひりたくてひりたくてならんかったんだと。それでも、嫁が屁なんかひってはならんと思って、きょうまでがまんしていたので、からだのぐあいがおかしくなってきたんじゃと。

「そんな、屁くらいだれでもするわな。さあさ、えんりょせずに出したらええ。」

「そんじゃあ、おっかさん、どこぞへつかまっとっておくれ。」

そういうと嫁ごは、いきおいよくすそをまくった。

「ブオ~~~ッ!」

なんと、嫁ごの屁のすごいこと。そのいきおいで、おっかあとねこは、向かいの大根畑までとばされてしもうた。

「おうい、これではたまらないでや。ひとつ、引き屁にしてくれやあ。」

そういわれると嫁ごは、「えっこらしゃい。」と、こんどは引き屁というものをした。

すると、おっかあとねこは、つかまっていた大根ごとぬけて、家の中へすいこまれてしもうた。おっかあは、大根をかかえて目をまわしてしもうた。

ちょうどそのとき、息子がしごとから帰ってきた。

「あっ、おっかあ、どうしたんじゃ。」

これが嫁ごの屁のせいじゃとわかると、息子はおこりだした。

「こげな嫁、おいとくわけにはいかん。さっさと出ていってもらうだ。」

おっかあはとめたが、息子はどうしてもいうことをきかなかった。

こうして嫁ごは、荷物をまとめて実家へ帰ることになったそうな。

「ちょっとそこまで送ってくるわ。」

息子も嫁ごについて出ていった。

二人が船着き場を通りかかったときじゃ。風がないのでほかけ船が動かない。それで船頭がこまっておった。

それを見て嫁ごがいった。

「おらなら、屁ひとつで動かせるだ。」

「いいかげんなことというな。そんなことできたら、ここの米だわら、何びょうでもやるわい。」

「そんなら、おら、出すでよう。」

嫁ごはそういうと、くるっとすそをまくって、ボワ〜ン！

ものすごいのを一発、みまった。

船はあれよあれよというまに、おきへ出ていった。ところが、やくそくの米だわらをおいていかなかったんじゃ。

「これ〜、もどってこねえだか。」

嫁ごは、こんどは引き屁をはなった。米だわらをつんだ船は、あっというまに岸についた。

「これで家へのみやげもでけた。」

二人がとうげの道にさしかかったとき、旅の反物売りが、かきの実をとろうとしておった。じゃが、なかなか手がとどかない。

それを見て、嫁ごがまたいった。

「おらなら、屁ひとつでかきの実落とすでよう。」

「なにい、そんなことができたら、この反物、ぜえんぶやらあ。」

嫁ごはかきの木におしりを向けたかとおもうと一発。かきの実は一つのこらず落ちてしもうた。

「ほんとうに、くれるだか？」

嫁ごは、やくそくの反物をもらうと、とうげを下っていった。

嫁ごを追って、息子は走りだした。

「こげな宝女房、どうして里へなんか帰せるものか。おらといっしょに、また家にもどってけれ。」

嫁ごは、思わずにっこり。

それから、この家では、庭に「屁屋」というものをこしらえて、嫁ごが屁をこきたくなると、ここでやらせたそうな。それが、「部屋」というもののはじまりじゃと……。

（おわり）

# 絵姿女房

むかしむかし、まずしいくらしをしとる、兵六という若者がおりましたと。ところが、それはそれは美しい嫁さんをむかえたもんで、兵六は嫁さんの顔に見とれて、仕事に出ていこうとしなくなりました。

嫁さんはこまってしまいました。そこで、自分の顔を絵にかいて、兵六に持たせることにしたのです。

これなら、いつでも嫁さんといっしょです。兵六は、嫁さんの絵すがたをふところにして、畑へ出かけていきました。

畑にいくと兵六は、嫁さんの絵を見てはちょっとはたらき、ちょっとはたらいては、またじ～っと絵をながめておりました。

そのときです。強い風がふいてきて、兵六のたいせつな絵すがたは、あれよあれよというまに、空にまいあがってしまいました。

「お～い、待てえ～っ。」

絵すがたは、お城までとんでいって、お殿さまの目にとまりました。

「すごい美人！　みなのもの、この紙にかかれた女をさがしてまいれ。この女をわしの嫁さんにするんじゃ。」

殿さまの命令ですから、国じゅう大さわぎ。兵六の家もすぐ見つけられてしまいました。

「やいやい、これはわしの嫁じゃぞ！」

兵六がなにをいってもむだでした。殿さまの家来たちにつれられて家を出るとき、嫁さんは兵六にこんなことをいいのこしたのです。

「あなた、このふくろの中に、もものたねがあります。これを植えて、実がなったらお城へ売りにきてください。」

兵六は嫁さんのいったとおり、もものたねを畑に植えました。そして……、とうとう三年めの夏となりました。

ももの木は、りっぱな実をいっぱいに実らせました。

兵六は、嫁さんのいったことばを思い出しました。

「そうじゃ、お城へ売りにいこう。」

そのころお城では、嫁さんはため息ばかり。あれからずっと、嫁さんはわらったことがありません。いつもつまらなそうな顔をしている嫁さんを見て、殿さまはこまっておりました。

「ももや～、もも～。ももは、いらんかのう。」

お城の前でももを売る兵六の声が、殿さまと嫁さんにも聞こえました。

「三年ごしのあまいもも～。」

「あっ、あの人の声だわ……。」

嫁さんはうれしくなって、にっこりわらいました。

「あっ、わらったぞ、わらったぞ。」

三年めになって、やっと奥方がわらったというので、殿さまは大よろこび。さっそくもも売りを、お城の中へよびよせました。

「これ、もも売り、もう一度、ここでももを売ってみろ。」

兵六は嫁さんと目をあわせて、にんまり。

「ももや～、もも。三年ごしのあまいもも。兵六のももはいらんかの～。」

嫁さんは、うれしそうに大声でわらいつづけるではありませんか。

「これ、もも売り、わしの着物ととりかえろ！」

殿さまは、自分がもも売りになって、もっと奥方をよろこばせようと思ったのです。

兵六と殿さまは、そっくり着物をとりかえっこしました。

嫁さんはわらいつづけております。

「ももや～、もも。いちばんおいしいももの殿さま。殿さまのもも。」

調子にのった殿さまは、そのまま、お城の外まで出ていってしまいました。

ところが、門番はそのことに気がつきません。てっきり兵六が出ていったと思ったのです。

お城の中では、兵六と嫁さん、手をとりあってよろこびあいました。

しばらくして、もも売りの殿さまがもどってきました。

「これ、門をあけい！」

「なにをもうす、このもも売りめ。」

と、ぽかすかやられてしまいました。

こうして兵六は殿さまと入れかわり、嫁さんと二人、いつまでもお城でしあわせにくらしたということです。

殿さまはというと、一人しょんぼり、絵すがたの嫁さんをながめながら、くらしましたとさ。

（おわり）

# 分福茶釜

むかしむかし、あるところに、古道具を集めるのが、なによりの楽しみというおしょうさんがおりました。

ある日のこと、おしょうさんは古い茶がまを買いこんでまいりました。

「くんくん……。なんや、ちとくさいのう。おうい！　だれかおらんか。」

おしょうさんがよぶと、こぼうずたちがとんできました。

「なんでしょうか、おしょうさま。」

「すまんが、この茶がまをあらっとくれ。たっぷりすなをつけてみがくんじゃぞ。」

さて、しごとをいいつけられたこぼうずたち。毎度のことなので、ていねいになんかあらいません。

「自分であらえばいいのに……。」

こぼうずたちは、もんくをいいながら、ごしごし、ごし……。

「あ、いたいよ！」

なんと、茶がまが悲鳴をあげたではありませんか。

「ひゃあ！　茶がまが口をきいたぞ〜っ。」

こぼうずたちは、大あわてでおしょうさんのところへころがりこみました。

「た、たいへんです。おしょうさま！」

「茶がまが口をきいたんです。」

こぼうずたちが、口々にわめきます。

でも、そんな話を、おしょうさんが信じるはずがありません。

「おまえたち、茶がまをあらうのがいやで、いいかげんなことをいっとるな。もうよい。あらったら、水を入れて持ってきなさい。」

こぼうずたちが、水を入れた茶がまを持ってくると、おしょうさんは、それをいろりにかけました。

いろりの上の茶がまは、べつにかわったところはありません。

おしょうさんは、こぼうずたちにいいました。

「まったく、いいかげんなことばかりいいおって。わしもぜひ、聞いてみたいもんじゃ。その茶がまがしゃべるのを。」

と、そのとき、

「あついっ！」

という悲鳴とともに、茶がまからいき

おいよく水がふきだしました。

「な、なんじゃこれは？」

いくら古道具がすきなおしょうさんでも、しゃべる茶がまなんて、見たこともありません。すっかりきみがわるくなってしまいました。

ちょうどそこへ、古道具屋さんが顔を出しました。

「おお、ちょうどいいところへきた。これを持っていってもらおう。」

茶がまを見て、古道具屋さんは大よろこび。

「えっ？　これをただでくれるだか？　こんなりっぱな茶がまをもらえるとは、おらにも運がまわってきただな。」

な〜んにも知らない古道具屋さん、ほくほく、茶がまをかかえて帰っていきました。

「きょうはいいものを手に入れたぞ。おいわいだ。」

夕はんには、尾頭つきの魚をふんぱつしました。

「尾頭つきなんて、何年ぶりだべ。いやあ、茶がまさまさまだ。」

と、おぜんの前にすわって、いざ食べようとすると……。

「ありゃ！　魚がねえ！」

せっかくの尾頭つきが消えています。大あわてで、あっちこっちさがしまわりましたが、かげも形もありません。

古道具屋さんはもうがっくり。

「そうだよ、そんなもんだよ。りっぱな茶がまをただでもらってよろこんでいりゃあ、やいた魚はにげていく。あ、やっぱりおらには運がねえだ。」

この古道具屋さん、運にめぐまれないうえに、お人よしで商売がへた。これではびんぼうからぬけだせません。

「なにもかも、夢……。さ、ねよう。」

古道具屋さんが、ごろっと横になったそのとき、だれかが声をかけました。

「すみません。お魚食べちゃったのはわたしです。」

声のするほうを見ると、なんと茶がまに手が生え、あしが生え……、たぬきのようなくびとしっぽがにゅっと出て、こちらを見ているではありませんか。

「ちゃ、茶がまがたぬきにばけた！」

あわててにげようとする古道具屋さんに、茶がまだぬきがいいました。

「待ってください。おどかしてすみません。かけだしのたぬきです。」

「ああ、おどろいた。たぬきが茶がまにばけてただか。」

「すみません、たいせつなお魚を食べちゃって……。」

「ああ、ええだよ、生きものなら、はらもへるでよ。」

古道具屋さんのやさしいことばに、たぬきはなきだしました。

「くすん、くすん……。おねがいです。わたしをここにおいてください。」

「なにいうだ、おらはごらんのとおりのびんぼうぐらし。たぬきをかうゆとりなどありゃしねえ。山へ帰るがいい。」

するとたぬきは、なきなき身の上話をはじめたのです。

「山にいるとき、なかまとばけくらべをしたんです。ところが、わたしだけ元にもどれなくなってしまいました。こんなすがたじゃ、はずかしくて山へ帰ることはできません……。」

やさしい古道具屋さんは、たぬきに同情して、その夜はたぬきを家にとめてやりました。

つぎの日の朝、古道具屋さんが目をさますと、茶がまだぬきは、しんけんな表情でこういうのです。

「おねがいです。どうか、わたしをここにおいてください。お金ならわたしがかせぎます。」

「お金をかせぐって？　おまえが？」

「はい、芸をするのです。あなたは、見せ物小屋をつくってください。」

古道具屋さんは、なんだかよくわからないままに、たぬきのいうとおり、見せ物小屋をつくりました。

さて、翌日。にわかづくりの見せ物小屋で、茶がまだぬきが芸を見せます。

「さあ、らっしゃい、らっしゃい。その名もおかしい分福茶がまのつなわたり～。うまくいったら、拍手かっさい～！」

古道具屋さんのたたくたいこにあわせて、たぬきはつなの上でおどります。

めずらしい分福茶がまのつなわたりは、うわさがうわさをよんで、大人気。つぎからつぎへとお客がやってきては、やんややんやと、お金をばらまきます。

古道具屋さんも、びんぼうからおさらばして、やっと人なみのくらしができるようになりました。

そんなあるばんのこと。古道具屋さんは、なにやらねっしんに本を読んでいます。

「なにしてるんですか。」

「おまえが元のすがたにもどれる方法はないかと思ってな。おまえにはずいぶん世話になったからな。こんどは、わしがおまえになにかしてやる番さ。」

それを聞いたたぬきは、うれしなきしながらいいました。

「いまのままでしあわせです。毎日、たのしくてしかたありません。」

それから二年ほどがたちました。古道具屋さんは、たぬきをなんとか元のすがたにもどしてやろうと、あれこれ手をつくしましたが、どれもこれもだめでした。

たぬきはこのままでもしあわせだと、口ぐせのようにいっていたのですが、やはり、茶がまにばけたままのすがたにはむりがあったのでしょう。ある寒い日、とうとう高いねつをだしてたおれてしまったのです。

そんなたぬきを、古道具屋さんは心をこめてかんびょうしました。

「なあ、分福、春になったら、花見にいこうや。にぎりめし持ってよ……。」

「おやじさん……。」

古道具屋さんのあたたかい心につつまれ、たぬきはいま、ほんとうにしあわせでした。そして、その夜、分福は、元のすがたにもどれないまま、息をひきとってしまったのです。

「分福！　分福〜っ！」

いくらなきさけんでも、分福は二度と目をあけることはありませんでした。

なげき悲しんだ古道具屋さんは、茶がまをだいじにお寺に運んで、りっぱな供養をしてもらいました。話を聞いたおしょうさんは、その茶がまをゆずりうけ、お寺のたからとしてだいじに守りつたえました。

茶がまは、いまでも、茂林寺というお寺にあるということです。（おわり）

# 狐とたにし

むかし、足のはやいのがじまんのきつねがおったそうな。

あるとき、このきつねがたにしと出合った。

「ちょっと都までいってきたんじゃ。」

きつねは、足のおそいたにしをいつもばかにしておった。

「都までは遠いから、足のおそいたにしなんかには、ぜったいにいけんところじゃな。」

たにしは、きつねがじまんばかりしているので、ちょっとからかってやろうと思った。

「きつねさん、そんなに足がはやいなら、わたしと都まで競走しませんか。」

「ぎゃっはっはっは、たにしがどうやってあんな遠くまでいけるんじゃい。」

「きつねさんにいけるなら、わたしにだっていけます。きつねさんは、わたしよりはやく歩けるのですか？」

たにしは、きつねをおこらせて、競走するといわせようとしたのじゃ。

「わしのほうが、はやいにきまっとる。」

はじめはばかにしていたきつねも、だんだんおこってきた。

「よ～し、そんなにいうのなら、わしとどっちが早く都へつくか、競走じゃ。」

こうして、きつねとたにしの早歩き競走がはじまった。

「よ～い、ドン！」

きつねはどんどん歩きはじめた。ふりかえってみると、たにしはもう見えない。

「わしが勝つにきまっているのに。ほら、もう見えなくなっちまった。」

きつねは、ばからしくなって、ひと休みした。すると、たにしの声がした。

「もうつかれたのかい、きつねさん。それではお先にいきますよ。」

きつねはびっくり。遠くへおいてきたと思ったたにしが、すぐそばにいたのじゃから。

「おかしいなあ～。おいつかれるはずはないんじゃが……。」

きつねは、ふしぎに思いながらも、また歩きはじめた。そのうちに、山に夕日がしずみはじめた。きつねはだんだんばからしくなってきた。

「たにしなんかと早歩き競走なんかしたって、なんにもならんな。わしが勝つにきまってるんだから。ほんとのこというと、都なんかいったこともないし、だいぶ遠いんじゃろな。」

きつねは立ち止まっておしっこをしようとした。すると、目の前にたにしがいたんじゃ。

「きつねさん、早くしないとおくれますよ。わたしについておいで。」

きつねは信じられなかった。でも、たにしがそこにいたんじゃから。

きつねは気持ちわるくなって、むちゅうで走りだした。

ほんとはな、たにしはきつねのしっぽにつかまってやってきたのじゃった。

そうとは知らぬきつねは、負けたくないので、ひっしで走りつづけた。

そのうち、つかれてよたよたしてきた。するとまた、たにしの声が。

「きつねさん、そんなことでは、おいこしてしまいますよ。」

おどろいたきつねは、また、むちゅうで走りつづけた。そして、都への道しるべまでくると、とうとうへたりこんでしもうた。

「やった〜、ついた。たにしに勝ったぞ〜。ふ〜っ、つかれた！　きつねがたにしに負けるはずはないんじゃ。」

ほっとしたきつねの耳に、また、たにしの声が……。

「きつねさん！」

どこからその声がと、きつねはきょろきょろとあたりを見まわした。

「ここですよ、きつねさん。」

たにしは、とりいの上にちょこんととまっておったのじゃ。

「いまついたところかい。えらい待たせるな。わたしは、とっくについて、ここで都見物をすませました。」

「そ、そんなばかな……。」

きつねはたにしにだまされたとも知らず、きつねにつままれたような顔をしておったとさ。

それからというもの、きつねは、足がはやいことをじまんしなくなったそうじゃがの。

（おわり）

# 花咲か爺さん

むかしむかし、ある山里に、やさしいおじいさんとおばあさんがおりました。

ある日、おじいさんが家の前で小さな畑をたがやしていますと、よくばりなとなりのじいさんのどなる声が聞こえてきました。

「こら、人の畑へはいりよって！」

キャンキャン、キャン。

走ってきた小犬をおじいさんがだきあげると、となりのじいさんが追いかけてきていいました。

「その犬は、おらの畑をあらしよったんじゃ。こっちへよこせ！」

小犬はおじいさんのうでの中で、ぶるぶるふるえています。

「おねがいじゃ、ゆるしてやってけれ。」

おじいさんは、となりのじいさんに頭をさげてたのみました。

「こんどはいったら、ぶったたいてやるからな。」

となりのじいさんは、おこっていってしまいました。

やさしいおじいさんとおばあさんはこの小犬がかわいいので、かってやることにしました。

小犬はしろと名づけられ、朝からばんまで元気に走りまわっていました。そして、めしを食べて、どんどん大きくなっていきました。

小皿一ぱい食べれば一ぱいぶん、おわんで食べればおわんぶん、おひつで食べればおひつぶん、大きくなりました。

ある日のこと、しろがおじいさんのところへきて、着物をくわえてひっぱります。どこへやら、おじいさんをつれていこうとしているようです。

しろは、おじいさんをせなかにのせて、うら山に登っていきました。

山のてっぺんまでくると、しろはおじいさんをせなかからおろし、

「ここほれ、ワンワン。

ここほれ、ワンワン。」

と、ほえるのでした。

おじいさんは、ふしぎに思いましたが、いわれたとおりほってみました。土をほると、なにやらくわにぶつかるものがありました。

「うん？　なんじゃあ……、こ、これは。こ、こ、小判じゃあ。」

その夜、おじいさんとおばあさんは、生まれてはじめて、小判を持った幸せをかみしめました。ところが……。そこへ、となりのよくばりじいさんとばあさんがやってきました。

二人は、しょうじのあなからのぞいておじいさんに、うら山で小判をほった話を聞くと、いやがるしろをむりやりひっぱっていってしまいました。

つぎの日、あんなにいじめたしろのせなかにまたがって、よくばりじいさんはうら山に登っていきました。

しろはふらふらになって、とうとうたおれてしまいました。

じいさんは、しろがたおれたところに、小判がうまっていると思って、ほりはじめました。

ガチッと、くわにかたいものがぶつかりました。

「出た、出たぞ！　うはっはっはっ。」

小判だと思って、よろこんで手を出したとたん、よくばりじいさんはこしをぬかしました。

出てくるわ、出てくるわ、へびやばけものが、ぞろぞろ、ぞろぞろ。

「よくもひどいめにあわせたな。」

おこったとなりのじいさんは、とうとう、しろをころしてしまいました。

やさしいおじいさんとおばあさんは、とても悲しんで、しろのはかをたてて、そのそばに小さな木を植えました。

するとふしぎ。その木はずんずん大きくなって、両手でかかえるほどの大きな木になりました。

ある日、二人はお花をそなえようと、はかまできてその大きな木を見上げておりました。すると、その木が、なにかいっているようでした。

「うすにしてくれ～、うすにしてくれ……。」

二人は、その声のいうとおり、その木でうすをつくることにしました。

「うん、そうじゃ。もちをついて、しろのはかにそなえてやろうかいのう。」

おじいさんとおばあさんは、できあがったばかりのうすで、もちをつきはじめました。

「ほいしょ。」「あいよ。」

ぺったん、ぺったん。

おじいさんとおばあさんは、なかよくもちをつきます。

やわらかくておいしそうなもちができました。ところが……、そのもちがきらきら光っています。

「あら、おじいさん。なんでしょう。」

「はや～、ふしぎなもちじゃ。」

おじいさんとおばあさんは、光るもちを取り出して、ちぎって小さくまるめます。すると、もちがぴかぴかと金色に光りだしたではありませんか。

「こ、小判じゃあ！」

そこへまた、となりのよくばりじいさんが顔を出していいました。

「どうじゃ、わしにそのうすをかさんか。」

「これは、しろの形見じゃから。」

と、おじいさんがいうのもおかまいなしに、となりのじいさんとばあさんは、うすを持っていってしまいました。

さっそくもちをつきはじめた二人は、もちがつきあがるのも待ちきれずに、うすの中をのぞいてばかり。

「じいさん、ちい～とも、もちの色がかわらんなあ。そうじゃあ、まるくすればいいんじゃろう。」

二人は、もちを小さくちぎり、まるめてならべました。すると、白いもちは黒いすみになって、バチンバチンとはねて、二人の顔をまっ黒にしてしまいました。

おこったじいさんとばあさんは、うすを小さくわって、かまどでもやしてしまったのです。

やさしいおじいさんは、そのことを知ると、それはそれは悲しみました。

そこで、となりの家のかまどの前へきて、灰をすくいあげました。

「しろ……。」

しろの形見に、せめてこの灰を持ち帰ろうと、おじいさんは、灰をかごに入れました。

「この灰を畑にまいて、しろがすきだった大根を育ててやりましょう。」

おばあさんがそういうので、おじいさんは灰を畑にまきにいきました。

灰は風にふかれてちっていきます。すると、かれた木が光りだし、さくらの花がさいたではありませんか。

「ばあさんや、見ろ！　さくらじゃ。」

よろこんだおじいさん、ぱあ〜っとはでに灰をまきました。

ふしぎやふしぎ。灰がかかると、かれ木に花がさきました。

こうして、たちまちのうちにあたり一面、さくらが満開になりました。

「春でもないのにさくらがさいた。」

村の人たちはおどろきました。

山から村へ、村から村へ、村から町へ、それからお城へ……。この話はつたわっていきました。

話を聞いたお城の殿さまが、家来をつれておじいさんのところへやってきました。

「くるしゅうない、はでにやってくれ。」

おじいさんは、かれ木の上で灰をまきました。

「かれ木に花をさかせましょう。」

まいちった灰はいつのまにか、さくらの花びらにかわっていました。

「日本一の花さかじいよ、ほうびをとらせるぞ。」

お殿さまは大よろこび。

「そのほうび、ちょっと待った。」

そこへかけつけたのは、となりのよくばりじいさん。

「わたくしめこそ、日本一の花さかじじい。この灰で、一度にどっととさかせてみせましょうぞ。」

よくばりじいさんは、かまどにのこっていた灰を集めてきたのです。そして、木にのぼって、灰をどっとまきました。

ところが、灰はそのままお殿さまの頭の上へ。

「ハッ、ハックション！」

人のまねばかりしていたよくばりじいさんは、とうとう、ろうやに入れられてしまいましたとさ。

（おわり）

# ねことねずみ

むかしむかし、あるところに、おじいさんとおばあさんが、なかようくらしておったと。

ある日のこと、おじいさんが山の畑で草とりをしていると、草むらに一ぴきの子ねこを見つけた。

「おお、はらをすかせとるようじゃな。どれ、うちに帰ろうな。」

山でひろった子ねこを、おじいさんとおばあさんは、まるで自分の子どもを育てるように、だいじにだいじにかわいがって育てたと。

ある日のこと、納屋の中でなにやらへんな音がするのに気がついたねこが納屋へはいっていった。

「それやれ、みがけや、ねずみのおたから。つゆのしっけをふきとばせ。それやれ、みがけや、ねずみのおたから。みがいてみがいて、ぴっかぴか。」

納屋のゆかにある小さなあなから、ねずみたちの歌う声がもれてきていた。

つぎの日も、ねこは納屋にはいってみた。すると、きょろきょろまわりを見まわしているねずみを見つけた。

ねずみは、ふくろからこぼれた豆をひろおうとしていた。そのとたん、ねこはねずみにとびかかっていった。

「ひゃ〜っ！」

おどろいたのはねずみ。ねずみはいまにもなきそうな声でいうたんじゃ。

「おねがいです。どうかわたしを見のがしてください。わたしたちねずみは、ねずみのおたからをみがかなくてはなりません。これはたいへんなしごとなんです。つかれがたまったのか、お母さんが病気でたおれてしまったのです。それで、お母さんにえいようをつけさせようと、豆をさがしに出てきたところです。お母さんが元気になったら、わたしはあなたに食べられに出てきます。それまでどうか待ってください。」

ねこはねずみをはなしてやった。

「ありがとうございます。やくそくはかならず守りますから……。」

子ねずみがあなの中へ帰ってしばらくすると、ねずみたちの前に、豆がぱらぱら落ちてきた。

おどろいて顔をあげると、あなからのぞく目が……。ねこが、一つぶ一つぶ、豆をあなから落としていたんじゃ。

「ねこさん、ありがとう。これでお母さんも元気になることでしょう。さあ、やくそくどおりわたしを食べてください。」

と、子ねずみがねこの前に進みでてると、ねこは納屋から出ていってしまった。

ねずみの目からは、なみだがぽろり。


それから何日かたったある日のことじゃった。

納屋のほうから、チャリン、チャリンという音がした。

納屋の戸を開けたおじいさんとおばあさんは目をまるくした。

「まあ、これはどうしたこと。」

ゆかのあなの中から、どんどん、どんどん小判が出てくるんじゃ。

そして、小判のあとから子ねずみ、母ねずみ、そしてほかのねずみたちもぞろぞろ出てきた。

子ねずみが進み出てきていった。

「おかげさまで、お母さんの病気もすっかりよくなりました。ほんとうにありがとうございました。」

おじいさんもおばあさんもよろこんで、

「そりゃあ、よかった、よかった。」

すると、おじいさんねずみが、ねずみたちを代表してこういうた。

「おかげで、わたしたちはぶじおたからをみがき終えることができました。おれいに、すこしではございますが、このおたからをお受けとりください。」

と、つみあげた大判小判を指さした。

「なにっ、このおたからをわしらにくれるんじゃと!」

おじいさんは、ねずみたちの前にへなへなとすわりこんでしもうた。

「なんとも夢のようじゃあ。」

それは、二人がくらしていくには、じゅうぶんすぎるほどのおたからじゃった。

こうして、おじいさんとおばあさんは、いつまでもなに不自由なく、元気にくらすことができたそうな。
そして、ねこといっしょに、ねずみたちもとてもかわいがったそうじゃ。
（おわり）

# 雷さまの病気

むか〜し、下野の国、粕尾に、智元というおしょうさんが住んでおられました。智元おしょうは、その名を知られたお医者さんでもありました。

ある暑い夏の昼さがり。でしのこぼうずをつれて、病人の家から帰るとちゅうのことでした。

「おしょうさま、おあついことで。」

「ま〜ったくじゃ。」

二人は、あせをふきふき歩いておりましたが、とつぜん、ぽつりぽつりと雨がふりはじめ、みるみるうちに空がまっ暗になりました。

「にわか雨じゃ、いそげ！」

「へい。」

やがて雨は、水おけをひっくりかえしたようなひどい夕立になってしまいました。

「きゃ〜、おしょうさま、たすけて〜。」

「これっ、薬箱をほうりだすやつがあるか〜！」

「でも、わたくし、かみなりが大きらいなので……。」

はげしい雨と、光るいなずま。

ゴロゴロゴローッ！

すぐ近くの木にかみなりが落ちたようです。

「わ〜っ！」

おしょうさんは、こわがるこぼうずをひきずって、やっとのことで寺へ帰ってきました。

「あの〜、おしょうさま〜。早く雨戸をしめてください。」

かみなりがこわくてこぼうずがいいましたが、おしょうさんはいなずまが光る空を見あげています。

「ほほう、このかみなりさんは、病気にかかっておるわい。」

「おしょうさまは、かみなりの病気までわかるんですか？」

「うむ、ゴロゴロという音でな。」

さすが天下の名医。かみなりさまのからだのぐあいを、音で聞きわけるのでした。

さてその夜、ねむっているおしょうさんのまくらもとに、こっそりしのびよったものがいます。

なんとまあ、かみなりさまです。な

んだか元気がありません。おしょうさんのそばにすわって、ため息をついているのです。

おしょうさんは、うす目を開けてようすを見ていましたが、じれったくなって先に声をかけました。

「どうかしたかの？　なにかおこまりのようじゃが。」

おしょうさんが声をかけると、かみなりさまは、おしょうさんの前にがばっとひれふしました。

「わ、わしは、かみなりでござる。」

「それでなにか用かの？」

かみなりさまは、なみだを流しながらいいました。

「わし、この二、三日、ぐあいがおかしいのです。どうか、わしのやまいをなおしてくだされ。おねがいします。」

「やっぱりのう……。」

「それでその……、天下の名医ともなれば、お代は高いでしょうが……。こんなもんでいかがでしょうか。」

と、かみなりさまはおずおずと小判を三まいさしだしました。

でも、おしょうさんはしらん顔。

「え～っ、これではたりませぬか。」

かみなりさまは、こんどは小判を五まいさしだしていいます。

「では、これでは……。」

「わしのちりょう代はな、う～んと高いのじゃ。」

「そうでございましょうなあ。なにしろ天下の名医でございますしなあ。」

「しかしまあ、ぜに金の話はあとにして、そこへ横になりなさい。」

「えっ、みてくださるんですか。」

かみなりさまは大よろこびです。

おしょうさんは、かみなりさまのからだを、力いっぱいおしたりもんだりしてしらべます。

「ひえ～、いたいよう、たすけて～。」

かみなりさまは、目玉がとびだすほどのいたさに、おどろいて、大声をあげます。

その大声におどろいて、こぼうずはへやのすみでふるえておりました。

「これ、こぼうず！　なにをしておる。こんどはおきゅうをする。道具をもってまいれ。」

こぼうずはびっくり。

「なんでかみなりなんぞの病気をみるんですか。こわいからいやです。」

「なにをいうとる、おまえもおきゅうのてつだいをしろ。」

「おしょうさま、あんな人のめいわくになるかみなりなぞ、いっそ、死んでいただいたほうが……。」

「ばっかも～ん！　どんなものの病気でもみるのが医者のつとめじゃ。」

というわけで、おしょうさんはかみなりさまにおきゅうをすえました。

「うお～っ、あちちち、たすけて～、おきゅうはいやだよ～。」

あまりの熱さにかみなりさまは大あばれ。まるでかみなりが落ちたようなさわぎです。

ところが、おきゅうが終わったとたん、かみなりさまはにっこり。けろりとしておきあがりました。

「あ～っ、すっきりした。なおった、なおった。からだがかるくなった。おきゅうすえたら、もうなおった。」

さすがおしょうさんは名医です。

「で、お支払いのほうは……、さぞお高いんでしょうなあ……。」

「ちりょう代は、高いぞ。じゃが、金はいらん。」

「えっ、じゃあ、ただなんですか?」

「金のかわりにおまえにしてもらいたいことが二つある。一つは、この粕尾では、かみなりがよく落ちて、人が死んだり家がやけたりしてこまっておる。これからは、ぜったいにかみなりを落とさないこと。」

「へい、へい、おやすいことで。」

「二つめは、このあたりを流れる粕尾川のことじゃ。大雨がふるたびに水があふれてこまっておる。川が村の中を流れておるためじゃ。この流れを村はずれにかえてほしい。これがちりょう代のかわりじゃ。」

「そんなことでしたら、おまかせくださえ。」

どんなことをいわれるのか心配していたかみなりは、ほっとしていいました。

「それではまず、先生のお寺から粕尾の人たちに、おふだをくばってくださ い。これを、家の門口にはってもらうのです。それから、粕尾川ですが、流れをかえてほしい場所に、さいかちの木を植えてください。そうすれば、七日のうちにきっとのぞみをかなえてあげます。では……。」

そういったかと思うと、かみなりさまは、あっというまに天にのぼっていってしまいました。

おしょうさんは、さっそく村の人たちをお寺にあつめておふだをくばりました。そして、山のふもとにめだつように、さいかちの木を植えつけました。

さあて、その日はおてんとさまがかがやくよいひよりだったのですが、にわかに黒雲がわきおこったかと思うと、いなずまが光り、はげしい雨がふりだしました。

まるで、天のいどがひっくりかえったような大夕立です。

村人たちは、おしょうさんからいただいたおふだをはって、雨戸をぴったりしめて、雨がやむのを、ただじっと待っておりました。

こうしてちょうど七日め、さしもの大雨もぴたりとやみました。

雨戸を開けると、黒雲は遠くにさり、太陽が顔をだしはじめました。かみなりはひとつも落ちませんでした。

「あ、あれを見ろ!」

「なんだ、なんだ。」

村人が指さすをほうを見ると、昨日まで流れていた粕尾川がきれいに干上がり、流れをかえてさいかちの木のそばを、ゆうゆうと流れているではありませんか。

これでもう、村にこうずいがおこる心配はなくなりました。

かみなりさまは、おしょうさんとのやくそくをりっぱに守ったのでした。

それからというもの、粕尾の里では、落雷のひがいはまったくなくなったということです

（おわり）

# こぶとり爺さん

むか～しむかし、あるところに、ほっぺたに大きなこぶのあるおじいさんがすんでいましたそうな。

おじいさんがまきをわるたびに、ほっぺたのこぶが、ぶるるん、ぶるるん。

それはそれは、じゃまなこぶでした。

でも、このおじいさん、そんなことは、ち～っとも気にしない、のんきなおじいさんです。

おなじ村に、もう一人、ほっぺたにこぶのあるおじいさんが、すんでいたのです。こっちのおじいさんは、このじゃまなこぶが気になってか、いつもいらいらおこってばかり。

ある日、のんきなおじいさんは、森のおくで木を切っていました。すると、いつのまにやら、ぽつり、ぽつりとふりだした雨が、ザーザーぶりに……。

おじいさんは、大きな木のうろにとびこんで、雨やどりをしました。

そのうち、このおじいさん、ついうとうとねむりこんでしまったのです。

雨がやんでも、月が出ても、グーグー、グーグー、高いびき。

いつのまにやら、日もとっぷりとくれて、真夜中になっておりました。

どこからか、にぎやかなおはやしの音が聞こえてきたではありませんか。

目をさましたおじいさんは、その音のするほうへ近づいていって、それはもうびっくり。

この森のおくにすむ鬼たちが、輪になって歌いおどっていたのです。

ピーヒャラ、ドンドン。

ピーヒャラ、ドンドン。

赤い鬼、青い鬼、大きい鬼、ちっこい鬼。いやはや、みんなそろって飲んで歌っての大にぎわい。

その楽しそうなこと。見ていたおじいさんは、こわさをわすれて、おもわずおどりだしてしまいました。

おどろいたのは、鬼のほうです。

「あんれ、おもしれえおどりじゃ。」

おじいさんのおどりが、あまり楽しいので、こんどは鬼のほうがおじいさんにつりこまれて、まえにもまして陽気におどりはじめました。

とうとう、鬼のおかしらが立ちあがって、おじいさんと手をとりあっておどります。

「おどらにゃ、ちょんちょん。」

のんきなおじいさんと陽気な鬼たちは、時がたつのもわすれておどりつづけました。

そのうちに、東の空が明るくなってきました。おやおや、もう夜明けです。

「コケコッコー。」

「やや、一番どりが鳴いたぞ。」

朝になると、鬼たちは自分のすみかに帰らなくてはならないのです。

「おい、じいよ、今夜もおどりにこいよ。このこぶをあずかっておくからな。今夜きたら返してやる。え～い！」


鬼のおかしらは、おじいさんのこぶをもぎとってしまいました。

おじいさんは、思わずほっぺたをなでました。つるり！　きずものこさず、こぶはなくなっていたのです。

村へ帰ったおじいさんは、うれしさのあまり、もう一人のこぶのおじいさんに、ゆうべのことを話しました。

「なに！　鬼がとってくれただと。」
こっちのおじいさん、うらやましいやらくやしいやら。よし！　わしもとってもらおうと、夜になると森のおくへ出かけていきました。

やがて、おはやしの音が聞こえてきました。

このおじいさん、心が暗い人でしたから、陽気な鬼のおどりを見ても、すこしも楽しくなれません。おどる鬼たちを見て、ただふるえているだけでした。でも、鬼のところへ出ていかないと、こぶはとってもらえません。

おじいさんは、思いきって鬼の前に出ていきました。

「まってました！」

鬼たちは大よろこびです。

でも、おどりなんか大きらいなこのおじいさん。楽しいおどりなんかおどれるはずはありません。

鬼のおかしらは、だんだんきげんがわるくなってきました。

「こんなもの返してやる！」

ぺた～ん！

おじいさんは、ほっぺたにもう一つのこぶをつけられてしまいました。

こぶのことばかり考えていた、心のせまいおじいさんは、それからもずっと、重いこぶを二つもつけていなければならなかったんですと。（おわり）

# お花地蔵

むか〜し、ある村に、おばあさんとまご娘がふたりでくらしておった。まご娘の年は七つで、名はお花。おばあさんの年は六十で、名はお春というた。

お春ばあさんは、よその家の畑しごとをてつだったり、はりしごとをしたりしてくらしておった。

きょうも朝早くから、吾作どんのところのいもほりのてつだいじゃった。

「ばあちゃ、早く、いくぞ〜。」

まご娘の元気な声で家を出ていく。

お春ばあさんが畑しごとをしているあいだは、お花は、村の子どもたち相手に元気にあそびまわっている。

「え〜いっ！」

「やあっ！」

男の子たちをやっつけてしまうのは、いつもお花だった。

「おうおう、またやっとるな。うちの吾助とごん太がいっぺんにかかったって、かなわねえんだからのう。」

吾作どんは、にこにこしながらも、あきれて見ておる。

「あれじゃ勝てっこねえわ。ほんに、お花ぼうは元気じゃのう。」

「ああ、あれが元気なのが、なによりじゃで。」

お花の両親は、お花が三さいのときに、あいついで死んでしもうた。

お春ばあさんは、そりゃあ悲しかったが、お花がすくすく育つにしたがって、その悲しみもだんだんうすらいでいったのじゃった。

夕ぐれになると、お春ばあさんとお花はいっしょに家に帰る。

「ばあちゃ、おら、きょう、吾助とごん太をやっつけただ。おもしれかっただ。」

「そんなにおもしれかったか。じゃがなあ、お花。棒切れあそびなんて、おなごのするもんじゃあねえ。あれは、男の子のすることじゃあ。」

「ばあちゃ、おら、おなごじゃねえ。男の子だも〜ん。」

なんていいながら、なんと立ったままおしっこをしたりするんじゃあ。

「うんま〜、なんて子じゃ〜っ……。」

男の子のようなお花ではあったが、お春ばあさんにとっては、なにものにもかえられない、たった一つの生きがいじゃった。

夜ともなると、お春ばあさんはやはりしごとじゃ。お花はそのそばで棒をふりまわしてあそんでおる。

「お花……、もうおそいで、ねろ。子どもが、いつまでも起きとると鬼が出るぞう〜。」

「ばあちゃ、おら、鬼なんかおっかなくねえだ。鬼が出てきたら、えいや〜っと、やっつけてやるだ。」

「そうか、こわかねえか。鬼ってのはなあ……、こうだぞう〜〜〜！」

と、お春ばあさんは、おっかねえ顔で鬼のまねをした。

「おらあ〜、ねるだ〜〜〜。」

お花はふとんにもぐりこんでしもうた。強そうなことをいっても、やはり子どもよのう。

やがて、秋になった。村はかりいれどきで、ねこの手もかりたいほどのいそがしさじゃった。

お春ばあさんは、あっちの家、こっちの家のてつだいで大いそがし。

お花はあいかわらず、棒切れあそびにむちゅうだった。

「そ〜らこい！　どっからでもかかってこい！」

「なにを〜っ。なまいきな。」

「そりゃ〜、そりゃ、このへっぴりごしめ〜。どうだ、まいったか。」

「いて〜っ、いてえよう。」

「やった〜、やったぞ〜。あははは。」

男の子四人をまとめてやっつけてしまうお花じゃった。お花は強い。もう村ではいちばん強かった。

そうして夕やけのころ、畑しごとを終えたお春ばあさんと、どろだらけになったお花は帰っていくのじゃった。

家に帰るとお春ばあさんは、お花のからだをあらってやる。

「また、こんなにどろだらけにしおって。」

そのとき、お花がぽつんといった。

「おら、もう、いくさごっこはやめるだ。」

お春ばあさんはおどろいた。お花がぐあいわるいんでねえかと思ったほどじゃ。

「ど、どうしたんじゃ。なんでやめるんだ？　おめえから棒切れとったら、なんにものこらねえでねえか。」

「だって、ばあちゃ、おら～に勝てる相手が、一人もいなくなっただよ。だから、おら～、棒切れあそびをやめて、ばあちゃのてつだいをするだ。」

「なにいってるだ、おら～、おめえになんか、てつだってもらいたかねえだよ。おめえにてつだってもらったって、かえってじゃまになるだけだ。急になまいきなことをいいよって！」

そういうお春ばあさんのほおに、なみだがぽろりとおちた。

お春ばあさんはうれしかった。ねてもさめても、棒切れあそびのことしか頭になかったお花が、しごとのてつだいをしてくれる、というてくれたことが、うれしくてうれしくて、しかたがなかったんじゃ。

ところが、その冬……、木がらしがふきすさぶころ、村の子たちが百日ぜきにかかった。子どもたちはひどいせきをして、くるしんでおった。

「ゴホン、ゴホン、ゴホン……。」

お花も百日ぜきにかかった。医者などいない小さな村のこととて、なすすべもない。お春ばあさんは、せきでくるしむお花を、すこしでも楽にしようと、ただ、せなかをさすってやることしかできんかった。

そして……、あっけなくお花は死んでしもうた。お春ばあさんは、とつぜんの悲しみに、何日も何日も、仏壇の前にすわったまま動こうともしなかった。

吾作のにょうぼうが、心配してやってきた。

「お春ばあさん、すこしは食べんと、からだにどくじゃで……。お春ばあさんにはつらいことじゃが、お花ぼうもあの世にいけば、おっとうやおっかあにあえるだ。きっと親子水いらずでくらしてるだよ。」

お春ばあさんは、やっと顔をあげていうた。

「ああ、そのことだけを、おら、いのってただ。じゃがのう、お花はおさねえ。あんなちっちゃいお花が、おっとうとおっかあのところに、まよわずいけるかどうかとおもうと、それが心配でなんねえだ。」

「だいじょうぶじゃあ、お花ぼうはしっかりもんじゃで。きっといけるだよ。」

「ああ……、そうあってくれればいいんじゃがのう……。」

夜になって、またひとりぼっちになると、お春ばあさんは、また仏壇の前にすわりこんでしまうのじゃった。

「どこかで、ばあちゃをさがしてるんでねえか……。ひとりさびしくないているんでねえか……。」

お春ばあさんは、そう思うと、どうしていいかわからないほどつらくなってしまうのじゃった。

「お花……、ばあちゃには、どうしてやることもできねえ。そうじゃ！」

お春ばあさんは、その夜から、おじぞうさまをほりはじめた。

おさなくして死んだお花は、ごくらくへの道もわからずまよっているかもしれない。

そこでお春ばあさんは、おじぞうさまをつくって、たくさんの村の人たちにいのってもらい、早くお花をごくらくへ送ってやろうと思ったのじゃった。

お春ばあさんは、くる日もくる日もおじぞうさまをほりつづけた。

「できた！」

こうして、雪が消え、若草が芽を出すころに、おじぞうさまはできあがった。それは、お花にそっくりの、小さな小さなおじぞうさまじゃった。

「お花ぼうは、天国にいったんじゃろう。きっと、おっとうとおっかあにあえるにちがいない……。」

お春ばあさんはそう思った。

そして、その小さなおじぞうさまは、村を見わたせるおかの上にたてられた。

このおじぞうさまは、やがてお花じぞうとよばれるようになり……、子どもが百日ぜきにかかると、お花のすきだった、いり米をおそなえしておねがいすれば、よくなるといわれるようになったと。

（おわり）

# 浦島太郎

むかしむかし、あるところに、浦島太郎というりょうしが住んでおりました。

太郎は、年おいたおっかさんと二人でくらしている、心のやさしい若者でありました。

ある日のことでした。はまべで、いたずらぼうずたちがわいわいさわいでいるのに出あいました。

見ると、一ぴきの子がめをつつきまわしているのです。

かわいそうに思った浦島太郎は、子どもたちの中にはいっていきました。

「生き物をいじめちゃいけないよ。」

子どもたちは、くもの子をちらすようににげてしまいました。

太郎は、子がめをそっと手にのせると、海へはなしてやったのでした。

それから、数年がたちました。

太郎がのんびりつり糸をたれていると、だれかがつり糸を引っぱるのです。

「うん? あっ、おまえは……。」

見ると、大きなかめでした。それは、何年かまえに太郎が助けたかめでした。

かめは太郎にいいました。

「太郎さん、そのせつはほんとうにありがとう。お礼に、海のそこの美しいごてんにあんないいたしましょう。

そのごてんは竜宮といいましてね。海の花にかこまれた、とてもすばらしいところです。さあ、いきましょう。」

かめは浦島太郎をせなかにのせると、海の中を泳いでいきました。

そこは、太郎がいつも夢にえがいていたとおりの、とてもすばらしい世界でした。かがやくような一面のさんごの庭。その上をふわふわとただよいながら、太郎は、うっとりと夢をみているような、なんともいい気持ちです。

そして、さんごの山の間から、きらきらかがやくしんじゅのかいだんがあらわれました。

そのかいだんから下りてきたのは、美しいお姫さまでした。竜宮の乙姫さまです。その美しさといったら、とてもこの世のものとは思えません。

どき〜ん!

ぼ〜っとしている太郎に、乙姫さまが、玉をころがすような、美しい声でいいました。

「ようこそ浦島太郎さん。どうかゆっくり遊んでいってください。」

乙姫さまが、さっとおうぎを開くと、色とりどりの魚のむれが出てきて、太郎をかこんでまいおどります。

こうして、竜宮での楽しい毎日がはじまりました。

美しい魚たちのおどり、したもとろけるようなごちそう、そして、乙姫さまとの楽しい語らい。太郎にとっては、夢のような毎日でありました。

ところが、太郎は、村にのこしてきたおっかさんのことが、いつか気にかかるようになってきたのです。

「太郎さん、家に帰りたくなったのですね。いつまでもここにいてほしかったのですが、しかたありません。」

元気のなくなった太郎を見て、乙姫さまはこういいました。

「それでは、この玉手箱をお持ちください。村へ帰って、もしこまったことがあったら、そのときにはこの玉手箱をおあけなさい。」

太郎はまた、かめのせなかにのって、おっかさんの待つ村へ帰ります。

太郎の心は、何日ぶりかで帰る村のことでいっぱいでした。はまにつくと、かめはすぐ海にもぐってしまいました。

「おっかさん、帰ったぞ!」

ところが、だれもこたえてくれる人はおりません。あのなつかしいわが家も、おっかさんのすがたもどこにもありません。あたりのようすはすっかりかわって、知っている人も、知っている家もなにもないのです。

さっきの元気はどこへやら、太郎はすっかりとほうにくれてしまいました。

「そうだ、玉手箱だ。これをあければ、なにかわかるかもしれない。」

太郎は、そう〜っと玉手箱をあけてみました。すると……、あらふしぎ。中から白いけむりがもくもくもく。

そして、若者だった太郎は、たちまちのうちに、白いひげのおじいさんになってしまいました。

太郎が竜宮で楽しい毎日を送っているあいだに、地上では、何十年もたっていたのです。

太郎は、夢をみているような気持ちで、ぼんやりと立ちつくしていました。

(おわり)

# 兎と太郎

むかしむかし。ある山おくに、年老いたじいさまと、まごの太郎がすんでおった。

二人の家のすぐそばのささ山には、人をだましてはよろこぶ、うさぎがすみついておったそうな。

そのころは、うさぎのしっぽは長く大きくてな、たかってくるはえやかをおっぱらったり、たたきおとしたりすることができたんじゃと。

うさぎは、この大きくてべんりなしっぽをじまんにしておった。

ある日のこと、山へ出かけるじいさまが、太郎にいうた。

「山さいって、ひとはたらきしてくるかのう。太郎、夕方にはかえってくるで、おかゆでもにて待っててくれろ。」

「うん。」

太郎は、じいさまを見送ると、かゆを作るため、なべをあらいはじめた。

その音に、うさぎは耳をすませた。

「うん？　なべをあらっているのか、ということはめしを作るんだな。めしができるまで、ねて待つか。」

そういうと、うさぎはごろっと横になり、グーグーひるねをはじめたと。

さて、夕方。かゆもできあがり、いいにおいがしてくると……、うさぎの鼻がぴくぴくぴくっ。

「できたぞ〜。」

ぱっとはねおきて太郎の家へ走っていった。そして太郎にいったと。

「太郎、なにしてるだ？」

「おかゆをにてるだよ。」

「うまいんか、そのおかゆってのは。」

「そりゃあ、うめえさ。」

「なら、ちょびっと食わせてくれや。」

「だめだめ、じいさまにおこられる。」

「ちょびっとだ、ほんのちょびっとだけだ。おら、おかゆってのを食ってみてえ。ねえねえ、ねえったら。」

うさぎがあんまりしつっこくいうもんで、太郎はしかたなく、

「じゃあ、ほんのちょびっとだぞ。」

と、なべをうさぎにわたしたんじゃ。

うさぎは、うれしそうにかゆを食い

はじめた。

「あち、あちい、うまいもんじゃのう。いやあ、うまい！　じつにうまい！　ああ、うまかった。さようなら。」

うさぎはなべをかえすと、あっというまに山へ帰ってしまった。

太郎がなべの中を見ると……、なんと、からっぽ。

こうしてうさぎは、人のいい太郎をだまし、かゆをみんな食っちまった。

じいさまが帰ってくると、太郎は、なべをかかえたまま、しょぼんとしておる。

「太郎、おめえ、なにしてるだ？」

「あっ、じいさま。うさぎにおかゆを食われちまったただ。」

これにはじいさまもがっくり。しかし、もうどうすることもできん。

よく朝、じいさまは、山へ出かけるまえに太郎にいうのじゃった。

「太郎、きょうは、うさぎにおかゆを食われるでねえぞ。」

「うん、だいじょうぶだ。」

太郎は、きょうこそおかゆをたらふく食おうと、はりきって作りはじめた。

そして、夕方。

「うさぎがきたって、もうぜったいにやんねえぞ！」

ところが、また、うさぎがきた。

「た、ろ、う！」

「あっ、おめえのおかげで、きのうはひどいめにあったぞ。とっとと帰れ。」

するとうさぎは、まじめな顔をしていうた。

「そんなことといってる場合じゃないぞ。おまえのじいさまがな、山でたおれておったたど。」

「え〜っ！　ほんとうか？　そりゃあたいへんだ。」

太郎はたまげて、なにもかもほうりだすと、山へ走っていった。

その後ろすがたを見送りながら、うさぎはにんまり。

「うっふっふっ、うまくいったぞ。」

いっぽう、ひっしで山をのぼっていった太郎は、ちょうど山からおりてくるじいさまと出くわしたんじゃ。

「これ、太郎！　どこいくんじゃ？」

元気なじいさまを見た太郎は、ようやくだまされたことに気づいた。

「しまった〜っ。」

じいさまと太郎が、大いそぎで家へもどると……、からっぽのなべがころがっておったと。

また、うさぎにめしを食われてしもうた二人は、すきっぱらをかかえて、ふとんにもぐりこんだのじゃった。

そしてつぎの日、太郎が、きょうこそは、と、かゆをにておると……。

「た、ろ、う、さん！」

「またきたな〜っ！　もうかんべんならねえ、うさぎじるにしてやる！」

人のいい太郎も、さすがにすごいけんまくでおこった。

するとうさぎは、

「ま、待って。きょうはあやまりにきただ。すまん、すまん。」

と、しんみょうな顔をして、ぺこぺこ頭をさげるんじゃ。

そんなうさぎを見て、太郎の心もやわらいだ。

「よし、ゆるしてやるから、とっとと山へ帰れ。」

「いや、それではおらの気がすまねえ。じいさまにこれをやってくれ。これは不老長寿の薬じゃ。」

そういうと、うさぎは太郎に、竹づつを手わたした。

「ふ、ろ、う、ちょうじゅって？」

首をかしげる太郎に、うさぎはいうのじゃった。

「おめえ、じいさまに長生きしてほしいだろ。これは、長生きの薬なんじゃ。」

「ほんとうか？」

「でも、この薬は、すぐになべでにないときかんよ。」

「なべ？　おまえ、うまいこといって、またおかゆを食うじゃろう。」

「なにいってんだ。じいさまに長生きしてほしくねえのか？」

「そりゃあ、長生きしてほしいが……。」

「それ見ろ、さ、おらがなべをからっぽにしてやるで、早くその薬をにろや。」

そういうが早いか、うさぎはまたまた、おかゆをたいらげてしまった。

じいさまが山から帰ってくると、太郎はうれしそうにそのことを話し、さっそく、なべでにた薬をちゃわんについで、じいさまにさしだした。

「さあ、じいさま。これ飲んで長生きしてくれろ。」

「なんだか、へんな色合いじゃのう。それに、においも少々……。」

と、じいさま、首をかしげながら、一口飲んだとたん、さけんだ。

「うえ〜っ！　なんじゃ、こりゃあ！　うさぎのしょんべんでねえか！」

ついに、じいさまのかんにんぶくろの緒が切れた。

「太郎！　ぶっきりなたもってこい！　うさぎのやつ、ひどいめにあわせてくれる！」

じいさまは、ぶっきりなたをかた手に、うさぎがすむささやぶへはいっていったんじゃ。うさぎは、すごい顔でやってきたじいさまを見てびっくり。あわててにげだしした。

「待て〜っ！　えいっ、とうっ！」

なたをふりまわしながら、じいさまはうさぎを追うが、うさぎのすばしっこいこと。あっちへぴょんぴょん、こっちへぴょんぴょんにげまわり、ふりむいてはじいさまをからかうんじゃ。

「じいさま、年じゃのう。くやしかったらつかまえてみろ〜。」

「いわせておけば、いいたいことをいいおって！　これでもくらえ〜っ！」

いかりのあまりじいさまは、うさぎめがけてなたをなげつけた。うさぎはぴょんとなたをよけたが、長いしっぽだけはよけそこない、すぱ〜っと切れてしもうたと。

「いて〜っ！　いて〜っ！」

しっぽを切られたうさぎは、あまりのいたさに山じゅうをかけまわった。何日も何日も、なきながら走りまわったため、目は赤くなり、いつのまにか前あしと後ろあしの長さがちがうようになっていたんじゃ。

こうしてじいさまと太郎は、安心しておかゆを食えるようになったのじゃ。

それからじゃそうな、うさぎのしっぽが短くなったのは。

（おわり）

# 狸の手習い

むか～し、ある寺に、源哲というおしょうがやってきたそうな。

村の人たちは、新しいおしょうさんにあいさつせにゃならんと、畑仕事を終えるとそろって寺にやってきた。

「こんばんは、おしょうさん。」

「どこにも、おらんようじゃが……。」

といいながら、おしょうをさがすと、なんと！　村の人たちはびっくり。

源哲おしょうは、お堂の屋根の上で、酒をのんでござる。これには、村の人たちはすっかりあきれて、

「おんや、ぼうずのくせに、昼間から酒をのんでござる。ちいと、かわっとるとちがうか、あのおしょう。」

「ちいとどころじゃねえ。あんなやつ相手にしとれんわい。けえろうや。」

と、早々にひきあげてしまったのじゃった。

村の人たちからは相手にされなくなった源哲じゃったが、うら山にすむ子だぬきたちには、すっかり気に入られてしまったのじゃった。

「おもしろそうなおしょうさんだで、遊んでくれるかもしれん。」

と、子だぬきたちは、人間の子どもにばけて、源哲の前に出ていった。

「おしょうさん、なにしよるんじゃあ。おらたちもなかまに入れてくだせえ。」

子どもずきの源哲は、

「いいとも、いいとも。それじゃあ、読み書きを教えてやろう。」

と、それはいっしょうけんめいに、子だぬきたちに教えてやったのじゃった。

子だぬきたちは大よろこび。

「おしょうさん、お月さまって、どう書くんじゃ？」

「おらにも、教えてくれろ。」

一つ文字をおぼえると、二つめをおぼえたくなって、子だぬきたちは、たいそう読み書きがじょうずになったそうな。

源哲と子だぬきたちが、たのしそうにしているのを見た村の子どもたちが、なかまに入れてくれろとやってきた。

「えんりょはいらんぞ。なかまは多いほどはげみになるでのう。」

こうして、村の子どもたちも、いっしょに手習いをするようになった。

そんなある日のこと、村の子どもたちは、近くの川でとった魚を、源哲にさしだした。

「おらたちにゃ、これっくれえしか礼ができねえんだが、酒のさかなにしてくれろ。」

その日の帰り道、子だぬきたちは、集まって相談した。

「気がつかなんだのう。こんなにいろいろ教えてもろうたのに、なんのお礼もしなかったたな。」

「そうだとも、おんは返さないけん。」

「そういえば、おしょうさんは、雨の日に酒を買いにいくのが、なんぎじゃというとられたぞ。」

それからというもの、子だぬきたちは人間の子どもにばけて、雨の日の夕ぐれにはかならず酒屋まで酒を買いにいき、源哲にとどけるようになった。

ところが、町の酒屋では、酒を買いにくる子どもたちのようすが、どうもおかしいと思っていたんじゃ。

「きっと、あの子どもたちは、たぬきにちがいない。きょうこそは、しっぽをつかんでやる。」

そうとは知らない子だぬきたちは、いつものように、光る石で作ったぜにを持って、酒を買いにきた。

ところが、酒屋の主人が、いきなり戸をバタンとしめたので、びっくりした子だぬきは、しっぽをぴょっこりだしてしまった。

「やっぱり、おまえらはたぬきじゃったんだな。このいたずらだぬきめ！」

酒屋の主人に、ひどいめにあわされてから、子だぬきたちは、二度と人里にすがたをあらわさなくなったそうな。

「あの子たちがたぬきじゃったとは。わしをよろこばそうとしたために、かわいそうなことをした……。」

源哲は悲しんだ。

じゃが、このことで、村の人たちも、ようやく源哲のやさしい人がらを知るようになり、親しくいききするようになったそうな。

（おわり）

# 足長手長

むかしむかし、福島県でのお話です。

山々にかこまれた会津の盆地には、小さな村が点々といくつもありました。村の人たちは、毎日、朝早くから畑へ向かい、ほうさくをいのりながらいっしょうけんめいはたらいておりました。

「大きくなあれ、ほ～いやさ～。」

「たくさんな～れ、ほ～いやさ～。」

みんないっしょに力を合わせて、たねまき、なえ植え、かり取り。

秋になると、畑には作物がゆたかにみのりました。

「ほうさくじゃ、ほうさくじゃ！」

「今年も、たあんととれたぞっ！」

こうして、会津の村では、人々はよくはたらき、ゆたかにしあわせにくらしておりました。

ところが、ある年のことでした。どこからともなく、それはそれは大きなおそろしいかいぶつが、長い手足で雲をかきわけ、空の向こうからあらわれたのです。

そのかいぶつは、足長手長という、夫婦のまものでした。

夫の足長は、その名のとおりとても足が長く、どんなに高くてもどんなに遠くても、足をのばせばとどきます。

妻の手長は、これまたおそろしく手が長く、すわったままどんな遠いところのものでも、ひょいとつかむことができました。

この足長手長の夫婦は、会津の土地をなぜか気に入ってしまったようでした。妻の手長は、磐梯山のちょうじょうにどっかりとすわり、夫の足長は、会津盆地をひとまたぎしました。

「手長よ、そろそろ始めるか。」

「は～い、足長よ。」

二人のまものは、こう声をかけあうとすぐに、足長の足が、ぐんぐんのびはじめて、あちらこちらにある雲をつかんでは、会津盆地の上に集めます。

雲は畑しごとをしている人たちの頭の上をおおい、みるみるうちにあたりは暗くなっていきました。

「ほれ、こんどはおめえだ、手長や。」

すると手長は、その長い手で、猪苗代湖の水をすくって、ばらまきます。それは、ものすごい大つぶの雨となって、畑しごとをする人々の上にふりかかりました。

「あっはっはっは、やった〜っ！」

それからは、毎日毎日、足長は雲を集め、手長は雨をふらすため、会津は、毎日暗い雨の日がつづきました。

村の人たちはこまりました。

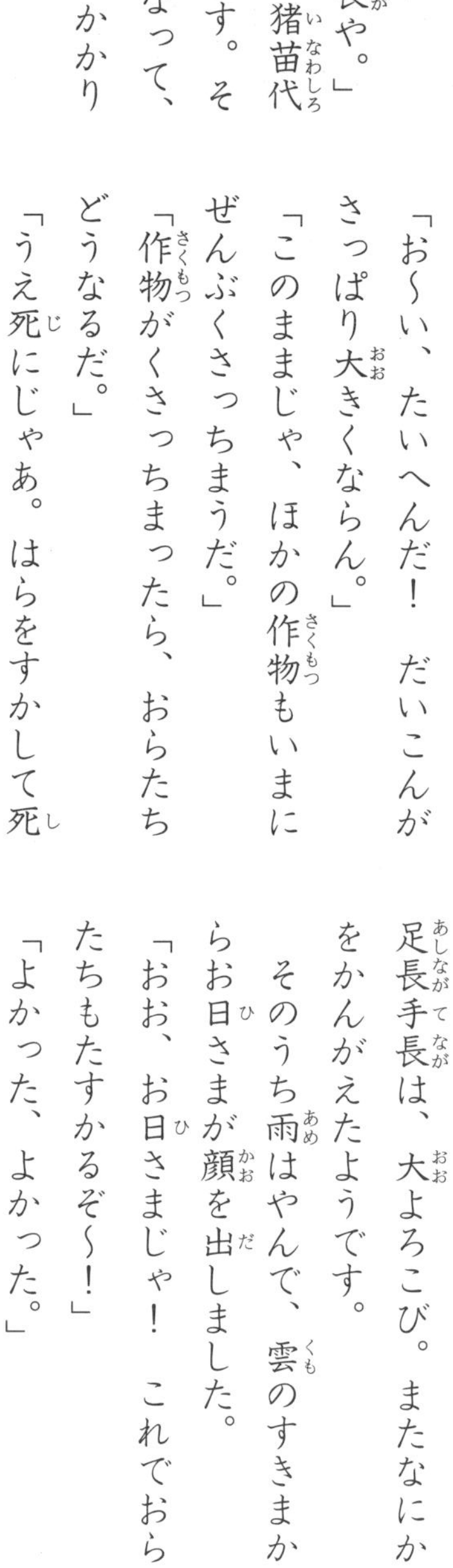

「お〜い、たいへんだ！　だいこんがさっぱり大きくならん。」

「このままじゃ、ほかの作物もいまにぜんぶくさっちまうだ。」

「作物がくさっちまったら、おらたちどうなるだ。」

「うえ死にじゃあ。はらをすかして死ぬしかねえ。」

「こりゃあ、たいへんなことになっちまった。」

「なんとか雨がやんでくれんかなあ。」

こんな村の人たちのようすを見て、足長手長は、大よろこび。またなにかをかんがえたようです。

そのうち雨はやんで、雲のすきまからお日さまが顔を出しました。

「おお、お日さまじゃ！　これでおらたちもたすかるぞ〜！」

「よかった、よかった。」

大よろこびの村人たちが、空を見上げたときです。雲のすきまから、おそろしいかいぶつが顔を出していたではありませんか。

「あ、あ〜っ、なんじゃ、あれは！」

足長手長は、ふるえる村人たちを見て、おもしろがります。

「ふふふ、こうやってまた、太陽をかくしてやるよ。ふふふ……。」

手長が、手をのばして太陽の光をかくしてしまいました。

「あいつらだ、あいつらが作物をだめにしたんだ。」

「ああ、せっかくてりだしたお日さまが、またかくれてしもうた。」

それだけではありません。つぎのいたずらは、首をのばして作物に大きく息をふきつけました。その息はあらしのようにふきあれて、作物は根元からふきとばされてしまいました。

会津盆地にこしをおろした足長手長は、あわてふためく村人たちを見ては大よろこび。つぎからつぎへといたずらをくりかえしたのでした。

村人たちは足長手長をうらみましたが、相手は、まものなのでどうすることもできません。このままでは、食べるものもなくなって、みんなうえ死にしてしまいます。

そんなある日のこと、ぼろぼろの法衣をまとったぼうさまが、この会津の村にやってきました。


「これはひどい、あまりにもひどい。」

ぼうさまは、あれはてた村のようすにおどろいて、村の人たちに話をききました。

「う〜む。聞きずてならんことじゃ。わしの力で、そのまものをとりおさえてやろう。」

ぼうさまは、すぐに磐梯山のちょうじょうめざしてのぼりはじめました。

そして、ちょうじょうにつくと、大声でいいました。

「やい、足長手長！　わしは、ここをとおりかかった旅の僧じゃ。すがたを見せんか！」

ぼうさまの声に、足長と手長がぬうっとあらわれました。

「わっはっはっは、なんだ、そこでほざいているのは。きたないぼうずじゃな。」

「足長手長。わしのいうことを、よ〜く聞け。おまえらは、どんなことでもできると思っとるだろうが、どんなにがんばってもできんことがある。」

「なにをいう。この世のなかに、わしらにできぬことはなにひとつないわ。」

「そうか、ならば、わしのいったとおりのことをやってみろ。もしできなければ、おまえたちはすぐにこの会津の土地を、出ていくのだ。」
「どんなことだかいってみろ。」
「よ〜し。それはだな……。」
ぼうさまは、ふところから小さなつぼをとりだしました。

「足長手長よ。おまえらはずいぶんと大きななりをしているので、二人いっしょに、こんな小さなつぼにはいることはできんじゃろう？　どうじゃ、まいったか。わっはっはっは。」

「なにをぬかす。わしらにできんことがあるもんか。できたら、おまえの命をもらうぞ！　いいな。いくぞ、手長。」

「あいよ、足長。」

二人は声をかけあうと、しゅるしゅるしゅるしゅる。みるみるうちに小さくなって、つぼの中へはいっていきました。

そのとたんぼうさまは、ぱっとつぼのふたをしめ、法衣をちぎってしっかりとつぼをつつんでしまいました。

「こら！　なんじゃあ〜、ここからだせ！　ふたをあけろ〜！」

つぼの中で、足長手長が、大声をあげながらあばれます。でもつぼは小さくて、ぼうさまの手のひらの上。

「ばかものども！　人々を苦しめたばつとして、おまえら二人は、このままず〜っとこのつぼの中にはいっておれ。」

ぼうさまは、そのつぼを磐梯山のちょうじょうにうめると、大きな石をのせて、二度と出てこられないようにしました。

つぼの中では、足長手長がくやしがっていつまでもあばれておりましたが、つぼのふたはびくともしません。やがて二人は、つかれはてあきらめたのか、しずかになりました。

「おまえたちは、わるいことばかりしてきたが、これからはこの山の守り神として祭ってやるから、村人たちのためにつくすがよいぞ。」

こうしてまた、会津盆地に明るい太陽がもどってきました。

「わ〜い！　お日さまじゃ。やっとお日さまが顔を出したぞ〜。」

「よかった、よかった。」

村人たちのよろこぶようすを見ながら、ぼうさまはどこへともなくたちさっていきました。

村はまた、もとのように活気をとりもどしました。

あの旅の僧は、国じゅうを旅しておられた弘法大師だということがわかりました。

いまも磐梯山の頂上にある磐梯明神は、足長手長を祭ったものだといわれています。

（おわり）

# 粟の長者

むか〜し、伊豆の三浜というところに、まずしいけれどはたらき者の男がおった。

男がはたらいてもはたらいても、あれはてた畑からは食えるものはなにもとれんのじゃった。

「あ〜っ、はらへったあ〜。」

はらをすかせた男のみる夢といったら、いつも食べものの夢ばかり。

そんなある夜のこと、男はふしぎな夢をみた。

広いあれ地に白い馬があらわれ、金色にかがやくあわの穂を食べている夢じゃった。

夢からさめた男は、夢に出てきたその場所が、蛇野が原ににていることに気がついたそうな。

そこでつぎの日、さっそく蛇野が原にやってくると……。

「あわわわ……、夢とおんなじじゃ。」

男はびっくりして、こしもぬかさんばかり。なんと、そこには夢でみた白い馬が、よく実った金色のあわの穂を口にくわえておったんじゃ。

「ああ、ありがたや。きっとこれは、ここをたがやせという、神さまのおぼしめしにちげえねえだ。」

男は、もうむちゅうで、蛇野が原一帯のあれ地をたがやして、白い馬がくわえとった金色のあわの穂を植えまくった。

さて、秋になると、あらあらふしぎ、男の植えたあわの穂はみごとに実り、蛇野が原は、金色にかがやくあわで目もくらむばかりの大ほうさく。こうして、たちまちのうちにあわの長者とよばれる大金持ちになった。

男は、ありあまるあわを、家の屋根からかべまで、あらゆるところにぬりこめて、ぴっかぴかの家を建てた。

それから何年かたったある年のこと、村はひどいききんにみまわれた。食べるものがなくなった村人たちは、みんなであわの長者の家にやってきた。

「あわをめぐんでくだせえ。あわの長者さま。」

じゃが、ぜいたくになれて、うえの苦しみをわすれたあわの長者は、

「ふん、あわはわしのものじゃ。一つぶたりともやらんわい。」

と、村人たちを追いかえしてしまったそうな。

それからのことじゃ。うえにたえかねた村人たちが、長者がねているすきに、長者の家のかべにぬりこめてあったあわをむしりとりはじめたのは。もとはといえば、この長者もまずしいひゃくしょうだったんじゃが、すっかりよく深になってしもうたんじゃ。

すると、長者はかべのあわをとられんように、かべというかべに何重にもあつくどろをぬりたくってしまった。これには村人たちもほとほとこまってしまってのう。なくなく村を去っていったんじゃ。

その夜、長者は、ひさしぶりに、ぐっすりとねむりについたそうな。ところが、夜中になって……。

カリカリ、カリカリ、と音が……。

「うん？　なんじゃあ、あの音は？」

それは、くらのほうからじゃ。長者がねむい目をこすってくらへきてみると……。

「うわ～っ、ね、ねずみじゃあ。」

長者は、びっくりしてその場にへたりこんでしもうた。

何千、何万というねずみが、カリカリ、カリカリとあわを食べている。そして、ふしぎなことにねずみは、くらの中のあわをすべて食べつくすと、やがて、ひとかたまりになって外へとびだし、白い馬にすがたをかえて、空にかけのぼっていったのじゃった。

「あっ、あの白い馬は、むかし、わしが夢の中でみた神さまの馬！」

長者は、やっと思い出したんじゃ。
まずしくて、一日じゅうひもじいはらをかかえておったときのことを。
「わしは、神さまによって長者にさせてもろうたのに、まずしい人にあわの一つぶもめぐんでやらんかった。じゃから、神さまがおこりなすったんじゃ。神さま、ゆるしてくだせえ。」
それからというもの、男はもとのひゃくしょうにもどって、また畑をたがやしはじめたそうじゃ。

（おわり）

# 一寸法師

むかしむかし、そのむかし、都から遠くはなれた小さな村に、一人の男の子が生まれた。

ところがなんと、どういうわけか、この男の子は、背のたけがおとなの小指ほどしかなかった。

それでも両親は、天からのさずかりものじゃからと、とてもよろこんだ。小さなからだなので「一寸法師」と名づけて、たあ〜んとかわいがったそうな。でも、どういうわけか、何年たっても、ち〜っとも大きくならなかった。

いつまでたっても小指ほどの大きさしかなかったそうな。

元気のよさでは、どの子にも負けないほどじゃったが……。

ごはんもたくさん食べた。

こうして、一寸法師は、からだこそ小さかったが、すくすくと元気に育っていった。

そんなある日のこと、一寸法師は、うら山の高い木の上にのぼった。

「わあ、すげえな。よく見えるなあ。」

一寸法師の目の前には、生まれてはじめて見る、広い広いけしきがあった。

川はどこまでもどこまでも、遠くまで流れていた。

その夜のこと……。

「おとう、川はどこまでつづいとるんじゃあ。」

「どこまでって、山のむこうじゃよ。」

「山のむこうには、なにがあるだ？」

「なにがって、京の都じゃよ。都にはな、そりゃあもう、たくさんの人がおってなあ。それに、大きな寺や、おやしきがあってのう。それはにぎやかなところじゃ。」

「ふ〜ん。」

一寸法師の都への夢は、ぐんぐんと大きくふくらんだ。

「よしっ、おら〜、都へいくだ！」

「な、なんじゃと？」

「都へいって、おさむらいになるだ。」

「そ、そんなむちゃな。」

両親はおどろいてとめたが、一寸法師の決心はかたかった。

しかたなく両親は、一寸法師のために麦わらのさやに針の刀、そして、おわんのふねに、はしのかいを用意したのだった。

「おとう、おっかあ、たっしゃでな。」

一寸法師がいよいよ出発するときがきた。おわんのふねにのって、川を下っていくのだ。

「おめえも、元気でなあ。」

「からだに気をつけてなあ。」

年とった両親をのこして、一寸法師は都へむかってこぎだした。

「さようなら～。」

こきょうのけしきにわかれをつげながら、一寸法師は、小川をどんどん、どんどん流れていった。

おわんのふねは、岩にぶつかり、たきを下り、何度もきけんなめにあった。そうして、やっとこさ、大川にこぎだした。とちゅうあらしにもあった。

それでも、一寸法師は負けなかった。小さなからだに大きなのぞみ。一寸法師のみる夢は、いつも大きくふくらんだ。

こきょうを出てから何十日めか。

「あっ、都だ！　都へついたんだ！」

大川のむこうに、都の大きなたてものが見えてきた。

川岸を歩くおおぜいの人たちがいる。いままでのつかれもなんのその、一寸法師は、もうれつないきおいでふねをこぎすすめた。

都は、一寸法師が想像していたのよりも、ずっとずっと大きかった。りっぱだった。

一寸法師はふねからおりると、都の大きなおやしきのなかでも、とくにりっぱなおやしきの前で足をとめた。

「よしっ、このやしきにきめたぞ。」

そこは、三条の大臣というおかたのおやしきだった。

大臣は、一寸法師のからだがあまりにも小さいのでびっくりされたが、小さなからだにあわず、元気で、やる気まんまんなのを見こんで、

「おもしろいやつじゃ。」

と、やしきでつかえることをゆるした。

一寸法師は、大臣のひとりむすめ、春姫さまの家来として、おつかえすることになった。

「一寸法師、よろしくね。」

こうして、一寸法師は、美しい春姫さまのもとで、本を読み、書をならい、琴やつづみのおてつだい。そして、剣の修行にはげんだ。

りっぱなおさむらいさんになるために。大きなのぞみをはたすために。

そうして、またたくまに何年かがすぎていった。

都はいま、花ざかりの春。

ある日、春姫さまは清水寺へおまいりすることになった。

そのころ、都にはらんぼうな鬼があらわれ、わかく美しいむすめたちをさらうといううわさだった。
そこで、春姫さまが鬼にさらわれてはいけないと、大臣は強そうな家来をえらんで、おともにつけた。
「わたしもまいります。」
一寸法師もなのりでて、ついていくことになった。

そして、ぶじに清水寺のおまいりをすませてからの帰り道、春姫さまの行列が、とある山道にさしかかったときだった。

ついに出ました、赤鬼一ぴき。

「きゃあ〜っ。」

「で、出たあ〜っ！」

女たちは、その場にへたへたとすわりこんでしまうし、家来たちはちりぢりににげ去ってしまった。

「そのむすめをもらったぞうっ。」


手をのばす鬼の前にたちはだかったのは、一寸法師ただひとり。

「待てっ、鬼め！」

といっても、鬼には見えないそのすがた。

「なにをきょろきょろしておる。きさまの足もとを、よ〜く見ろ！　一寸法師が相手だ！」

「なんじゃ、これは。がっはっはっ、ちょろちょろうるさいやつじゃな。」

と、鬼は一寸法師をつまむと、口の中へぽんとほうりこんだ。

さあ、たいへん。一寸法師は、鬼にのみこまれてしまった。

「一寸法師……。」

春姫さまと女たちは、まっさお。

「さてと、うるさいやつもいなくなったし、いよいよいただくか。」

そのときです。鬼が、きゅうにはらをおさえて、くるしみだした。

「あ～っ、あっ、いた～い、うっ、やめてくれ～っ。」

なんと、一寸法師は鬼のはらの中で、針の刀をぬいて、めったやたらとつきまくった。

「もう。らんぼうはしないかあ。」

「しな～いっ。ぜったいしない。」

「よ～し、それならしたをだせ。」

鬼のしたの上に、一寸法師が出てきた。


「姫、おけがはありませぬか。」

「はいっ。」

一寸法師は、大きな大きな鬼を見あげながらさけんだ。

「もう、二度と出てくるなよ。」

「はい、わかりました。え～ん。いたいよ～、いたいよ～っ。」

鬼は、なきなき、にげていった。

そのとき、春姫さまは、鬼のわすれものに気がついた。

「まあ、打ち出のこづち。これは、ねがいごとをなんでもかなえてくれる、ふしぎなこづちなのです。一寸法師は、なにをのぞみますか。」

「はい、わたしは、りっぱなからだがほしいです。」

春姫さまはにっこりわらって、一寸法師の前にすわった。

「一寸法師のからだよ、大きくなあれ、大きくなあれ！」

なんとまあ、春姫さまがこづちをふるたびに、一寸法師のからだはだんだん大きくなり、みるみるうちに、りっぱなわかもののすがたにかわっていった。

こうして、こきょうを出てからいく年月。一寸法師は、いまやりっぱな若者となり、鬼たいじのてがらをみとめられて、りっぱなおさむらいになった。

そして、名まえを堀川の少将とかえて、春姫さまとけっこんした。

こきょうの両親を都によんで、いつまでもいつまでも、しあわせにくらしたということです。


（おわり）

# ちょうふく山のやまんば

むかし、ちょうふく山という山のふもとに、小さな村があった。

このちょうふく山には、おそろしいやまんばがすんどるという話じゃった。

ある年の十五夜のばん、村の衆が月見をしておると、にわかに空がかきくもり、いなびかりさえして、おそろしげな声がひびきわたったそうな。

「ちょうふく山のやまんばが、子どもをうんだで、もちもってこう！　これば、人も馬も食いころすだどう！」

村の衆はびっくりぎょうてん。みんなで米を出しあって、大あわてでやまんばへのいわいのもちをついたそうな。

ところが、いざそのもちをやまんばへとどけることになると、みんなおそろしがって、自分がいこうというものはだれもおらん。

どうすべえ、と話しあったところ、

「そうだ、いつも力じまんばかりしていばっておる、かも安と権六にいかせるべえ。」

ということになった。

「だ、だがよ、おれたちゃ道をしらね。どうやってもちをとどけりゃいいんだ？」

すると、村いちばんの年よりの、すぎ山の大ばんばが進み出た。

「わしが知っとるで、道あんないするべ。」

こうなっては、かも安と権六は、いまさらこわいとはいえん。

もちをかかえて、とぼとぼと大ばんばの後をついて、ちょうふく山へと登っていった。

山道はだんだん日がくれ、なまあたたか〜い風がふいてきた。

「お、大ばんば、だいじょうぶだか？」

「だいじょうぶ、だいじょうぶさ。」

そのとき、さっと強い風がふきつけ、

「もちはまだだか！」

と、ぶきみな声がひびいた。

「ひぇっ、出たあ！」

「た、助けてくれえ！」

かも安と権六はふるえあがって、たちまちにげだしてしもうた。

「やれやれ、わし一人ではもちを運べんのになあ。」

しかたない。大ばんばは、もちをおいて、やまんばの家をたずねていった。

やまんばは、大ばんばを見ると、にかっとわらった。

「ごくろうじゃな。きのう赤子をうんで、もちが食いとうなったで、その子を使いに出したんじゃ。して、もちはどこじゃな？」

大ばんばはぎょっとした。あのおそろしい声を出したのが、生まれたばかりの赤子じゃったとは。

「は、はい。もちもってきたども、あんまりおもたいもんで、山のとちゅうにおいてきましただ。」


これを聞くと、やまんばは、赤子をふりかえっていいつけた。

「これ、まる。おまえ、ちょっといってもちをとってこい。」

するとまるは、風のようにとびだし、おもいもちをかついで、あっというまにもどってきた。

さすがは、やまんばの子じゃ。

おそろしゅうなって、大ばんばが帰ろうとすると、やまんばがひきとめた。

「せっかくきただ。すこしおらんちの用事をかたづけていってくれろ。」

大ばんばは、いやともいえず、それから二十一日のあいだ、やまんばの家で、あれこれはたらいたそうだが、やがて、里へ帰りとうてたまらんようになった。

そこでやまんばにたのんでみると、

「長いことひきとめてすまんかった。」

それじゃ、みやげにこれをやるべ。」

と、やまんばは、みごとなにしきのぬのを大ばんばにくれたのじゃ。

「ほれ、まる。大ばんばを村まで送ってやるだよ。」

といわれたまるは、大ばんばを軽々かつぎ、あっというまに村に運んでいったんじゃ。

さて、村に帰ってみると、もう大ばんばは死んだものと、村の衆はそうしきまであげておったから、大さわぎじゃ。

大ばんばは、わけを話して、やまんばがくれたにしきを、村の衆に分けてやった。ところが、いくら使ってもすこしもへらんふしぎなにしきじゃった。

それからというもの、この村では、みんながしあわせにくらしたと。

ちょうふく山のやまんばが、村の衆を守ってくれたんじゃろう。


（おわり）

# 雷さまと桑の木

むか〜し、お母さんと二人ぐらしの男の子がいました。

ある日、お母さんが男の子にいいました。

「畑になすをうえるだに、なすのなえを買ってきてくんろ。」

「は〜い。」

男の子は、いちばんねだんの高いなえを、一本だけ買ってきたのでした。

「なんで、もっとやすいなえをいっぱい買ってこなかったただね。」

「さあ〜、なんでだかわからねえ。」

でも、男の子は、心のなかで、そっと思いました。

（一本きりでも、ねだんの高いなえは、きっとたくさん実がつくだよ。）

男の子の思っていたとおりでした。何日かすると、なすのなえはぐんぐんのびていったではありませんか。

「どうだ、おっかあ。やっぱ、ねだんの高いなえはちがうじゃろう〜。わあ、雲までのびていったあ。」

なすのくきは、雲をつきぬけていきました。

「あはは、あはは、うれしいなあ。」

男の子は、いつまでも空を見上げておりました。

なすは、うすむらさきの花をちらせた後で、それはそれはみごとな実を

いっぱい実らせたのです。

つぎの日の朝、男の子は、家からはしごを持ち出しました。

「これ、どこいくだ〜。あぶねえからやめとけ。こらっ！」

お母さんがはしごをとりあげようとしましたが、男の子はなすの木に、はしごをかけてのぼっていきます。

「あぶなくねえだ。ちょっくら雲さ見てくる。」

「これっ、やめなってば。おちたら死んでしまうでねえだか。あん人も、屋根からおっこちて死んだだに……。」

お母さんは、いまにも泣き出しそうな顔で見上げておりました。

「とうちゃん死んだの、五年前。

三十ちょっとで、こんころり。

あれからかあちゃん、泣き虫ころり。

だけどおら〜は、強虫だい。

山さのぼって、こんころり。

田んぼさもぐって、こんころり。

こんころり、こんころり……。」

男の子は、うたいながら、

「うんしょ、よいしょ。」

と、天にのびたなすの木をのぼっていきました。

男の子は、いつのまにか雲の上に出ていました。なんと雲の上には、りっぱなおやしきがありました。

男の子はふしぎに思って、おやしきのとびらを、そうっとあけてみました。

「あ〜っ、星だ、星だ〜っ！」

そこは、星の世界でした。

そして、男の子の目の前に、なすを持ったおじいさんがおりました。

「あ〜っ、それは、おらのなすでねえだか。」

「ほう、このなすは、おまえさんがうえなすっただか。おいしくいただいていますよ。毎日毎日、おまえさんに、なにかおれいをしなきゃならんなあ。」

と、まあ、そういうわけで、男の子はおじいさんにつれられて、雲の上をどんどん、どんどん歩いていきました。

おじいさんのおやしきにつくと、二人のきれいな娘がおりました。

「わあっ、おどろいただなあ。」

おじいさんと娘たちは、男の子にたくさんのごちそうを出して、歌ったりおどったり、楽しいえんかいがはじまりました。

「ほれ、ほれ。そりゃ、そりゃ。」

「いいぞ、いいぞ。」

えんかいは、いつまでもいつまでもつづきました。

やがて星が消え、朝の光がさしこんできました。おどりつかれたのか、男の子はいつのまにかねむってしまいました。

男の子にとって、こんなに楽しかったことは、ひさしぶりのことでした。

どのくらいねむったでしょうか。男の子は目をさまして、あたりを見まわしましたが、だあれもいません。

「あれ〜、みんな、どこさいっただ。」

男の子の声が聞こえたのか、ふすまのむこうからおじいさんの声がしました。

「わしたちは、ちょっくらしごとにいってくるけん、るす番しといてくれや。」

「雲の上にもしごとがあるだか？」

「そりゃあ、あるわさ。これで、けっこういそがしいのよ。」

「じっさま〜、おらもしごとしたいけん、つれてってくれろ〜っ。」

といいながら、男の子はふすまをがらりとあけたのです。

「うわ〜っ、鬼だ、鬼だあ。」

なんと、あのおじいさんは、つののはえた鬼だったのです。そばには娘二人が立っています。

こわくなった男の子は、ばったりたおれて死んだふりをしました。

「おら、もう死んだだ！　死人の肉はうまくないけん、食えねえだっ。」

死んだふりをしながら、大声でさけぶ男の子に、鬼はわらいながらいいます。

「わしたちは、死んだ人間の肉のほうが、つめたくってすきだに。」

男の子はとびあがりました。

「うわ〜っ、生きてる、生きてる。ほら、このとおり。」

鬼は、大わらいです。

「わっはっはっ、うそじゃよ。わしたちは、人間を食べるわるい鬼でねえ。雨をふらす、よい鬼なんじゃよ。ほれ、こんなぐあいにな。」

と、鬼がたいこを鳴らすと、娘たちがひしゃくで雨をふらせます。

「わかった、おじいさん、かみなりさまだべ〜っ。」

「そうじゃ、かみなりさまだ。これから、雨をふらせにいくっ。」

「おらもいっしょにいくっ。」

鬼と娘たちののった雲に、男の子もとびのりました。

「あっ、おらたちの村だ！」

男の子は、雲の上から下を見ました。

鬼は、立ちあがって、たいこを鳴らしました。娘の一人が、かがみで光を地上へてらしました。いなびかりです。もう一人の娘は、ひしゃくをふりおろします。

その日は、ちょうど村の夏まつり。おおぜいの人があつまっていたからたまりません。

「うわあ！　夕立だあっ。」

とつぜんのかみなりの音とともに、いなずまが光り、雨がふりだしたので、もう、上を下への大さわぎ。

雲の上から見ていた男の子は、そのようすが、おもしろくてたまりません。

「ねえ、娘さん、おらにも雨のひしゃくをかしてくれろ〜。」

男の子はひしゃくをかりて、おもしろがって雲の上から雨をふらせました。

村は、たきのような大雨です。

「それっ、それっ。わあっ、おもしれえな〜。」

そのとき、ひしゃくのえがおれてしまったのです。おれたひょうしに、男の子は雲から足をふみはずしてしまいました。

「うわ〜っ、たすけてくれ〜。まだ、死にたくないよう。」

雨の中をおちていく男の子は、くわ畑の上へ。なんと、男の子のからだは、運よくくわの木にひっかかり、いのちだけはたすかったのでした。

これを見て、かみなりさまはこういいました。

「せっかく、わしの後をつがせようと思ったのに。おしいことをしたのう。」

でも、もっとざんねんがっていたのは、二人の娘たちでした。二人とも、心のなかでは、あの男の子のおよめさんになりたいと思っていたからです。

それからというもの、くわの木のそばには、けっしてかみなりはおちないという話です。

きっと、かみなりさまが、男の子をたすけてくれたくわの木へ、おれいをしているつもりなのでしょう。

だから、いまでもかみなりが鳴るときは、くわの枝をきってきて、それをのき下へぶらさげるとよいといわれます。


（おわり）

# 猿の恩返し

むかし九州のお大名の家来で、勘助という男がおった。勘助の仕事は、手紙をかついで走りまわっとるひきゃくじゃった。

そのころ、地方の大名たちは、めずらしい刀や名刀が手にはいると、これをひきゃくにたくして、江戸に運ばせておった。

勘助もいま、将軍さまに献上するたいせつな刀をかかえて、東海道を江戸にむかっているのじゃった。

さて、勘助が、興津の宿を出て、薩摩峠という大きな峠にむかうとちゅうでのこと。小高いがけの上で、さるのむれが、キーキーと鳴きさわいでおった。

勘助は、なにごとかと思って、海べのところまでいってみた。

「こりゃあ、たまげた。」

なんとおどろいたことに、一ぴきのさるが、ばけもののような大だこにさらわれていくところじゃった。

「よ〜し、いま助けてやるぞう〜。」

勘助は、そういうなり、こしにさしていた刀をさっとぬいて、波打ちぎわにかけつけた。

「えいっ、えいっ、えいっ。」

勘助は、大だこめがけて、思いっきり何度も何度も刀をふりおろす。ところが、この大だこの体のかたいのなんの。刀は、あっというまにぼろぼろになってしもうた。

「こりゃあ、とんでもないばけものだこじゃ。たまったもんじゃないわい。こんなのにつきあってられん。」

勘助は、さっさとにげだそうとしたそうな。だが、そのとき勘助は、将軍さまへとどける刀を持っていることを思い出した。

「そうじゃ、将軍さまにさしあげるこの刀なら、あのばけものだこをやっつけられるかもしれんぞ。将軍さま、ちょっくら、おかりしますだ。」

さるはもう、大だこに海の中にひきずりこまれてしまっておった。

なかまのさるたちが、海のほうを見て、心配そうにギャーギャーと、さわいでおる。

勘助はすばやくおびをとき、はだかになって将軍さまの刀を口にくわえて、ざんぶと海にとびこんだ。

海の中での勘助は、それは大かつや

く。大だこの足にかみついて、さるを助け出すなり、「え〜いっ。」と、将軍さまの刀で大だこに切りかかった。

ところが、どうしたことか、大だこの体にあたったとたん、その刀が折れてしもうての。勘助は、さるを助けて海べにあがってきたものの、へなへなとすわりこんでしもうた。

「たいへんだあ。将軍さまにさしあげる刀が、折れちまっただよ。おらは、どうすればいいんだよう。」

そのとき、なかまを助けてもろうたお礼のつもりじゃろうか、さるたちがやってきて、勘助に一本の刀をさしだした。

「なんじゃ、刀じゃないか。なんでさるがこんなもん、持っとるんじゃ。」

勘助はふしぎに思いながら、刀をぬいてみた。それは、いままでに見たこともないような名刀じゃ。

「な、なんというすばらしい刀じゃ。これなら将軍さまもよろこんでくださるぞ。」

これはよいものを手に入れたと、さっそく出かけようとすると、後ろから、さるたちが、ぞろぞろとついてきた。

さるの指さすほうを見ると、あのばけものだこが、こちらにせまってくる。さるたちは、この刀で、たこをやっつけてくれといっとるようじゃった。

「わかった、わかったよ。」

こうして勘助は、また海の中へ、大だこにたちむかっていったのじゃ。

「てやあ〜っ、とう〜っ、あっ、すごい切れあじ。さあ、どこからでもかかってこい。ばけものだこ、どうだ〜っ。」

その刀はするどく、あっというまにたこをたいじしたのじゃった。

こうして勘助がさるからもらった刀は、刀づくりの名人、五郎正宗の名刀であったそうな。

将軍さまは、たいそうよろこばれ、「猿正宗」とよんで、いつまでも家宝として大切にしたということじゃ。

（おわり）

# 貧乏神

むか～しむかし、福井の三方というところに、藤兵衛どんという、おひゃくしょうがすんでおった。

この藤兵衛どん、はたらいてもはたらいてもくらしはらくにならず、ふえるのは、子どもばかり。そのうち、とうとうはたらく気もおきんようになってしもうた。

ある年の冬、藤兵衛どんの家では、子どもたちに食べさせるものは、なにもなくなってしもうた。

「おっかあ、はらへったよう。」

「おらもだ、かゆはねえだか。」

「はらへって、ねむれねえだ。」

子どもたちに口々にねだられても、藤兵衛どんにはどうすることもできん。

「みんな、ようく聞いてくれ。」

藤兵衛どんは、子どもたちをあつめて、悲しそうな顔でこんなことをいうたんじゃ。

「いままでくろうして、いっしょうけんめいはたらいてきたが、くらしはいっこうにらくにならん。この冬がこせるかどうかもわからん。そこで、おっかあとも相談したんじゃが、この土地をすててどこかよそにいってくらすことに決めたんじゃ。」

「それじゃ、おっとう、夜にげか？」

「ま、そういうことじゃな、すまねえな……。いま出ていくと人目につくで、明日の朝早うに出ていこうと思っとる。」

その夜、藤兵衛一家は、なべやかまをふろしきにつつむと、まくらもとにおいて早うにとこについた。

ところが、夜中にべんじょにいこうとした藤兵衛は、なやでなにかごそごそとやっとる見知らぬ男に気がついた。

「お、おまえはだれじゃ？」

「おや、まだ起きとったかね？　わしゃ、貧乏神じゃ。」

「び、貧乏神じゃと？」

「そうじゃあ、長いことこの家にいさせてもろうた。」

「そ、それで……、こんなところでなにをなさっているだかね。」

「この家の者が、明日の朝早うに、ここからにげだすっちゅうんで、わしもいっしょに出かけようと思ってのう。ほんで、こうしてわらじをあんどったんじゃあ。」

と、貧乏神はあみかけのわらじを見せた。

「それじゃ、この家から出ていくというだか？」

「そうじゃあ。またつぎのところでもなかようしてくだっせえ。」

おどろいたのは藤兵衛じゃ。
「なんじゃあ、それじゃあ、わしらについてくるちゅうだか？」

「そういうことじゃ。」

藤兵衛は、あわてて家にかけもどると、かみさんを起こした。

「た、たいへんじゃあ。起きろ～！」

夜中にたたき起こされたおかみさん。ねむい目をこすりながらいうた。

「どうしたとね、なにをねぼけておる。」

「び、貧乏神じゃ。う、うちのなやに貧乏神がおる。」

「貧乏神が？　それでうちは、いつになってもくらしむきがようならんかったんか。」
「うん、うん。そうじゃな。」

「でも、いいでねえか。おらたちはこの家を出ていくんだから。貧乏神さまだけのこってもらえば、おらたちはこれからくになるでねえか。」

「それがちがうんじゃ。わしらについてくるっちゅうだ。」

「ほんなら、おらたち夜にげしてもな～んもならんでねえか。」

「そういうことじゃなあ……。」

「これじゃあ、どこへいっても貧乏することになるんじゃなあ。」

二人はがっくり。家を出ていく元気もなくなってしもうた。

夜が明けはじめた。貧乏神はこしにわらじをつけ、出発の用意をして藤兵衛どんたちを待っておった。ところが、いつになっても出てこない。

「おそいなあ。もう、日ものぼるというのに、けさ、にげだすちゅうことじゃったが……。あすじゃったかのう？　まあ、ええわい。わらじはよけいあるほうがええわ。」

貧乏神は、またなやにはいってせっせとわらじをあみだした。

一日なんぞすぐすぎて、一日、また一日と日がたったが……、藤兵衛どんは、いっこうに家を出ていくようすはなかった。

きょうかきょうかと待ちながら、貧乏神は毎日わらじをあみつづけておった。そのうち、わらじ作りがおもしろくなってきて、むちゅうであみつづけているうちに、いつのまにやら、のきさきに、わらじがど～っさりたまってしもうた。こうなると、人目にもつく。

そのうち、わらじをわけてくれと、村のもんがくるようになった。

貧乏神はきまえがいい。

「さあ、どれでもすきなのを持っていきなされ。」

「すまんのう。ありがとよ。」

「ありがたいこっちゃあ。」

村のもんはつぎつぎにやってきて、大よろこびでわらじを持っていく。

それを見ていた藤兵衛どん。いいことを思いついた。

「おお、そうじゃ。あのわらじを売ればいいんじゃや。」

さっそく藤兵衛どんは、貧乏神のあんだわらじを持って、村へ、町へと売り歩いた。

「さあ、安いよ～、安いよ～。じょうぶなわらじだよ～。」

わらじは、どこへいってもとぶように売れ、たちまちなくなってしもうた。

じゃが、くらしむきはすこしもよくならんかった。

「やっぱり貧乏神がいては、貧乏からぬけだせんなあ。こうなったら、どぎゃんしてでも貧乏神さまに出ていってもらうだ。」

そこで藤兵衛どん、わらじを売ったのこりの金で、ありったけの酒やごちそうを用意して、貧乏神をもてなした。

「貧乏神さま、きょうはゆっくりやすんでくだされ。さあさ、えんりょのう食べて、飲んでくだされ。」

「これはこれは、たいへんなごちそうじゃなあ。」

「貧乏神さまには、いつもくろうしてもろうておるで。」

おかみさんも、貧乏神におしゃくをしながらいうた。

「そうじゃ、わらじをあんでくださるで、このごろはたいそうくらしもらくになったでなあ。」

「さあ、きょうはいっしょにいわってくだされ。」

「そうかそうか。それじゃ、よろこんでいただくとしようかね。」

貧乏神はすすめられるままに、食べたり飲んだり。

「おお、よったよった。いや〜、すっかりごちそうになってしもうて、こげんくらしむきがよくなっては、わしゃもう、この家にはおれん。」

はらいっぱいになった貧乏神は、こういうと家から出ていったんじゃ。

二人は顔を見合わせて、大よろこび。

「出ていった。わしらも、これでやっとらくになれるぞ。」

「よかった、よかった。」

こうして、藤兵衛どんとおかみさんは、安心してぐっすりねむった。

ところが、いつものように、夜中にべんじょにいった藤兵衛どんはおどろいた。

なんと、なやに、出ていったはずの貧乏神がおったんじゃ。

「ま、まだ、いたのか！」

貧乏神は藤兵衛どんを見てにっこり。

「わしの家がいちばんすみやすいちゅうことか。」

しつこい貧乏神に、藤兵衛どんはすっかり力をなくして、その場にへたへたとすわりこんでしもうた。

それからも貧乏神は、藤兵衛どんの家でわらじ作りにせいを出した。

わらじを作るにゃ、わらがいる。わらを作るにゃ、いねがいる。

そこで藤兵衛どん、しかたなしなし貧乏神のわらじ作りに追われるように、まえよりもいっそうはたらかねばならなくなった。

貧乏神がいるかぎり、くらしはあまりらくにはならなかったが、気がついてみると、もう、夜にげなんぞしなくてもすむようになっていたということじゃ。

（おわり）

# うぐいす長者

むかしむかし、寒い冬空の下を、とぼとぼと歩いていく、男のすがたがあった。

男の商売は茶売りで、ほかにこまごまとした品物もあきなっておった。

この日は、どういうわけか品物がさっぱり売れんかった。

さびしい山道を歩いているうちに、男は、いつのまにやら竹やぶの中にいた。どうやら、道にまよってしもうたらしい。

うす暗い竹やぶをぬけると、みょうに明るい場所へ出た。庭には、ちらほらとうめのかおりがただよっておる。男はうめの花に顔を近づけた。

「ほう、よいにおいじゃあ……。」

すると、とつぜん女のわらい声がした。なんと、美しい娘が四人、うめの木のかげからあらわれたんじゃ。

男は、娘たちのあんないで、娘たちの家へとつれていかれた。

すると、もう一人女の人が出てきた。

「わたしは、娘たちの母親です。どうぞ今夜はゆっくりと、とまっていってくださいませ。」

そういって、男の持っている品物を、み〜んな買ってくれたんじゃ。

つぎの日、母親は、あらためて男にいうた。

「ここは、女だけの家ですから、どうぞゆっくりしていってくださいませ。それに、娘が四人おりますから、だれぞのむこになってくださいませ。」

なにやら、夢のような話じゃ。こうして、男は長女のむこになった。

やがて、冬もおわり、あたたかな春がやってきた。

母親が男にいった。

「きょうは日よりがいいので、娘たちをつれてお花見にいってきます。すみませんがおるす番をおねがいします。すみたいくつしたら、そのときはうちのくらでも見ていてください。でも、四つめのくらは、けっして開けてはいけません。」

女たちの出かけた後、男はなにもすることがなくて、ただぼんやり。

「そうじゃ、くらの中でも見てみるか。」

男は、まず一番めのくらの戸を開けてみた。すると……。

ザザーッ。波が男の足もとにおしよせた。まぶしい青空、白い入道雲。真夏のけしきが広がった。

「海か、気持ちいいのう……。」

それから男は二番めのくらへうつった。そこは、美しい秋の山じゃった。赤や黄色に色づいた木々。大きなかきの木。

「もみじにかきか……、風流じゃのう。」

男は三番めのくらへいった。戸を開けてみれば、そこは一面の雪げしき。

「う〜、寒い、寒い、寒い……。」

男は、寒そうに身をふるわせて、三番めのくらを出ていった。

男は、とうとう四番めのくらへとやってきたんじゃ。戸を開けようとした男は、母親が出がけにいったことばを、はっと思い出した。

「四つめのくらは開けてはいけませんよ。」

開けてはいけないといわれると、なお見たくなった。

「とくべつなものでもあるのかな。」

男は、とうとうがまんしきれず、四番めのくらの戸を開けた。

のどかな春のけしきじゃ。さらさらと流れる小川のほとりに花がさき、うめの木には、うぐいすがとびかっている。

「ホーホケキョ、ホーホケキョ。」

うぐいすが、美しい声で鳴いていた。

「うぐいすじゃあ、きれいじゃなあ。」

男のすがたを見ると、うぐいすたちは、ぴたっと鳴くのをやめて、どこかへとんでいってしもうた。

男がおどろいておると、まわりのけしきがす〜っと消え、美しい庭は、いつのまにか草やぶにかわり、男は、一人ぽつんと立っていたんじゃ。

そこへ、どこからともなく、母親の声がきこえてきた。

「あなたは、やくそくをやぶって、四番めのくらを開けましたね。わたしたちは、ここにすむうぐいすだったのです。きょうは日よりがいいので、みんな、もとのすがたにもどって遊んでいたのです。そのすがたを見られたからには、もういっしょにくらすことはできません。」

男は、山をおりていった。まだ、北風が身にしみるきせつじゃった。


（おわり）

# くらげの骨なし

むかしむか〜し、ある海べに、それはもうなかのよい、さるとかめがおった。山の食べものはさるがとってきて、かめに食べさせ、海の食べものはかめがとってきて、さるに食わせる、といったぐあいでな。

なかがよいといっても、二ひきのすむところはべつべつじゃ。さるは、かめのすむ海の中を見てみたいものじゃと思っておった。

「なあ、かめどんよ。おめえさんのすむ、その竜宮というところは、それはもう美しいところじゃとなあ。」

「おお、そうともよ。」

「わしも、一度、その美しい竜宮へいってみたいものじゃあ。」

ところで、その竜宮じゃが……。竜王のひとりむすめの乙姫が、重いやまいにかかっておられた。竜宮のうらないしは、こんなことをいうたのじゃ。

「これは、陸の上にすむ、さるのきもをとって食えばいい。」

そういわれても、陸の上と海では世界がちがう。海の中では王さまじゃが、陸の上のこととなるとなあ。竜王は、ほとほとこまってしもうた。

竜王の家来たちは、み〜んな陸の上にはいけないものばかり。いや、かめがおった。かめなら陸へいける。

竜王はそう気がつくとよろこんだ。

「そうじゃ！　かめを陸へやろう。」

竜王は、すぐかめをよんで、こういいつけた。

「いいか、さるのきもをとってきたら、た〜んとほうびをとらせるぞ。」

かめは、竜王のいうた、ほうびに目がくらんで、さるの生きぎもをとりに出かけていったんじゃ。

あれほどなかのよかったさるとかめじゃったのに……。

ああ……、ゆうじょうとは、かくもはかないものなのか。

海面に顔を出したかめは、いつもとおなじように、にこにことさるに声をかけた。

「お〜い、さるどん。どうだい、たまには竜宮にあそびにこんかい。わしがあんないするで。」

「そりゃ、いきたいのはやまやまじゃが、わしは海の中にはもぐられんけんな。」

「なあに、へいきへいき。わしのせなかにつかまって、しばらく目をつぶっておればいい。そうすれば、すぐに竜宮へつくけに。」

こうして、さるはかめのせなかにのって、竜宮へいくことになった。

「さるどん、さるどん、目をあけてみなせえ。」

かめの声に、さるが目をあけてみると、目の前には、それはそれは美しい竜宮があった。

門番は、かれいとくらげじゃ。

「うわあ、なんて美しいところじゃろう！」

さるは目をまるくして大かんげき。

「さあさあ、さるどん。こっちじゃ、こっちじゃ……。」

かめにうながされて、さるは竜宮の門をくぐった。そのときかれいが、なにやら意味ありげにわろうた。

さるは気になって、ちょっとくらげのほうを見た。するとくらげも、なにやら意味ありげにわろうておった。

「さるどん、はようこっちへ！」

さるは、ちょっと気になったが、かめがいそがせるので、そのまま竜宮へはいってしもうた。

竜宮の中は、それはもうにぎやかでおもしろかった。

いままで食べたこともない、たいそうなごちそうは出るし、ゆかいなたこのおどりもあるし……。

さるはおおいに食べ、わらい、酒をのむ。とうとうよっぱらって、その場にひっくり返ってしもうた。

たおれたさるを、かれいとくらげがはこびにきた。

「ひっひっひ、ばかなさるめ。だまされとるとも知らんで、よいつぶれてしもうて……。」

「へっへっへ、これでさるの生きぎもはかんたんにいただきじゃ。」

かれいとくらげは、さるをねどこにはこびながら、こんなおしゃべりをしておった。

さるは、意識もうろうとしながらも、この話を聞いてしまったのじゃ。

戸がしまって、かれいとくらげが出ていってしまうと、そうっと目をあけて起きあがった。

「うわあっ、たいへんじゃ。どうしよう、どうしよう。このままじゃ、はら、切り開かれて、生きぎもをとられてしまう。うわあ、たいへんじゃ。どうしよう、どうしよう。」

さるはおなかをかかえて、うろうろうろうろ。そのうち、いいことを考えついたらしい。なにを思ったのか、自分のおしりをぎゅ～っとつねると、大声をあげてなきだした。

「うわあ～ん。たいへんじゃあ。うわ～ん、うわあ～ん。」

その声を聞いて、かめがとんできた。

「さ、さるどん、どうしたんじゃあ。なにをないとる?」

さるは、ちろっと目をあけて、また大声でなきだした。

「うわあ～ん。わしゃあ、たいへんなことをしてしもうただよ。わしの生きぎもを、木の上にほしたまんまきてしもうたんじゃ。雨がふらなきゃいいが。雨がふると、わしのきもがとけて流れてしまうんじゃよ。」

それを聞いたかめは大あわて。

「なんじゃと。そりゃいかん。そら、たいへんじゃ。さっ、わしといっしょにその生きぎもをとりにいこう。さ、わしのせなかにのった、のった。はよう!」

「かめどん、すまんのう。」

こうして、またまたさるは、かめのせなかにのって、陸へもどってきた。

「さるどん、ついたぞや。」

と、かめがいったとたん、さるはかめの背からぴょ～んととびおりて、するすると木の上へかけのぼってしまった。

「う～っ、きゃっほ～っ、はははっ。」

さるは木の上で大わらい。

「お～い、さるどんや、生きぎもはどうした? はよう生きぎもをとりこめや。」

さるによびかけるかめを見おろしながら、さるはとくい顔でさけんだ。

「ば～か。生きたきもを取り出してほすやつが、どこにいるもんか。きもはこのはらの中にちゃ～んとあるわい。」

「そ、それじゃあ、このわしをだましたのかっ。」

「だましたのはどっちじゃい。おれの生きぎもをとろうなどとしおって！」

かめはあわてた。

「だ、だれがそんなことを……。」

「おしゃべりもんのかれいとくらげが話してるのを、聞いちまったんじゃよ。さあさ、かめどん、さっさと帰れ！帰らんと、こうしてやる！」

さるは、かめに石を投げつけた。

「ああっ……。」

石はかめのこうらに当たって、こうらがひびわれてしもうた。いまでも、かめのこうらにひびがあるのは、こういうわけがあったんじゃと。

ところで、かめからわけを聞いた竜王は、かんかんにおこった。

「う〜ん、あのおしゃべりのかれいとくらげめ！」

おこった竜王は、かれいのからだを二つにたちわってしもうた。それでかれいは、平たいからだになって、いつも海の底のほうにへばりついているようになったんだと。

くらげはというと、皮をひんむかれ、ほねをぬかれてしもうた。だから、くらげのからだは、あんなにくにゃくにゃなんじゃ。

そのうえ、竜宮からも追いだされてしもうた。それからずっと、くらげは竜宮へ帰ることもできず、海の上のほうで、波の間に間にぷかぷかういているそうな。

あんなになかのよかったさるとかめは、どうしたかというと……。

「お〜い、さるどん、さるどんや〜。」

いくらかめがさるに声をかけても、さるはしらん顔。

友だちをうらぎったかめは、さびしく海へ帰らねばならんかったと。

（おわり）

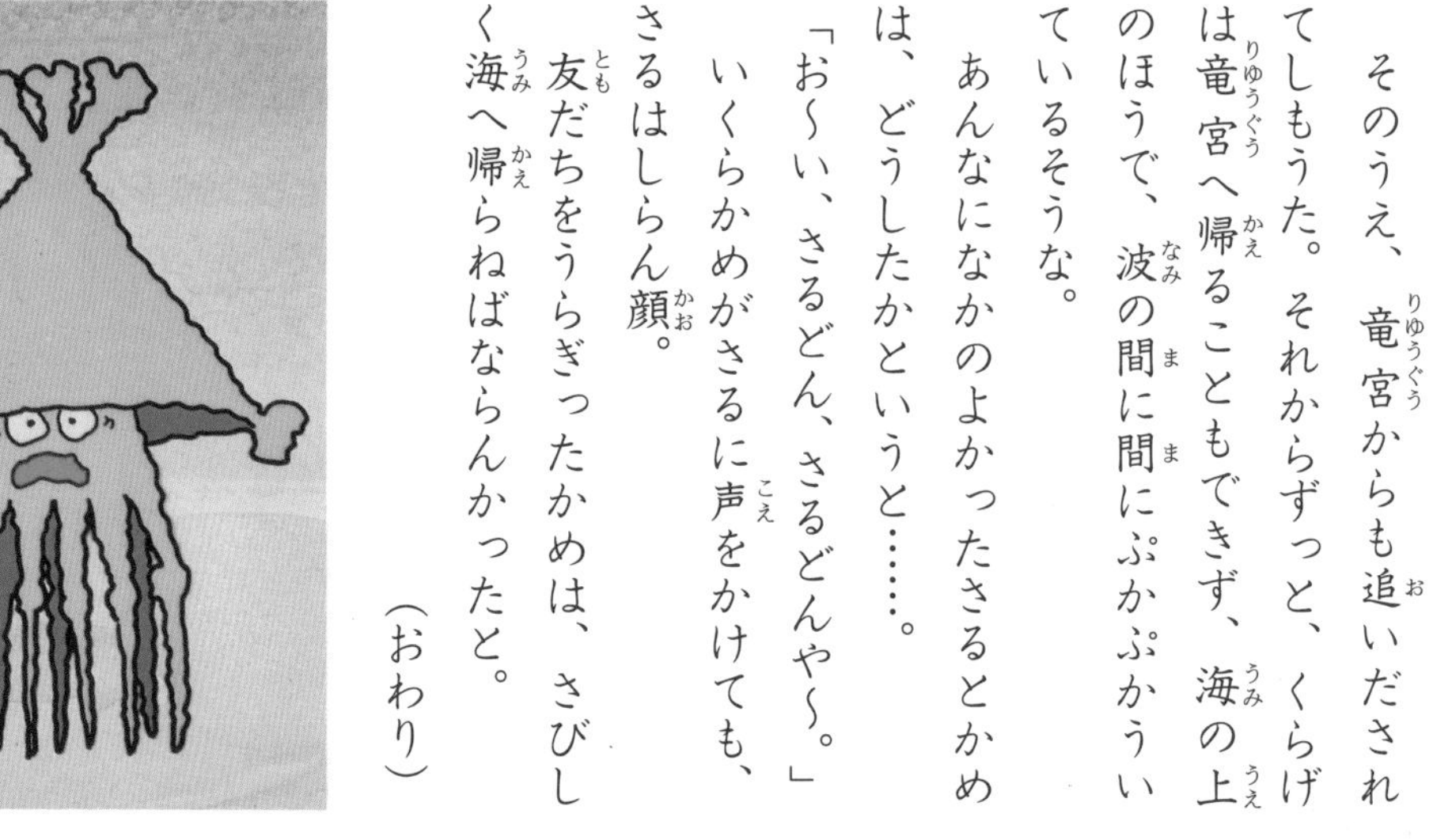

# えびの腰はなぜまがったか

むか～しむかしのお話じゃ。

そのころは、だれでもが、一生に一度はお伊勢まいりをしたいと考えておったんじゃ。

ある日、この世で自分がいちばん大きいと思っとるへびが、お伊勢まいりにいくことになった。

大きな体をずりずりひきずりながら、へびは、太陽がぎらぎらてりつける炎天下の道をはっていく。

「なんて暑いんじゃ、かなわんのう。」

というところへ、なんともすずしげな日かげが、目の前にひろがっていた。

「へっへっへ、こりゃありがたい。まるで生きかえったようじゃあ。」

日かげで休んで元気になったへびは、またずりずりとすすむ。すると、とつぜん、ものすごい風がふいたかと思うと、へびはふっとばされてしもうた。

なんと、それは、大きい大きいわしの羽ばたきだったんじゃ。あのすずしい日かげは、わしのかげだった。あまりのことに、へびがぼうっとしていると、わしはいうた。

「ははは、おどかしてわるかったのう。なにせ、わしくらい大きいものは、この世におらんけん。わしが一度羽ばたけば、下はあらしになるほどじゃよ。」

へびは、そりゃあくやしかった。

「さあて、と。わしはこれから、お伊勢まいりにいくとするか。そこのちっこいの、なにかにつかまっていたほうがええぞ、とばされるでな。」

わしが大きく羽ばたくと、すごい風がまきおこった。

そして三度ほど羽ばたくと、そこはもう、海の上じゃった。

それでも、お伊勢さまにはつかんかった。日のくれるころには、さすがのわしもつかれてきた。すると、なにやら、棒のようなものが海からつきでておる。わしは、これに止まって休むことにした。

「はっは～、これは、楽じゃな。」

こうして、一晩ゆっくり羽をやすめたわしは、つぎの朝、またお伊勢さまめざしてとびたった。

一日じゅうとびつづけ、日ぐれも近づいたが、まだお伊勢さまにはつかん。わしは、もうへとへとじゃった。

「ふう、お伊勢さまちゅうのは、えら

い遠いところじゃろうなあ……。」

するとどうじゃろう。ゆうべ休んだのとおなじような棒が、また、海の中からつきでておった。わしは、やっとの思いで、この棒にしがみついた。

そのとき、棒がゆれたかと思うと、

「こりゃあ！　だれじゃい、わしのひげの上にのっかっとるのは？　くすぐったくてたまらんよ、はよ、おりんか。」

という声とともに、棒が波をわって、どど〜っと持ちあがった。

「ひゃ〜っ！」

上に持ちあげられたわしは、下を見てたまげたのなんのって。わしがのっかっていたのは、大きい大きい伊勢えびのひげの先。つまり、わしは、伊勢えびの、片方のひげから、もう片方のひげへと、一日かかってとんだだけじゃったんじゃ。

「うひゃあ！　海には、こんな大きいやつがいたんかあ。」

「これ、いつまでひげの上にのっかっとるんじゃ。くすぐったくてたまらん。」

と、えびがうるさそうにひげをふりまわすと、わしは、遠くへ遠くへふっとんでしもうた。

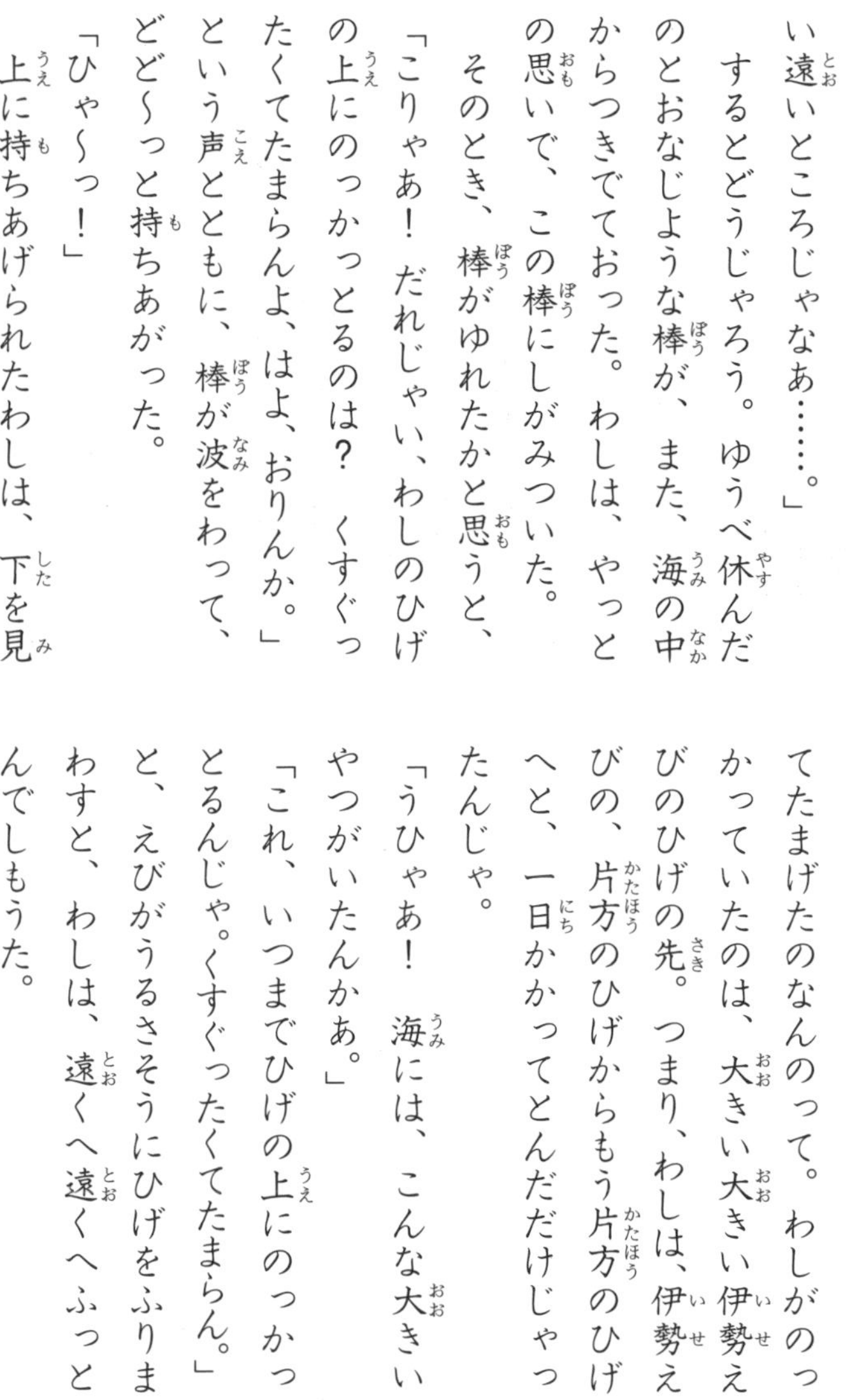

こんどは、伊勢えびが、お伊勢まいりに出かけた。この伊勢えび、海の中を、のっしのっしと歩いていった。ところがそんな伊勢えびでも、なかなかお伊勢さまにはつかんのじゃった。

やがて夕方になり、つかれた伊勢えびは、大きな山のまん中に、体を休めるのにちょうどいい穴を見つけてその中にもぐりこんだ。つかれていた伊勢えびは、すぐにねむってしもうた。

「あ〜あ、よくねた。さあて、そろそろ出発しようか。」

と、穴から出ようとしたときじゃ。

穴から潮がふきだし、伊勢えびはふきとばされた。なんとなんと！　それは、大きな大きなくじらの潮ふきじゃった。まあ、上には上の、大きいものがあるものよなあ。

そして、くじらにふきとばされた伊勢えびが、その後、どうしたかというと……、はるかかなたまでとんでいって、岩の上に落っこちたんじゃが、そのときに、ひどくこしをうってな。

それからじゃそうな。えびのこしがまがったのは……。

（おわり）

# 三枚のお札

むかしむかし、ある山寺に、そりゃあもう、やんちゃな小僧さんがおりましたとさ。

朝夕のおつとめはいねむりばかり。庭をはかせりゃ、ほうきに火をつけてうさぎを追いまわしたり。ぶつだんのおそなえものには手をつけるし、とまあ、こんなぐあい。この小僧さんのやんちゃぶりにはおしょうさんも、ほとほと手をやいておりました。

そんなある日のことです。うら山の木の葉はきれいに色づき、すっかり秋の気配。そこにはおいしそうなくりの実がいっぱいです。

小僧はくりひろいにいきたくてたまりません。そこで、おしょうさんにおねがいしました。

「あの山には、おっかねえ、やまんばがいるだぞ。食われてしまってもいいだか？」

「そんなもん、いるもんか！　おら、どうしてもいくだあ！」

小僧の聞きわけのなさに、こまってしまったおしょうさん、あきらめたようにいいました。

「よし、わかった。おまえのような、やんちゃぼうずは、こわいめにあってすこしはしょうねをたたきなおすがいい。」

「うわ〜い！　いっていいんだね。」

おしょうさんは、出かけようとする小僧に、三まいのおふだを手わたしました。

「これは、お守りのふだじゃ。やまんばが出て、こまったときにつかうがいい。」

小僧はおふだをうけとると、うら山のおくのくりの林をめざしました。くり林のくりは、思ったとおりどっさり実って、いまが食べごろ。

小僧はうれしくてたまりません。時

のたつのもわすれて、むちゅうでくりをひろううちに、すっかり日もくれて、ふと、気づくともうあたりはまっくら。こうなると、さすがの小僧も心ぼそい。

「おしょうさんはあんなことといってたが、やまんばなんかいねえよなあ。」

小僧は、心配そうにあたりを見まわしました。そのときです。

「おやおや、めんこい小僧だこと。」

という声とともに、近づいてきた人がいます。

「うひゃあ!」

小僧はとびあがりましたが……、そこにあらわれたのは、一人のおばあさんでした。

「あ〜、びっくりした。やまんばが出たと思ったんじゃ。」

小僧がてれくさそうにいうと、おばあさんは、やさしくにっこり。

「寺からくりっこひろいにきただかね? んだば、おらの家さこい。なんぼでも、くりっこゆでてやるから。」

小僧はよろこんでおばあさんのあとについていきました。

おばあさんは、なべで大きなくりをたくさんゆでて、小僧に食べさせてくれました。小僧は、おなかがいっぱいになるとこんどはねむくなり、いろりばたでねこんでしまったのでした。

山の夜はしんしんとふけていきます。小僧は、ふと物音に気がついて、目をさましました。

シャッ、シャッ、シャッ、シャッ。

その音は、おばあさんのいるへやのほうから聞こえてきます。

「こんな夜ふけになにしてるだ……。」

小僧はそっとのぞいてみました。

おどろいたのなんのって、おばあさんが、月明かりのなかでほうちょうをといでいたのです。よく見れば、へやのすみにはしゃれこうべがごろごろ。

「や、やっぱり、やまんばだったのか。」

あわててにげようとした小僧は、おそろしさのあまり、足がうごきません。

おばあさんに見つかってしまった小僧は、とっさにいいました。

「お、おら、しょんべんさいきてえ。」

「うんにゃ、ならねえ! おまえをここから出すわけにゃいかねえでな。」

そういうおばあさんの顔が、みるみるかわっていきます。角がはえ、かみはみだれ……、そして耳までさけたまっかな口、ぎらぎらと光る目。

「け〜っ、けけけ、わかったかあ! おらがやまんばじゃあ!」

やまんばが、ついに正体をあらわしたのです。

「たすけてけろ! しょんべんさいかしてけろ! あ〜、もれる〜、もれる。」

「うるさいがきじゃ、そんなにいうだば、なわっこしばっていけ。」

やまんばは、小僧のからだをなわでしばって、べんじょへつれていきました。

小僧は、大いそぎでべんじょにはいると、おしょうさんからもらったおふだを一まい柱にゆわえつけて、おふだにいいました。

「おらの身がわりになってけろ！」

外ではやまんばが待っています。

「まだかや、小僧！」

「もうすぐじゃ、待っててけろ。」

小僧はやまんばにこたえながら、べんじょのまどからにげだすと、山道をいちもくさんにかけだしました。

やまんばは、小僧がなかなか出てこないので、いらいらして、いいます。

「まだかや？」

「もうすぐじゃ！」

おふだが小僧の声でこたえます。

「まだかや、小僧！」

「まだだってば！」

「もう、まてねえ！」

やまんばがおもいっきりなわをひっぱると、べんじょはガラガラとくずれ、のこっているのは柱のおふだだけ。

「小僧！　にげたなあ～っ！」

やまんばは、もう、かんかんになっておいかけました。

小僧はそのあいだも、どんどん走りつづけましたが、しばらくすると、

「待てえ～っ、待たねえか！」

やまんばは、たちまちのうちにおいついてきました。

「うわあ！　てえへんだ！　おいつかれたら食われちまう。」

小僧は、二まいめのおふだをとりだし、

「大きな川、出はれ！」

そういって、うしろになげました。

すると、ふしぎふしぎ！　たちまち大きな川があらわれて、やまんばは、さかまく波にのまれてしまいました。

「や～い、もうこっちへこれめえ。」

小僧はすたこらさっさとにげだしました。ところが、ところが……、さすがはやまんば。大川の水をがぶがぶのみこんで、すぐに小僧をおいかけてくるのです。

小僧はあわてて三まいめのおふだをなげました。

「火の海、出はれ！」

またまたふしぎ。たちまちのうちにやまんばは、火の海にとりかこまれました。でも、やまんばのすごいこと。いまのんだばかりの川の水を、どっとはきだして火をけしてしまいます。

そのあいだにも、小僧はどんどこにげて、やっとお寺にたどりつきました。

「おしょうさま！　あけてくれろ～、やまんばがおってくるだあ～っ。」

小僧はドンドンと戸をたたきました。

「はて、小僧みたいな声だども……、まあ、あんないたずら小僧は、やまんばさ食われたほうがいいだ。」

「あ～ん、たすけてけろ！　きょうからいい子になるだから。おねげえだ。」

やっとのことで、小僧は中に入れてもらったのでした。

やまんばはすぐにやってきて、お寺の戸をけやぶり、中にはいってきました。

中では、おしょうさんが一人でおもちをやいていました。

「にげてきた小僧を出せ！　かくすと、おまえのほうを先に食っちまうぞ！」

おしょうさんはいいました。

「んだば、わしとばけくらべをして、おまえが勝ったら食われてやるべえ。」

「よ～し、おもしろべえや。」

やまんばのほうも、いじになって、おしょうさんが大きくといえば、天じょうほどの大きさに、小さくといえば、指ほどの小さ さになります。

「みごとみごと、おまえの勝ちだな。さあ、いつでも食われてやるべえ。」

そういうが早いか、おしょうさんは、小さくなったやまんばをおもちの間にはさみ、むしゃむしゃ食べてしまいました。

それからはもう、この山にやまんばが出ることはなかったそうです。
そして、やんちゃな小僧さんも、すこしはおとなしくなりましたとさ。
（おわり）

# 八つ化け頭巾

むか～しむかし、あるところに、いたずら者のおしょうさんがおったげな。

ある日、おしょうさんは村はずれの道をひたひたと歩いておった。ふと、やぶのかげをのぞくと、こりゃどうじゃ。一ぴきのきつねが、古びた手ぬぐいを前にして、ばけ方の練習のまっさいちゅう。

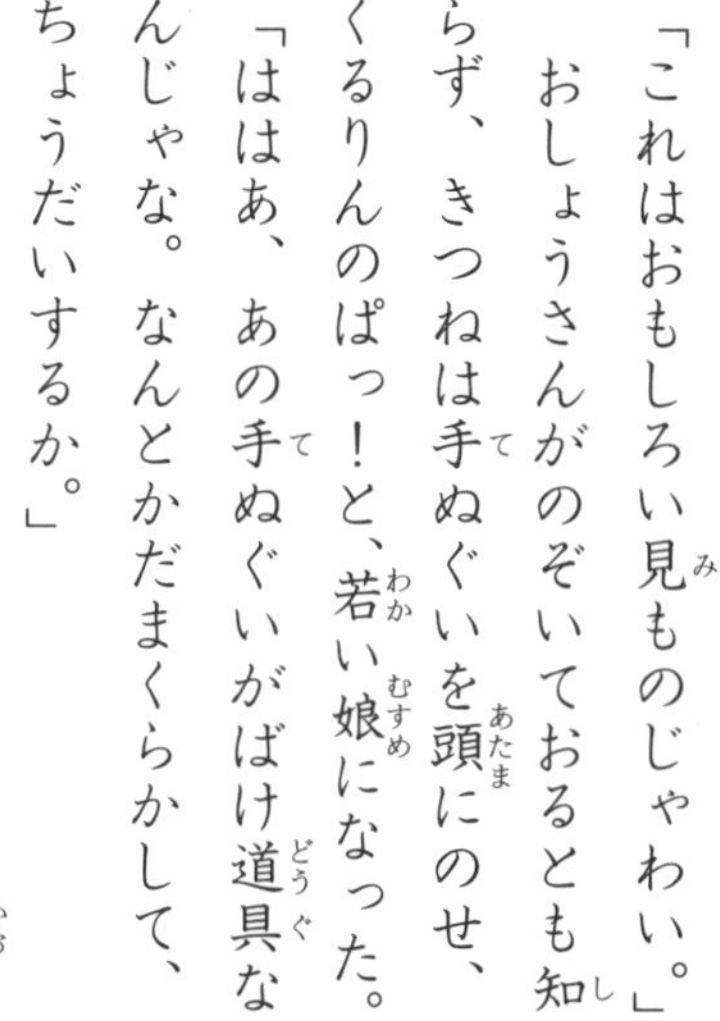

「これはおもしろい見ものじゃわい。」

おしょうさんがのぞいておるとも知らず、きつねは手ぬぐいを頭にのせ、くるりんのぱっ！と、若い娘になった。

「ははあ、あの手ぬぐいがばけ道具なんじゃな。なんとかだまくらかして、ちょうだいするか。」

おしょうさんは、わざとしらん顔で歩きだした。すると、きつねがばけた娘が、しゃなりしゃなりとやってくる。

「美しいあねさまじゃのう。だが、ばけ方がなっとらん！　上のほうはよいが、足もとがまだまだ……。」

きつねはびっくり。元のすがたにどろんとぎゃくもどり。

「どこのおしょうさまかぞんじませぬが、そんなにだめでやんすか？」

「だめ、だめ。そこへいくと、わしはどうだ。きつねに見えるかな？」

きつねはたまげて、おしょうさんをすっかりなかまだと思いこんでしもうた。

「わしのばけ道具は、ほれ、八つ化け頭巾。だいじなたからものじゃよ。」

というて、おしょうさんはかぶっておった、ただの頭巾を見せびらかした。そうして、きつねの手ぬぐいと取りかえさせてしもうたげな。

「やった、やった！　うまくいった。」

寺へ帰ると、寺から寺へと見まわり役をつとめる僧正さまが、おともの
こぼうずをつれて、おいでになられた。二人をむかえたおしょうさん、すましてこんなことをいう。

「このろうかの先に、二つの部屋がございます。どちらでも、お気にめす部屋でお休みくださりませ。わしは、お茶のしたくを。えっへっへ！」

僧正さまがかたほうの部屋のふすまを開けると、きれいなおなごがおったので、むねがどっきん！

「ああ、いや、わしのような修行のできたものはな、おなごにはきょうみはないんじゃよ。」

こぼうずの手前、むりにそういうて、もうかたほうの部屋にはいると、そこにはありがたい仏像がまつってあったげな。

「おお、これこそわしにふさわしい。なんまいだ……、なんまいだ……。」

まじめな顔して、お経をとなえたものの、やはりさっきのおなごが気にかかる。

そのうち、こぼうずがいねむりをはじめたので、こっそりととなりの部屋のおなごのところへいってみた。

おなごはにっこりしてむかえた。

「まあ、おぼうさま、お酒を一ぱい……さあさ、えんりょなさらずに、おほほ。」

僧正さまは、たらふく飲んで食って、上きげん。

するとつぜん、おなごは、かっと目をむいた不動明王さまになった。

「こりゃあ、ぼうずが酒を飲んだな！そのしたを、引っこぬく！」

「ひゃあ、おゆるしくださいませ。」

僧正さまは庭へにげだしたが、そこにおった馬にパカーンとけられて、ふっとんで、どこかへいってしもうた。
おなごも仏像も不動明王も、み〜んなおしょうさんのいたずらよ。

そのころ、町の通りを、頭巾をかぶったきつねが一匹、娘のような身ぶりでしゃなりしゃなり歩いとったげな。
きつねが人をばかすとは聞いとったが、人がきつねをばかすとはなあ……。いやはや用心、ご用心。（おわり）

# きじも鳴かずば

むか～し、ほんとうにあった、おそろしゅうて悲しい話ぞな。

犀川という川があってな。その川のほとりに、小さな村があった。この村では、毎年、秋の雨のきせつになると、犀川がはんらんして、村人たちはたいそうこまっておったそうな。

毎年、毎年、多くの人が死に、家や畑が流された。

この村に、弥平という父親と、お千代という、まだほんの小さい娘がおったそうな。お千代の母親は、この前のこうずいで死んでしもうた。

二人のくらしはとてもまずしかったが、それでも父と子は、なんとか毎日を幸せにくらしておったと。

そしてまた、その年も雨のきせつがやってきた。川は、またまたはんらんしそうじゃった。

そのころ、お千代は重い病気にかかっておったが、弥平は、びんぼうじゃったので、医者をよんでやることもできんかった。

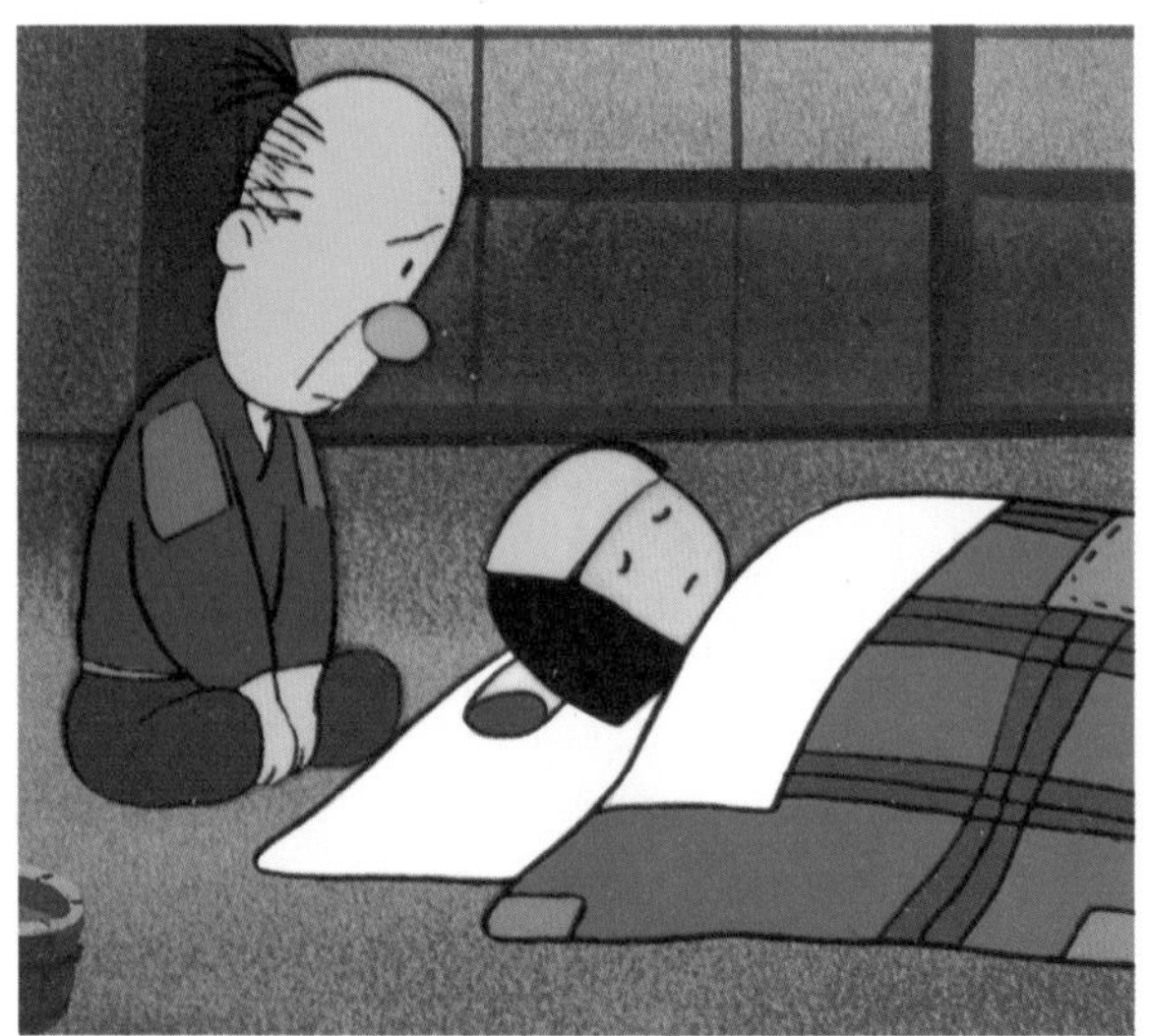

「お千代、はよう元気になれや。さあ、あわのかゆでも食って元気出すだ。」

弥平が、ちゃわんをとって、お千代に食べさせようとしても、お千代は首を横にふるんじゃ。

「ううん、おら、もう、かゆはいらねえ。おら……、あずきまんまが食いてえだ。」

あずきまんま。それは、お千代が、この世で知っている、たった一つのおいしい食べものじゃった。まだ、おっかあが生きていたころ、たった一度だけ、食べたことがあるあずきまんまを、お千代は、けっして、わすれてはおらんかった。

じゃが、いまの弥平には、あずきどころか、お千代に食べさせる一つぶの米さえもない。弥平は、ねているお千代の横顔を見つめ、じっと考えこんでおったが、やがて、なにやらけっしんしたように、すっくと立ち上がった。

「そうじゃ、地主さまのくらにならあるはずだ。」

弥平は、雨の夜道を走っていったんじゃ。やがて、びしょぬれになってもどってきた弥平の手には、米とあずきが……。

弥平は、こうして、たった一度だけ、ぬすみをはたらいてしもうたんじゃ。地主さまのくらから、一すくいの米とあずきとを……。

そのばん、弥平は、お千代にあずきまんまをたいて食べさせてやった。

「さあ、お千代、あずきまんまじゃあ。」

「おとう、あずきまんまは、おいしいなあ。」

「おお、そうかそうか。よかったのう。」

こうして食べさせたあずきまんまのせいじゃろうか、お千代の病は、日ごとによくなり、何日か後には、おきられるようになったんじゃ。

いっぽう、地主さまの家では、米とあずきがぬすまれたことに、すぐ気がついた。なにしろ、毎日、ますできちんとはかってしらべるでな。

まあ、たいしたぬすみではなかったが、ぬすみはぬすみ、と、いちおう、番所にとどけたそうな。

元気になったお千代は、外へ出たくてたまらん。

「ええか、お千代、まだすっかりなおったわけじゃないだで、しずかに寝とるんじゃぞ。」

弥平は、そういうて仕事に出かけていった。じゃが、すっかり元気になったお千代は、じっとしてはいられない。がまんできずに、家の外に出ていくと、楽しそうに歌いながら、まりつきをはじめたのじゃった。

「トントントン、おらんちじゃ、おいしいまんま食べたでな。あずきのはいった、あずきまんま。トントントン。」

その、お千代の手まり歌を、近くの畑ではたらいておったひゃくしょうが聞いておった。

それから、また雨がふりだした。何日も何日も、ふりつづいた。

犀川の水は、どんどんふえて、いまにもあふれださんばかり。

「このまんまじゃ、また、村は流されてしまうぞ。」

村人たちは、村長の家に集まって、どうしたもんかと話しあった。

「人柱を立てたらどうじゃろう。」

人柱――それは、災害などで苦しんでいる人々が、生きた人間をそのまま土の中にうめて、神さまにおねがいするという、おそろしい習慣じゃった。

もっとも、生きながら土の中にうめられるのは、たいがい、なにかわるいことをした罪人じゃったが……。

「ところでのう、この村にも、罪人がおらんことはねえだで……。」

と、口をひらいたのは、お千代の手まり歌を聞いとった、ひゃくしょうじゃった。

「なに？　罪人がおるじゃと？」

「じつはな……。」

ひゃくしょうは、みんなに自分の聞いたことを話したと。

その夜、弥平とお千代が食事をしておると、ドンドン！　ドンドン！

だれかが、はげしく戸をたたいた。

「これ！　弥平！　弥平はおるか！」

「へい、ど……どなた……？」

「弥平、おぬしは、先日、地主さまのくらから、米とあずきをぬすんだであろう。娘が歌っとった手まり歌が、そのしょうこじゃ。お千代、おまえは、

このあいだ、あずきまんまの歌をうたっていたそうじゃな。」

お千代は、はっとして弥平の顔を見た。

「おとう！」

弥平は、お千代の頭をなぜながら、やさしくいうた。

「お千代、おとうは、すぐかえってくるで、心配せずに待ってろや。」

「おとう！　おとう！」

なきさけぶお千代をのこし、弥平はひきたてられていき……、そして、そのまま帰らんかった。


犀川のはんらんをふせぐため、人柱としてうめられてしもうたんじゃ。

たった一すくいの米とあずきをぬすんだだけで、人柱とは……と、同情する村人も多かったが、どうにもならなかったそうな。

その年、川は、はんらんすることはなく、やがて、雨はすっかりやんだそうな。

村人から、自分のうたった手まり歌がもとで、おとうが人柱にされたことを聞いたお千代は、声をかぎりにないた。

「おとう！　おとう！」

お千代のなき声は、何日も、何日もつづき、村人たちのなみだをさそった。

そして、ある日、お千代は、ふっつりとなくのをやめると、それからは、一言も口をきかなくなってしもうたそうな。だれに声をかけられても、口をきかんかった。

何年かたち、お千代は大きゅうなったが、やっぱり口をきかなかった。

うつりかわっていく季節のなかで、お千代は、たった一人でくらしていた。

ある年のこと、一人のりょうしが、きじをうちに山へはいっていった。そして、きじの鳴き声を聞きつけ、てっぽうの引き金をひいた。

ズドーン！　その音は、山じゅうにひびいていった。

しとめたきじをさがし、草むらをかきわけていったりょうしは、はっとして足をとめた。

うたれたきじをだいて、お千代が立っていたのじゃ。お千代は、つめたくなったきじにいうた。

「きじよ、おまえも、鳴かなければ、うたれないですんだものを……。」

「お千代、おめえ、口がきけただか？」

お千代は、ぼうぜんとしているりょうしには、なにもこたえず、きじをだいたまま、去っていった。

お千代は、自分が手まり歌をうたったばかりに、おとうがつかまり、人柱になってしまったことを思い出して、そうつぶやいたんじゃ。

「きじよ、おまえも、鳴かずばうたれまいに……。」

それから、お千代のすがたを見たものはだれもおらんかった。

ただ、お千代ののこした、最後の一言が、いつまでも、いつまでも、村人のあいだに、悲しゅう語りつたえられたそうな。

（おわり）

# たぬきと彦市

むかしむかし、ある村に彦市どんという、たいそうちえのはたらく男が住んでおりましたそうな。
彦市どんは、おっかさんと二人で、毎日畑へ出かけては、せっせとはたらいておりました。

ところで、彦市どんのうら山に、一ぴきのたぬきがすんでおりましてな。

このたぬきがわるいやつで、毎日道ばたで旅人を待ちぶせ、いたずらをしてはよろこんでおりました。

でも、たぬきは、彦市どんをなんとかだましてみたいと、いつも思っていたのです。

そこであるばん、旅人にばけて彦市どんの家にやってきました。

「こんばんは、ちょいとひと休みさせてくださいな。」

戸を開けた彦市どんは、これはうら山のいたずらたぬきにちがいないと思いましたが、知らぬ顔で家へまねきいれました。

しばらくすると、たぬきは彦市どんにたずねました。

「ところで、彦市どんには、こわいものなんて、な〜んもあるめえなあ？」


彦市どんはうでを組んで考えこむふりをします。

（たぬきめを、からかってやろう。）

「う〜ん、一つだけあったよ。でも、だれにもいわねえでくれよ。じつは、まんじゅうがこわいんじゃよ。」

「え〜っ、まんじゅうだって！　ははは、まんじゅうがこわいだなんて。」

「おら、まんじゅうって聞いただけで体がふるえてくるだ。あ〜、こわい。」

「こりゃ、いいことを聞いちゃった。」

たぬきは大よろこびで山へ帰っていきました。

つぎの朝、彦市どんが目をさましてみると、あった、あった！　ほかほかのまんじゅうが山ほどつまれてありました。

「おっかあ、うめえまんじゅうがとどいたぞ。食わねえか。」

彦市どんとおっかさんは、大よろこ

びでまんじゅうをぱくぱく。

ようすを見にきたたぬきは、かっかとおこりました。

「くやしい！ よくもだましたな。このしかえしは、きっとするからな。」

そして、何日かがすぎたあるばん、たぬきは村じゅうの石ころをひろい集めて、彦市どんの畑にぜんぶほうりこんだのです。

「あれあれ、たいへんじゃあ。」

おっかさんはびっくりしましたが、彦市どんは、たぬきがしたことだとわかっていたので、すこしもおどろきません。彦市どんは、わざと大きな声でおっかさんにいいました。

「のう、おっかあ。石ごえ三年というて、ありがたいことじゃのう。これがもし馬のふんじゃったら、えらいことじゃったよ。」

彦市どんをこまらせようとしてやったことなのに、またまたよろこばせてしまったので、たぬきのくやしがること、おこること。

畑の石をぜんぶ運び出して、それから村の馬小屋にしのびこみました。

こんどこそ彦市どんをこまらせようと、せっせと集めた馬のふんを、彦市どんの畑にうめておきました。

たぬきのまいた馬のふんは、とてもよいこやしになって、秋にはみごとな作物がどっさりとれました。

「おら、どうしても彦市どんにはかなわねえだ。え～ん、くやしいよう。」

作物の実った畑を見てくやしがるたぬきを、よぶ声がしました。

「お～い、たぬきどん。とうもろこしをはらいっぱい食ってくれろ～っ。おまえのまいたこやしがよくきいて、おいしく、でか～く育ったぞ～。」

たぬきは、自分のおかげでおいしく実ったとうもろこしを、うまいうまいと食べました。

それからは、たぬきはいたずらをやめて、うら山でおとなしくくらしたということです。

（おわり）

# 鉢かつぎ姫

むかしむかし、河内の国、交野のあたりに、それはそれは気だてのいい、美しい姫ぎみがいらっしゃいました。

姫は、毎日なにふじゆうなく楽しくくらしていましたが、たった一つ、その小さなむねをいためていることがありました。姫の母ぎみが、もう長いあいだ、やまいでとこにつかれたままだったのです。

母ぎみは、自分の身にもしものことがあったら、のこされたこのおさない姫はどうなるのだろう……と、毎日そのことばかりを心配しておられました。

母ぎみは、ある日、観音さまにおねがいいたしました。

と、ふしぎなことに、観音さまが母ぎみのゆめまくらにお立ちになり、

「姫のゆくすえをあんじるなら、姫ぎみの頭に鉢をかぶせるがいい。」

と、おつげになりました。

母ぎみは、この観音さまのおつげをありがたく思い、つぎの日、さっそく姫の頭に鉢をおかぶせになりました。

「どうか、この娘のゆくすえが幸せでありますように……。」

と、母ぎみはいのるのでした。

それからいく日もたたぬうちに、母ぎみはおなくなりになりました。

「お母さま……、お母さま……。」

姫は、いつまでもいつまでも、母ぎみにすがってなきつづけておりました。

それからどのくらいたったでしょうか。ある日、父ぎみが姫のところにおいでになり、

「こんなみっともないもの、とってしまいなさい。」

と、姫の頭から鉢をはずそうとなさいました。

ところが、どうしたことか、鉢はぴったりと頭にくっついたまま、どんなにひっぱってもはずれませんでした。

おおぜいで、力いっぱいひっぱっても、びくともしないのでした。

しかたがありません。姫は、鉢をかぶったままくらすしかありませんでした。

しばらくして、父ぎみのところへ、新しいお母さまがおいでになりました。

このお母さまは、鉢をかぶったままの姫を見ると、

「まあ、なんてきみのわるい。」

と、顔をしかめてつめたくいうのです。

ある寒い冬の日、新しいお母さまは、この鉢かつぎ姫を、どこか遠いところにすててくるようにと、家来にいいつけました。

かわいそうに鉢かつぎ姫……。たった一人、寒空の野におきざりにされてしまったのです。

それから何年もの歳月がすぎさりました。鉢かつぎ姫は、あれからずっとおもい鉢を頭にかぶったまま、あちらこちらをさまよい歩いたのです。

どこへいっても、鉢をかぶったそのすがたはきみわるがられ、子どもたちにはいじめられ、道いく人々からはさげすみの声をあびるのでした。

「わっはっは。なんじゃ、あのかっこうは、鉢をかついだばけものじゃ。」

姫はもう、身も心もくたくたにつかれていました。

「母上さま、姫はもうこれいじょう生きているのがつろうございます。どうか母上さまのところにつれていってくださいませ。」

そういうと、姫はつめたい川の中へ身をおどらせてしまったのです。

ところが、どうしたことでしょう。姫のからだは、鉢のおかげで水の上にういてしまい、死ぬこともできぬまま、どんどん川を流されていって、いつのまにか、川岸にうちあげられてしまったのでした。

長い長い夜があけました。

川岸の道を、ちょうどわかいお武家さまが通りかかりました。

このわかぎみは、川岸にうちあげられた姫を見つけると、娘を助けるようにと、家来にお命じになりました。

「これ、どうなされましたか。」

わかぎみは姫に、やさしく声をおかけになりましたが、姫はなにもこたえませんでした。

「まあ、いい。どこへいくあてもないのなら、わたしのやかたへきてはたらきなさい。」

こうして姫は、やさしいわかぎみのやかたではたらくことになったのです。姫はいっしょうけんめいはたらきました。

ある夜のことでした。姫は一はりの琴をみつけました。姫は琴をしずかにひきはじめます。

幸せだったむかしのなつかしい日々が、姫の心によみがえってきました。姫はむちゅうで琴をひきつづけました。

そのとき、そばへちかづいてきたのはわかぎみでした。姫のひく琴の音は、わかぎみの心を打ちました。このように美しい琴の音色を、いままで聞いたことがありませんでした。

「そなたはきっと、高貴なお生まれのお方であろう。どうじゃ、わたしにそなたのおいたちなど、話してくれぬか。」

たずねられるままに、姫は自分の身の上をわかぎみに話して聞かせました。

それからしばらくして、わかぎみにおよめさんをむかえる話が持ちあがりました。ところが、わかぎみは、両親の持ってくる話をすべてことわるのでした。

「だれかすきな人でもいるのか？」

と、心配する両親に、わかぎみはいいました。

「わたしは、わたしがつれてきたあの娘と結婚したいのです。」

「な、なんじゃと！」

両親のおどろきはたいへんなものでした。でも、もっとおどろいたのは、鉢かつぎ姫本人です。

「わかぎみがわたしのことを……。」

それは、信じられぬことでした。

「でも……。」

鉢をかついだ自分のみにくいすがたのことを思うと、姫の心は暗くとざされるのでした。

「ならぬ！　あのような娘をよめにするなど。断じてゆるさぬ。」

「考えなおしておくれ、ねえ、おまえ。ほかによい娘さんは、いっぱいいるではありませぬか。」

わかぎみの両親は、なんとしてもゆるしてはくれません。それを知った姫は、自分さえいなくなれば……と思うのでした。

（わかぎみさま、わたしはここから立ち去らせていただきます。わたしのことを思ってくださったよろこびは、一生わすれることはありません。）

姫は心のなかで、わかぎみにわかれをつげました。自分がここにいると、わかぎみは不幸におなりになる……。そう考えた姫は、そっとやかたを出ていこうとしました。

そのときです。

「だれだ！　そこにいるのは！」

姫の旅すがたは、わかぎみに見つかってしまったのです。

「あなたが家を出ていくのなら、わた

しもいっしょに家を出よう。わたしは、どんなことがあっても、そなたといっしょになるつもりなのだから。」

と、わかぎみは姫のほうへかけよります。

そのようすを見て、わかぎみの父親はおこりました。

「なんということを！　まだそんなことを申すのなら、わしがその鉢かつぎを切ってやる！」

と、刀をぬいて、いまにも姫に切りかかろうとします。

「父上、なにをなさる。」

わかぎみはひっしで姫をかばいます。父親は、わかぎみをつきとばして刀をふりかぶりました。

「え〜い！」

そのときです。姫のかぶった鉢が光をはなち、鉢はこなごなにくだけちったのです。

なんというふしぎなことでしょう。あれほどとろうとしてとれなかった鉢がこわれて、中からこの世の人とも思えぬほど、美しい姫のすがたがあらわれたのです。

「姫……、そなたは……。」

「わかぎみさま……。」

わかぎみと姫は、こうしてめでたくむすばれました。

思えば、なにもかもわざわいのもとであったあの鉢が、こうして二人をむすびつけ、姫に幸せをもたらしたのでした。そして二人は、いつまでもいつまでも、幸せにくらしたということです。
（おわり）

# 牛池

むか～し、とある山の中に、美しい水をたたえた、深い池があった。

その池から、さほど遠くないところに、小さな山里があった。

その山里のある家に、よくの深いばあさまと、気立てのやさしい娘とが住んでおった。

その家のまどから、娘が顔をのぞかせた。娘の目にうつったのは、ふりつづく白い雪。

娘のおる反物は、たいそうなぜにになった。じゃからばあさまは、娘を一日として休ませなかった。

そんな娘の心までもとじこめるように、ここらあたりの雪はつめたく深いのじゃった。

よその家で、茶飲み話で聞いたのだと、よくばりばあさんはこうもいう。

「よその娘は、一冬に四反もおりあげるちゅうのに、このぐずめがっ。」

ばあさまが部屋を出ていくと、娘はそっとなみだを流した。

「おらに、四反もおれるわけはねえ。」

雪はふった。しつっこくふりつづいた。

なんもかもとじこめてふりつもってびわれて、くずれていった。

娘の手も足もこごえ、かじかみ、ひびわれて、くずれていった。

「おら　機おる　だれが着る
べべ着て　おしろいぬって
うれしかろ　うれしかろ

「鳥や牛に生まれたほうが、どれほどよかったかしれねえな……。」

娘は、まどの外をながめながら、そう思うのだった。

「こらっ、また機をはなれとるな。このなまけもんが！」

ばあさまがおそろしい声をあげる。

娘は、くる日もくる日も、機をおらされておるのじゃった。

どこの　だれやら　顔見てえな」

　悲しく歌いながら機をおる娘のとなりの部屋では、ばあさまが、反物がぜにになる日を、指折り数えてくらすのじゃった。

「一度機屋たずねてこ　たずねてこ
ひやめし食わしょ　たこ食わしょ
手のたこ食わしょ　みそつけて」

　こうしているうちにも春がきた。どこにいくでもねえ娘にも、春はやはり待たれるのよなあ。

　ある日のことじゃ。まどべに一わの白い小鳥がまいこんできたのじゃった。

　まどに止まる小鳥に、娘は思わず見とれて、機おる手足の調子をみだしてしもうた。

　そのとき、たて糸がばっさり切れてしもうたのじゃ。

　切れた糸を見たばあさまは、くるったようにさけんだ。

「なおせ！　なおせ！　なおらんうちはめしを食わさんからな。」

　ばあさまがねてしまった夜中、娘はふらふらと外へさまよい出た。

　なにもかもねしずまって、物音ひとつしない春の夜じゃった。

「こんなに、こんなに、外はきれいなのに……。」

　娘は、わが身がせつなくて、かきの木の根もとになきくずれてしもうた。 

　ふと、なにかがそばにきた気配に、娘が顔をあげると、目の前に牛がいた。

　ばあさまのかっている牛が、娘のなみだにぬれた目をじっとみつめていた。

　牛は、娘をせなかにのせ、月の光の中を、ゆっくりゆっくり歩きだしたのじゃった。

　月の光の中で、うめも、ももも、さくらも、いっせいにさきそろって、風までがかおるようじゃった。

　牛と娘のすがたは、山の池のあたりで、いつのまにか見えんようになった。 

　それっきり、だれひとりそのすがたを見たものはおらんのじゃ。

　それから、長い長い年月が流れた。

　いつのまにか、だれがつけたのか、山の池には牛池という名がついていた。

　ふしぎなことに、月の明るいばんには、牛池のあたりから、トンカラリ、トンカラリ……と、機をおる音が聞こえてきたのじゃそうな。

　その音は、風にのって村まで聞こえてきたということじゃ。

　よくばりばあさんの村まで、な。


（おわり）

# わらしべ長者

むかしむかし、あるところに、まずしい一人の男がおりましたとさ。

この男、なにをやってもうまくいきません。朝からばんまで、せっせとまじめにはたらいても、くらしはすこしも楽になりませんでした。

男は、思いきって観音さまに願いをかけることにしました。

運のない男の、最後の運だめしだったのです。

「観音さま〜、おらに運をつけてくんろ。もし運がねえようだったら、ちょうどここは死に場所によいとこだ。やすらかに死なしてくんろ。」

男はいのりつづけました。

「さいごのお願いだあ。どうかおいらに運をさずけてくんろ。」

夜になっても、男はおいのりをやめません。とうとう男はぶったおれてしまいました。そのときです。

「これ、男や。おきなさい。」

観音さまが声をかけました。

「おきなさいというに。」

やっとのことで目をあけた男。

「いったい、あなたはどなたさんで。」

「観世音菩薩、ありがた〜い、ほとけさまなのですよ。」

「はあ、そんじゃ、もうあの世からおむかえで……。へえ、めえりやしょう。」

「これ、ねぼけてるときじゃありません。おまえにも、いよいよ運がむいてきたんですよ。」

おきあがった男に、観音さまがいいました。

「おまえはこのお堂を出るなり、すぐに、ころびます。」

「やっぱり、ついてねえ。」

「いいえ、それが運のつきはじめなのですよ。そのとき手につかんだものをたいせつにして、西の方角に進みなさい。よいか、ゆめゆめうたがうことなかれ〜。」

「夢かいなあ。」

男は、観音堂から出ていきました。

夢ではありませんでした。男はすぐにころんところぶと、手には一本のわらをつかんでおりました。

そこへ、あぶがとんできたので、男はあぶをつかまえて、わらでしばっておきました。

「観音さまのおつげじゃしかたなか。だけんど、わら一本じゃのう。せめて小判とか、にぎりめしなら……。やっぱりおらには、運がねえのかなあ。じゃが、これでええ。観音さまのおつげじゃ、西へむかってだまって歩いてみべえ。」

男は、あぶを持って、とぼとぼと歩きはじめました。

しばらくいくと、赤ちゃんをおぶっているおばあさんにあいました。赤ちゃんは、ぎゃあぎゃあとないています。

「なくな、なくな。どれどれ、おらがあやしてやんべえ。べろべろ、ばあ。」

男があやせばあやすほど、赤ちゃんははげしくなきます。

ところがそのとき、赤ちゃんがとつぜんなきやんだのです。

「あぶあぶ、あぶ……。」

「そうか、これがほしいんか。」

男は、あぶをつけたままのわらを赤ちゃんにわたしました。

赤ちゃんがなきやんだので、おれいだといって、おばあさんはみかんを三つ、さしだしました。

「なにもありませんが、せめてこれでも……。」

男は、みかんをうけとると、また西の方角めざして歩きはじめました。

男が、もらったみかんを食べようとしたときでした。女の人のうめき声が聞こえてきました。

「おじょうさま、しっかりして……。」

おじいさんが、くるしんでいる娘のそばで、おろおろしています。

「おじいさん、いったいどうしたんですかのう。」

「おじょうさまが、きゅうにくるしみだして、水をほしがりますのじゃ。」

「それはこまったのう。そうじゃ、いいものがある。」

男は、持っていたみかんを娘にさしだしました。ほんとうは、自分が食べたかったのですが……。

おじいさんは、たいそうよろこんで、さっそく娘にみかんを食べさせました。

みかんを食べると、娘は元気になりました。そして、おれいにと、上等なきぬの反物を男にさしだしました。

「ごおんは、一生わすれません。」

二人は、心から男におれいをいうと、反物をわたして去っていきました。

「はは〜ん、わら一本がみかんになって、そのみかん三つがきぬ三反になった。」

男は、なんだか心が明るくなってきました。そして、まえよりもいっそう足どりもかるく、西へむかって歩きつづけました。

「おい、待て、その男！」

とつぜん、さむらいが男をよびとめました。

「どうじゃ、わしの馬とおまえの荷物をとりかえんか？」

「こりゃあ、死に馬じゃねえか。」

「いや、ちょっとたおれて横になっておるだけじゃ。それをよこせ。」

さむらいは、むりやりきぬの反物をとりあげてしまいました。

「とりかえた、とりかえた。わはは、いいか、とりかえたぞ。」

「ま、待ってくれえ。」

男は、がっくりしてしまいました。

「ああ、やっぱりおら、ついてねえ。」

男は自分の運のなさにがっかりしましたが、もともと気のやさしい男です。かわいそうな馬を見すてることができません。せっせとかいほうをはじめました。男は、いのるような気持ちで、馬のからだをこすりつづけました。

男のいのりが通じたのでしょうか、馬は、ぱちりと目をあけました。

「う、馬〜、生きかえったか。」

「うひひ〜ん！」

馬は、むっくりおきあがって、男の顔をぺろりとなめました。

男は、まるで自分が生きかえったような気持ちになって、馬をつれて、うきうきと西へむかって歩きはじめました。

そして、ある城下町へとやってまいりました。

「おい、馬よ、やっとめしにありつけるかもしれねえど。」

男は、大きなおやしきの馬小屋のそばにきて、はたらいている男にたのみました。

「あのう、すまねえだが、おらの馬に、ちょっくらえさをくんねえだか。」

「ああ、いいとも。」

「ありがてえ、よかったなあ。」

ここは、長者の家でした。使用人の知らせでやってきた長者は、その馬を一目見て、気に入ってしまいました。

「あの馬は、国じゅうさがしても見あたらぬほどの馬じゃ。ぜひわたしにゆずってくれんか。どうじゃ、五百両！　いや、ねだんはいくらでもいい。」

「ご、五百両だって！」

「う〜む、それでは、おもいきって千両じゃ。千両でどうじゃ！」

「せ、せ、せ、千両……！」

男は、目をまわしてたおれてしまいました。

「お、おい、しっかりせえ。お、おい、娘、水じゃ、水！」

あわててよぶ長者の声に、娘がとんできました。

「あっ、この人は！」

ふしぎなめぐりあわせです。男からみかんをもらったのは、この長者の娘だったのです。

しばらくして気がついた男の前に、わかい娘の顔が……。

「あっ、あなたは、あのときの……。」

「のう、馬だけじゃなくて、おまえさん、娘のていしゅになって、わしのあとつぎになってくれんか、のう。」

男は、すっかりてれて、ふとんをかぶってしまいました。

「ふわ〜、運のつきすぎだあ。」

こうして男は、観音さまのおつげのとおり、わら一本から、たいした長者になりましたそうな。

けれどこの男、金持ちになってからも、わら一本をたいせつにせよという観音さまのことばをわすれずに、いっしょうけんめいはたらきましたので、ますます大金持ちになり、人々は、この男を「わらしべ長者」というようになりましたとさ。（おわり）

# 子育て幽霊

むか～し、ある村に、一けんのあめ屋がありましたそうな。

ある年の夏のことでした。

あめ屋さんが、夜もおそくなったので、そろそろ店をしめようかと考えていると、トントン……と、戸をたたく音がします。はて、こんなおそくにだれだろう？　と、戸をあけてみますと、女の人が立っていました。

「あの、あめをくださいな。」

あめ屋さんは、女の人が持ってきたうつわに、つぼから水あめをすくって入れました。

「一文いただきます。ありがとうさん。」

この村では見かけない人です。あめ屋さんは、そのとき、なんとなくぞくぞくするような、きみのわるい感じをおぼえました。

そのつぎの日も、夜おそくあめ屋さんが戸じまりをしようと思っていると、また、戸をたたく音がします。

「あの～、あめをくださいな。」

やはり、あの女の人でした。

女の人は、きのうと同じようにあめを買うと、すうっと、どこへやら帰っていきます。なんだか、ふしぎな感じでした。

それからまいばん、夜ふけになると、女の人はあめを買いにきました。

つぎの日も、そのつぎの日も、きまって夜ふけにあらわれては、あめを買っていくのでした。

ある雨の夜……。そのばんは、となり村のあめ屋さんがたずねてきていて、話しこんでいたのですが……。

「あの～、あめをくださいな。」

いつものようにあらわれた女の人を見て、となり村のあめ屋さんは、がたがたふるえだしたのです。

「あ、あの女は、ひと月ほどまえに死んだ、松吉のかかあにちげえねえ。」

二人は顔を見あわせました。

死んだはずの女が、夜な夜な、あめを買いにくるとは？　そして、いったいどこへいくのでしょう？

二人は、あとをつけてみることにしました。

女は、林をぬけ、となり村へと歩いていきます。そして……、

「は、はかだ！」

はか場の中に、どんどんはいっていくと、女のすがたは、すっと消えてしまったのです。


二人は、お寺にかけこみ、おしょうさんにこれまでのことを話しました。

「そんなばかなことがあるものか。きっと見まちがいじゃろう。」

と、おしょうさんはいいながら、それでも、いっしょにはか場へいってみることにしました。

かすかに赤んぼうの泣き声が聞こえてきました。

声のほうにいってみると、

「あっ、人間の赤んぼうじゃないか！どうしてこんなところに？」

ちょうちんの明かりにてらしてみると、そばに手紙がそえられています。

それによると、赤んぼうは、すて子なのでした。

「すてられて何日もたつのに、どうして生きられたんじゃろう。」

ふと見ると、あの女の人がまいばんあめを買っていったうつわがころがっていたのです。

赤んぼうのそばのはかを見ると……。

「おお、これは、このまえ死んだ松吉の女房のはかじゃあ。」

なんと、ゆうれいが人間の子どもを育てていたのです。

「あめを食べさせていたんですなあ。」

それも、自分の村では顔を知られているので、わざわざとなり村まで買いにいったのでしょう。
自分のはかのそばにすてられた赤んぼうを、見るに見かねたにちがいありません。
「やさしいほとけさまじゃ……。この子は、わしが育てるけに、安心してくだされ。」
こうして、おはかにすてられた子は、ぶじ、おしょうさんにひきとられました。そして、あの女の人があめ屋さんにあらわれることは、もう二度とありませんでした。

（おわり）

# 鳥になったかさ屋

むかし、河内の国に、かさ屋の政やんというて、親もいなけりゃ、兄弟もいない、ひとりぼっちの若者がくらしておりましたとさ。

政やんは、毎日毎日、ただだまってかさをはりつづけておりました。

「お～い、政やん、せいが出るのう。」

「ああ、おかげさんで。」

通りがかりの村の人が声をかけたときだけしか、政やんは声を出しません。

天気のよい日には表に道具を出して、空をとぶ鳥を見あげながら、しごとをするのが、政やんのたった一つの楽しみでした。

空高くとぶ鳥をながめては、自分もあんなふうに自由に空をとべたらなあ……と、心の中で思っていたのかもしれません。

「気持ちええやろなあ。」

そんなある日のこと、かさが一つ、風にとばされてしまいました。かさ一本なくなれば、その日のかせぎがなくなって、ごはんも食べられなくなってしまうのです。

「うわっ、待てえ。」

と、とんでいくかさを、政やんはひっしでおいかけました。

「とうっ！」

と、かさにとびつくと、政やんのからだは、ふわっと宙にうきました。でも、すぐに地面におちてしまいましたけれどね。

「おお、いたっ！」

ドスンと打ったおしりをなでながら、しばらくぽかんと空を見あげていた政やんは、ふと、おもしろいことを思いついたのです。

「そうや、これや。」

二、三日たったある晴れた日のこと。

（ようし、これから、空をとんでみせるぜえ……。）

政やんは、屋根の上に立ってかさをひろげました。これを見た村の人たちは、おどろいて屋根の下にあつまってきました。

「お〜い、政やん、なにをはじめるんじゃい。」

「これから、空をとぼうと思いますねん。見てておくれやす。」

「空をとぶ？　そんなあほなこと、やめとかんかい。」

みんながとめるのも聞かず、政やんはとびました。いえ、とんだつもりです。

「えいっ、ういたぞ、ういたぞ。」

と、思ったとたん、かさはおちょこになって、見物人の目の前にドスーン。

「政やん、けがはないかい。」

政やんは、ちょっぴりはずかしそうに頭をかきながら、いいました。

「へへへ、だいじょうぶやあ。」

それからというもの、政やんは、もう空をとぶことにむちゅうで、夜も昼もそのことばかり考えていました。

「そうや、小さいかさではあかんのや。もっともっと大きいのをつくらな。大きくてじょうぶなやつをつくらなあかん。」

政やんは、商売のかさはりをほうりだして、ごはんが食べられなくても気にしません。はらがへれば水をのんで、夜中までむちゅうになって空とぶかさづくりをつづけます。

何日めかの朝です。

「でけたぞう。これだけ大きければ、まちがいありまへんで。これで、ぶわ〜っととんでみよ。そや、こんどは屋根より高いところからやってみるこっちゃ。」

そう思った政やんは、大きなかさを持って、えっちらおっちら歩きだしました。政やんの目あては、村でいちばん高いすぎの木でした。

「でっかいかさやなあ。またとぶつもりやで。」

「こんどは、この上からとびおりるんか。あんな高いところからとんだら、ぴゅ〜、ドシンで死んでしまうがな。」

心配した村の人たちが、いっしょけんめいとめましたが、政やんは、すこしも気にしません。

「ほな、わしゃ知らんで。こんなあほなことで死んでしまうなんてなあ。」

まだ死んだわけではありません。政やんは、にっこりわらってすぎの木のてっぺんへとのぼっていきました。

「うわあ、高いなあ。なんちゅう高さやろ。それにまあ、なんちゅう広さや。こうしてながめると、家も人間も小さいもんやなあ。あんな小さな家の中で、ごちゃごちゃいうてくらしとるんかいなあ……。それにくらべて、鳥たちは広い広い空でせいせいしとるんやろなあ。」

なんて、木の上でのんきなことをかんがえている政やんです。

とうとう政やんはかさをひろげました。

「うわっ、かさひろげよった!」

「うわっ、とびよった!」

と、思ったけれど、またまたしっぱい。

わらの山の上に、ドスーン。

政やんはそれでもまだこりません。夜になると、また、ごそごそなにかをはじめました。

「数をふやせばだいじょうぶだ。」

つぎの日、政やんはまたすぎの木の上へ。たくさんのかさをひろげてとびました。またもや、わらの上へドスーン。

それでもまだこりない政やんです。これを何回くりかえしたことでしょうか。

かさをつくる。

すぎの木の上からドスーン。

何回やってもしっぱいするので、いまではもう、見物人もあつまりません。

ある日のこと、またもや政やんはかさをかついで出かけていきます。あのすぎの木のところへ。

村の人たちは、あきれ顔でいいます。

「まだやっとるでえっ。」

「ほとんど病気じゃのう。」

政やんはすぎの木の上に立ちました。

「こんどは、かならずとびますでえ。」

いつもとちがって、すぐにはとびません。なにやら待っているようすでした。しんぼうづよくじいっと待ちます。

そよそよとすぎの葉が風でゆらぎます。

「きたきた、でも、まだとばんでえ。」

だんだん風が強くなってきました。

「よし、いまや!」

政やんはとびました。ひろげたかさといっしょにまいあがります。

「やったあ、鳥や、これが鳥の気分や。せいせいするでえ。うわあっ、あははは……。」

政やんが空をとんだうわさは、殿さまの耳にもとどいて、村は大さわぎとなりました。

政やんの家には、おおぜいの人たちがあつまってきました。

殿さまの使いもきました。

「政やん、殿さまが空とぶかさを買いたいんやと。お金はなんぼでも出すと。殿さまは、そのかさで敵の城を空からせめるおつもりなんや。」

「それがうまくいってみい。政やんはお城づとめや。いやいや、さむらいの大将ぐらいになれるかもしれんねえ。」

あんなに政やんのことをばかにしていた村の人たちも、みんなで政やんをほめはじめました。

「たいへんな出世やでえ。うらやましいなあ。」

ところが、政やんはというと、こまったようすです。

「えらいことになったなあ。いっそこのかさをこわしてしまおうか。いいや、そんなことしたら、お殿さまのいいつけにそむいたと、ころされてしまうわ。」

政やんは、ただ自分が空をとびたくてつくったかさが、いくさの道具につかわれるのがいやだったのです。

「ちゃう、ちゃう！　わし、人ごろしの道具にかさをはったとちがうねん。いくさの道具なんておっそろしいもん、わし、ようつくらんでえ。わし、人が死ぬのこわいねん。」

一ばん考えた政やんは、つぎの日の夕方、かさをかかえて、こっそり家をぬけだすと、すぎの木のてっぺんから秋の夕空高くとびたちました。

かさをひろげてとぶ人間を見て、鳥たちはびっくりです。

「どこいくねん。いっしょにいこか。」

かさ屋の政やんは、消えてしまったのです。夕やけの空を大すきな鳥たちといっしょに、どこまでもどこまでもとんでいって、消えてしまったのでした。


（おわり）

# みそさざいは鳥の王さま

むかしむかし、まんまる山という山の中で、鳥たちが集まって、にぎやかに大えんかい。そこで、鳥たちはこんな話をしておりました。

「のう、みんな。鳥たちのなかで、いったいだれが大将かのう?」

「鳥の大将だって? そりゃあやっぱり、たかさまでございますよ。」

「うん、たかさまが、いちばん強い。」

「空を飛べばいちばんはやいし、ねらったえものはぜったいのがさない。」

「そうだ、鳥の大将はたかさまだ。」

みんながうなずきあっていると、鳥のなかでいちばん小さなみそさざいが、酒によったいきおいで、ついこんなことをいってしまったのです。

「鳥の大将は、たかだって? とんでもない。大将はこのおれさまだい! たかが強いだって? からだがでっけえだけで、頭はからっぽさ。」

ほかの鳥たちのおどろいたこと。

「これこれ、そんなしつれいなことをいってはいかん。」

「だってほんとうだもん。どうじゃ、たか。おらとおめえとどっちがつええか勝負してみるか?」

みそさざいがしつこくいうので、たかもだまっていられなくなりました。

「みそさざいよ、そうまでいうのなら、ひとつためしてみよう。山のいのししをやっつけることだ。いのししをやっつけてこそ、鳥の大将といえる。」

みそさざいは、いい気になっていいます。

「いいとも、やってやろうじゃないか。」

ほかの鳥たちは、あきれています。

「たかさまも、みそさざいさんも、そんなばかなこと、おやめなさいよ。」

するとまた、みそさざい。

「おめえ、おらが負けると思って、やめろなんていうのか? おらあ、たかなんかに負けねえぞ!」

「よ~し! きまった。あした、三角山のてっぺんに、おてんとさまがのぼったらはじめることにしよう。」

みそさざいは、たいへんなことをやくそくしてしまいました。

朝になって目がさめると、みそさざいは青くなりました。なんとかあやまろうと、たかのところへいったのですが……。

「おや、みそさざい。早いじゃないか。さ、きのうのやくそくを守ってもらおうじゃないか。ほれ、ちょうど、いのししがやってきた。おまえからいけ！」

もう、あとにはひけません。

みそさざいは、死んだ気になって、いのししめがけてとびかかりました。

でも、いのししはびくともしません。ぎゃくに、いのししがみそさざいにとびかかってきます。にげるみそさざい。

ところが、みそさざいは、くるりと向きを変えて、いのししの耳のあなの中にはいってしまったのです。

おどろいたのはいのししです。

「く、苦しい〜っ！」

いのししは、あちらこちら走りまわり、とうとう木にぶつかって、ドシーン！　目をまわしてしまいました。

たかやほかの鳥たちが、みそさざいのようすを見にいくと、なんということでしょう。のびたいのししを前に、とくいそうにむねをはっています。

「どうです！　さあ、こんどはたかさんのばんだよ。」

「ようし、おまえがいのしし一頭なら、おれは二頭やっつけてやる。」

たかはひらりとまいあがると、二頭のいのししにむかっていきました。

「鳥の大将はこのおれさまだ！」

たかは、ならんで走る二頭のいのししにまたがり、さけびました。

そのとたん、二頭のいのししが左右に分かれたからたいへん。たかは、まっぷたつにひきさかれてしまいました。

鳥たちはあっけにとられ、それからわっとかんせいをあげました。

「みそさざいの勝ちだ！」

「鳥の大将はみそさざいだ！」

それからです。鳥のなかでいちばん小さなみそさざいが、鳥の大将といわれるようになったのは。（おわり）

# 熊と狐

え〜、毎度ばかばかしいおわらいを。むかしっから、日本には十二支なんてえものがございましてな。

「あいつめ、いのししだから、どうも向こう気が強くていけねえ。」

な〜んてことをいいます。

この何どし生まれなんてのは、いまもしょっちゅう使いますが、時間とか方角のことになるってえと、さいきんはあまり用いないようですな。むかしは時間も方角も、みな、この十二支を使いまして、真夜中の十二時ごろを子の刻、お昼の十二時ごろを午の刻なんていいます。正午とか午後とかいうのもここからきたんでして。また、北のことを子、南のことを午といいますな。

ところで、これから出てまいりますのは、この十二支にも入れてもらえなかった、きつねとくまの話でやんす。

とんとむかし、ある山に、きつねとくまがすんでおりましたそうな。

ある日、きつねがくまのところへやってきて、こんな話をもちかけましてな。

「いやあ、くまさん、こんにちは。きょうは相談がありまして。あっしといっしょに畑でも作りやせんか？」

さっそく、その土地へやってまいりますと、きつねはこういうんですな。

「畑を作るにゃ、木を引きぬいたり、土をほりおこしたりするんですよ。

くまさん、おまえさんは山いちばんの力もちだ。だから、畑はおまえさんが作る。そのかわり、わたしゃたねをさがしてきます。で、できたものは半分ずつ。いいですね。」

それならそうしようってんで、くまは、しゃかりきになってはたらきました。

ところで、きつねのほうはってえと、ちょいと里までひとっ走り。けれど、金なんぞ持ってるわけもありませんでな。早い話がたねどろぼう。どれどれ、これとこれをいただくかってなもんで、どこからかたねをぬすんでまいります。

やがて、かわいい大根の芽がぽつりぽつり。くまがうれしそうにそれを見ておりますと、きつねがやってきましてな。

「やあ、くまさん。もうすぐですな。ところで、あとでもめないように、おたがいの取り分を、いまのうちにきめておきやしょうよ。そうさねえ……、今回は、くまさんにずいぶんはたらいてもらいましたから、くまさんは土から上をとってくださいよ。あっしは、土から下でようござんす。」

と、こんなことをいいます。

そうこうするうち、大根はどんどん大きくなり、やがて取り入れどき。青々とした大根の葉を見ると、きつねはいかにもざんねんそうにいうんですな。

「うまそうな葉ですねえ。でも、やくそくだからしかたありません。さあ、くまさん、早いとこ土から上を持ってってくださいな。」

「そうかい、なんだかわるいなあ。」

てなわけで、人のいいくまは、大よろこびで大根の葉を持って帰りました。

でも、なんせ葉っぱのこと。一日もたつとみんなしおれて、食べられたもんじゃありません。
がっかりしたくまが、きつねのところへいってみますってえと……。

「輪切り、せん切り、トントントン。おでん、みそしる、トントントン。たくわん、べったら、は～りはり。」

きつねは上きげんでまっ白な大根を料理してるじゃありませんか。

「おらにもすこし、分けてくれねえか。」

くまはうらやましそうにいいましたが、きつねはしらん顔。

「だ～めだめ。はじめからやくそくしたでやんしょ。それより、これからまくたねがあるんですが、どうします？」

「なら、こんどは、おらが土から下をもらうだ！」

というわけで、くまはまた、しゃかりきになってはたらいたんですな。

それからしばらくして、くまときつねが畑へいってみますと、赤くておいしそうないちごがいっぱい。

「さあ、くまさん。やくそくどおり、あっしは土から上をいただきますよ。」

と、きつねはいちごをぜんぶかりとり、くまが土をほりおこしてみれば、これがまあ、根っこがちょろちょろ。

「う～ん、よくもだましたな！　おらは、いつも、食えねえほうばっかりだ。」

さすがのくまさんも、かんかんにおこって帰ってしまいましたとさ。

ある日、くまがのんびりねころんでおりますってえと、きたきた、また、あのきつねがやってきました。

「くまさん、先日はしつれいいたしやした。きょうは、そのつみほろぼしにうかがいましてね。おいしいはちみつがたっぷりあるところを教えましょう。それ、あそこの木のかげに。ねっ、大きなはちの巣があるでやんしょ。」

はちみつといやあ、くまの大こうぶつ。くまはよろこんで、取りにいきました。

「うひゃあ！　こりゃあ、うまそうだ。」

ところがところが、これがみつばちの巣だったらよかったものを、くまばちの巣だったからたまらない。

「あっ、いてっ、いてて……。なにするだ、こんちくしょう！」

と、くまがはちにさされて大さわぎしておりますすきに、きつねはちゃっかりと、みつのほうだけをちょうだいするというわけ。

「はい、くまさん、ごゆっくり。」

その夜、くまは夜どおしの大さわぎ。

「いたいよ～う！　いたいよ～う！　ちくしょう、きつねのやつ、こんどあったら、ただじゃすまさねえぞ。」

心配してたずねてきたのが近所のごいんきょさん、じゃなかった、みみずくのじいさん。

「もしもし、くまよ、くまさんよ。いったいぜんたい、どうしたんじゃ。」

このじいさん、このあたりのちえものでしてな。いろいろと動物たちの相談をひきうけております。

じいさんは、くまの話を聞きますと、

「なになに？　ほうほう、そいつはいけねえ。きつねがいけねえ。ひとつ、こらしめてやるがいい。」

ってんで、なにやら、くまにちえをさずけました。

さて、何日かして、きつねが歩いておりますと、くまの家のほうから、いいにおいがしてきましてな。きつねがいってみると、くまが馬の肉を食べているじゃありませんか。

「ぎょぎょっ！　う、馬の肉！」

「やあ、きつねどん、ひさしぶり。」

「へいへい、こりゃどうも。あっしゃあ、これに目がなくてね。」

ひゃあ、うめえ！　こんなうめえもの食ったの、ひさしぶりだあ。」

するとくまは、いいます。

「わしはもう、こいつは食いあきたよ。」

「うらやましいかぎりですなあ。ところで、こんなおいしい馬肉、どこでどうやって手に入れたんです？」

「わけねえことだ。山むこうの原っぱにいきゃあ、すぐ手にはいる。」

「す、すぐ、あんないしておくんなさい。」

そんなわけで、二人が山むこうの原っぱへきてみると、たくさんの馬が草を食べておりましてな。

きつねは、すこしでも早く馬肉がほしくて、くまにききます。

「で、どうすればいいんでやんす？」

「まず、うまそうな馬に目をつけて、そっと近づき、うしろあしにがぶっとかみつく。馬ってのは、うしろあしが急所で、そこをかまれると死んじまうんだ。死んだところで、わしがおまえさんの家まで、ひっぱっていってやるよ。」

「そりゃあ、ありがたい。」

そこはもう、かしこいようでも、よくばりなきつね。

もう、馬の肉が食いたい一心で、ばあっと走っていったかとおもうと、とびきり大きい馬のうしろあしにがぶ～っ！　力まかせにかみついたからたまらない。馬はもう、目を白黒。

ヒッヒーン！　パッカーン！

思いっきりけっとばされ、きつねはどこかへとんでいってしまいました。

あまりいじのわるいことばかりしておりますと、ろくなことにはなりませんな。

え？　きつねはどっちの方角へとんでいったかって？　そりゃあ馬にけられたんだから午の方角でしょうな。

はい、おあとがよろしいようで。

（おわり）

# とんびとからす

むかしむかし、ず〜っとむかし。世の中にすんでおった鳥たちは、みんなまっ白じゃったそうな。

「とんびどん、おはよう。」
「おはようございます。みんな朝からすまんこってす。」

きょうは、とんびどんのところの田植えじゃった。朝早くから、村じゅうの家族がそろって集まってきた。

こんなとき、いつもおくれてくる鳥が一わおった。

「とんびどん、おはようさん。」

「からすどん、もうお昼じゃよ。」

「そうかあ、またねすぎてしもうたんじゃあ。あはは……。」

からすどんは、毎年、きまっておくれてくるのじゃった。

やがて、とんびどんとこの田植えはおわり、鳥たちはいっせいに家に帰る。夕焼けの赤い空は、とびたった白い鳥たちで、まっ白になるほどじゃった。

それからしばらくして、鳥たちの家で、たいへんなことがもちあがった。

「こりゃ、うちの子じゃないぞ。」

「ほんに、この子もうちの子じゃない。」

鳥たちは、子どもをまちがえてつれて帰ってしまったのじゃ。

「去年の田植えのときもそうじゃった。みんなが集まるときには、いつもそうじゃ。なんとかならんもんかのう。」

み〜んなまっ白じゃから、小さくてにている子どもを、ついまちがえてしまうのじゃった。

そこで、とんびどんは、なんとかならんものかと、考えに考えて、やっと、いいことを思いついたのじゃった。

「そうじゃあ、からだに色をつけたらまちがえることはないかもしれんぞ。」

さっそくとんびどん、そこいらの花びらや草を集めると、そめじるをつくり、自分の羽を茶色にそめてみた。これが大せいこうじゃった。

「みんなあ〜、羽を、すきな色にそめるんじゃあ。わしはそめもの屋をはじめるぞ〜。そめたいものは、わしの家へ集まってくれ〜!」

と、村じゅうに知らせにとびまわった。

鳥たちは、われもわれもと、とんびどんのところにやってきた。

「おらは、きれいな赤にしてくれ。」

「そいじゃ、おらは黄色がええだ。」

とんびどんは、いわれるままに、このみの色に、鳥たちをそめてやった。

みんなは、大よろこびじゃった。


ところが、この村の大そうどうも知らず、まだねているねぼすけがおった。からすどんじゃ。

からすどんは、きれいな色になったきじどんを見ておどろいた。

「いや〜、おどろいたなあ。こりゃ、わしも、うかうかしちゃおられん。」

とんびどんは、朝からず〜っと鳥たちをそめつづけていて、もうへとへとにつかれておった。もう、そろそろそめじるもなくなってきている。

そんなところへ、からすどんがやってきた。

「おくれてすまんのう。じつは、みんながどんなふうにからだをそめたのか、村じゅうをとびまわって見ておってのう。それでおそうなったんじゃ。」

「それでからすどんは、どんなふうにそめればいいんじゃあ?」

「ぱ〜っと、はでなやつ。ぱ〜っと。」

からすどんは、いろいろとこまかい注文をつけるもんで、とうとう夜があけてしもうた。

「それじゃあ、さいごの仕上げは黒できめようかの。たのむよ、とんびどん。」


とんびどんは、つかれたからだで黒いそめじるのはいった手おけをとりにいった。

「よっこらしょ。」と持ち上げたときじゃ。とんびはふらふらとよろけて、中のそめじるを、からすにザブーンとぶっかけてしもうたのじゃった。

「ああ、おらのからだがまっ黒け!いったいどうしてくれるんじゃ〜。」

それからというもの、からすはとんびを見るたびに、「なして、おらの羽だけ、黒くそめたんだ。」と、くってかかるようになったんだと。

そんなわけで、いまでもとんびは、からすを見ると、にげてしまうんだと。

（おわり）

# はちとあり

むかあし、秋田の男鹿半島にすんでいた、はちとありのお話じゃ。

はちの羽は、うすくすきとおっていて、天女の羽衣のようだった。

「おらのからだを見てみろ〜。色どりきれいなしまもよう。この村でいちばん美しいんじゃ。」

と、はちはわれながらうっとり。

おなじ村にすむありはというと、いつも同じところで、どろんこになってはたらいておった。

はちは、はたらいているありのところへとんできて、いうた。

「なあ、ありどん。はたらくばかりじゃなくて、たまには海を見て、ゆっくり休んではどうじゃ?」

「海? 海ってなんだ?」

「海を知らんのか、ほら、すぐ近くにあるによ〜っ。海はな、しおから〜い水が、青く光って、ドドーン、ドドーンと、波打ってるだ。」

「おもしろそうだな。」

「その海になにがいると思う?」

「知らねえな。」

「魚だ……。魚がいるだ。」

「その……、魚ってなんだ?」

「魚も知らんのか。魚はな、食うとすげえうまいもんなんだ。」

「食うとうめえ! あ〜っ、魚を食ってみてえ〜っ。」

「おら〜は、ひとっとびすれば、海にいけるが、ありどんにはむりじゃな。」

「おら〜は、はちどんのあとをついていくだ〜っ。」

「じゃあ、おくれないようについてこいよ。早く、早く!」

空をとぶはちを見ながら、ありはひっしで追いかける。

「あの山をこえると海だわや〜。」

ありが、えっちらおっちら、あせをふきふき歩いているあいだに、はちは一足先に海についた。

はちは、海につきだしている岩の上でひと休み。

波がザブーンと、おしよせてくる。

「ああ……、海のかおりのなんてすばらしい……。気持ちいいなあ。」

その岩のまわりを、にしんのむれが泳いでいた。

「やっやっ、魚だ。これはにしんでねえか。せっかくとるんだ、こんなかでいちばんでっけえのをとるべえ。」

はちは、とびはねた大きなにしんにとびついて、ちくり！

「つかまえたぞう！」

はちは、つかまえたにしんのせなかにくっついたまま、海の上をぷか〜り、ぷかり。

「お〜い、ありどんはまだかやあ〜っ。おら、もう、でっけえにしん、とったぞ〜っ。ありどんがつくまでに、魚はにげちまうぞ〜。」

そうしているうちに、やっとのことで、ありは海べへたどりついた。

「ひゃ〜っ、たまげた〜っ。こいつが海というものか。すげえ、すげえ。海ってでっかいだなあ〜。」

目の前をいったりきたりする波におどろきながら、ありはにげまわる。

その波にのってまいあがった大きなたいが、空中から落ちてきて、ありの頭の上に、ドスーン！ 

「あり〜っ。」

そこにとんできたはちは、びっくり。

「お〜い、のろまのありど〜ん。おら、もうにしんをとったぞ。あれれ、な、なんとありどん。でっけえたいをひろっただなあ〜。」

「これ、たいというだか。」

「んだ。にてもやいても、味は天下一品じゃあ。」

「そうか、それはありがたいこっちゃ。ところではちどんは、魚をとっただか？」

「あたりまえさ。もう、とっくのむかしににしんを見つけただあ。」

「さすがはちどんじゃな。じゃが、にしんより、たいのほうがもっとでけえし、赤くて、うまそうだがな。」

そういうありに、はちがすりよってきていうのじゃった。

「なあ、ありどん。おらは見た目にもきれいだし、すがたもいい。そのたいはおらのほうがにあうと思うだが。」

「おらは、とりかえっこはことわる。」

しらん顔でたいをかついでいくありに、はちは、なおも追いかけていう。

「なあ、友だちのありどんよ。このまっ

かなたいのうろこを見ろ。きらきら光っとる。このおらのからだの美しさには、この赤いたいがおにあいなんだ。おまえの黒っぽい色と、にしんの青黒い色はちょうどよくにあう。おらのいうこと、すじ道がたっていると思わねえか。」

「思わん！　とにかく、たいはおらのもんだ！」

「ありどんは、にしんじゃ。」

「はちどんが、にしんじゃ。」

「ごうつく、あり！」

「みえばち！」

こうして、はちとありのあらそいは、いつまでたっても終わらない。とうとう二人は、村長のさばきをうけることとなった。

村長のお出ましじゃ。

「それなるものは、名はなんと……。いや、こんな小さな村のことじゃ。知らんわけはないんじゃが、まあ、かたどおりというわけで……。」

「おらは～、はちどんというだ。」

「おらは～、ありどんというだ。」

「おまえらのいさかいは、なにがなにして、なんとしただ。」

そこで、はちとありは、海でのできごとを、村長にことこまかに話した。

村長は、うでぐみをしてじ～っと聞きいっておる。

にしんを横においたはちは、またしても、こういうのだった。

「おらのように、美しいすがたをしたのが、たいの持ち主にふさわしいのだ。だから、この黒っぽいにしんは、どろくさいありどんがよくにあう。」

はちがいいおわると、村長はありにたずねた。

「ありどんのいいぶんは、なんと？」

「おらのとったたいが、へんなりくつではちどんのものになるというのが、ふにおちねえだ。」

「う～む、なるほどのう。」

村長は考えこんでしもうた。

たくさんの本を読んで、ちえのいっぱいある村長は、はちとありに判決をくだすことになった。

「んだら、さばきをつける。はちとありよ、耳をかっぽじって、よ～く聞くがいい。」

「はっ。」

「へっ。」

はちとありは耳をほじくって聞く。

「まず、はちどんよ。おめえは、九九を知っとるか？」

とつぜん村長が、おかしなことをいいはじめた。

「へい、二、一が二。二、二が四。二、三が……六でがしょ。」

「そのつぎは？」

「二、四が八。」

「それよ。にしんがはち、というじゃろうが。じゃから、にしんははちが食え。」
「にしんが、はち。……にしんが……はち……ねえ。」
「つぎに、ありどんよ。」
「へい。」

「人からものをもらったら、なんというだ？」

「ありがてえ。」

「もう一度。」

「えっへっへ……、つい地が出ちゃって。ありがたいです。」

「そうよ、ありがたいじゃ。じゃから、ありはたいを食え。」

村長にこういわれて、ありはとびあがってよろこんだ。

「ありが、たい。ありがたい……。」

「これによって、ありがとったたいはありのもの。はちがとったにしんは、はちのものということじゃ。友だちどうしでも、けじめをつけにゃいかん。

これにて、一件落着！」

このようすを見ていたいたちが、笑いながらいったそうじゃ。

「あたりまえのことじゃないか……。じゃが、ありとはちは友だちだったので、なかよくたいを分けて食べたということじゃあ。

「やっぱり、たいはうまいわい。」

ず〜っとむかしの話じゃった。

（おわり）

# どっこいだんご

むかしむかし、ある村に、のんきなひとりぐらしのたつ平という男がおった。

村の人たちが心配して、嫁さんを見つけてきた。これがなかなか頭のよいはたらき者の嫁じゃった。

「ねえ、あんた、土地はいくらでもあるんだし、畑や田んぼをつくったらどうじゃろう。」

「おらぁ、めんどうなことはきらいじゃ。いまのまんまでええ。」

たつ平はくらしをかえようとはせん。

ある日たつ平は、嫁さんの里に用事があって出かけることになった。

嫁さんに教えられた道を、えっちらおっちら山道をのぼって、ようやくのことで嫁さんの里についた。

「遠い道で、さぞはらがへったじゃろう。さ、たんと食べてくれろ。」

嫁さんの父親は、お茶とだんごでもてなした。

「へえ、そんじゃまあ、一つ……。」

たつ平はだんごを一つとり、食べてみた。そのうまいこと！

「う、うめえ～こんなうまいもん、おらはじめてじゃ。もぐもぐ……、こりゃ、いったいなんというもんじゃ。」

「これはな、だんごじゃよ。おまえとこに嫁にやった娘は、だんごづくりがとてもうめえはずじゃがのう。」

「えっ、おらの嫁がこれをつくれるんか？　ちっとも知らなんだわい。

もぐもぐ……、う～ん、うめえ。」

「そんなにうまけりゃ、家に帰って嫁につくってもらうとええ。」

「ようし、すぐこしらえてもらうだ。ところで、このうめえもんは、なんちゅうものだっけ？」

「だんごじゃ。だ、ん、ご。」

たつ平は、わすれてはいかんと、その名をいいながら、家路をいそいだ。

「だんご、だんご、だんご、だんご。」

山をこえ、川をわたり、だんごを食べたいたつ平は、「だんご、だんご。」といいつづけながら、ようやく村へもどってきた。そして、もうすぐわが家というところまできたときじゃ。

ドッシーン！

「あいたたた……。」

「はれえ、庄屋さま。」

道の曲がり角で、いきおいよく走ってきたたつ平は、庄屋さまにぶちあたってしもうた。

庄屋さまは、ころんだひょうしに、みぞにおしりをつっこんでしもうた。

「いきなりとびだすやつがあるか！　はよ、おこさんかい！」

たつ平は、庄屋さまの手をひっぱるが、なかなかおしりがぬけん。

「そ〜れ、どっこいしょ、だんご。」

「なにがだんごじゃ。しっかりせえ。」

「う〜ん、だんご〜、どっこいしょ。」

すっぽ〜ん、ぬけた！

「ふうっ、どっこいしょと。」

たつ平は、もう、庄屋さまには目もくれず、家に向かっていちもくさん。

「どっこいしょ、どっこいしょ……。どっこいしょ、どっこいしょ……。」

家についたたつ平は、嫁さんの顔を見るなり、ただいまもいわず、

「どっこいしょをつくってけろ！」

嫁さんは目をぱちくり。

「どっこいしょだと？　なんじゃそりゃ、おら聞いたこともねえが……。」

「そんなはずはねえ。おめえはどっこいしょをつくるのがうめえって聞いたんじゃ。はようつくれ。」

「そういわれても、知らんものはつくれんよ……。」

「どっこいしょが食いてえ！」

たつ平は、やけをおこして大あばれ。ドタバタやったもんで、たなからおけが落ちてきて、嫁さんの頭にガーン！

「いたたた、ほれ、みなされ、らんぼうしよるから、こんな大きなだんごみてえなこぶができちまった。」

「だんご？　そうじゃ！　だんごじゃ、だんごが食いたいんじゃあ。」

でも、嫁さんはこういうんじゃ。

「うちじゃ、だんごはつくれん。だんごはな、米やあわやら、きびを粉にしてつくるもんじゃからな。」

「そうか、おらのとこにゃ、いもしかねえもんな。」

たつ平はがっくり。すると嫁さまはたつ平の手をとっていうた。

「だから、おら、畑や田んぼをつくろうというたんじゃ。」

というわけで、たつ平は、嫁さんと二人で畑をたがやして、田んぼづくりにはげむようになった。おかげでたつ平の家はゆたかになり、二人はいつまでも幸せにくらしたということじゃ。

（おわり）

# 蛙になったぼた餅

むかしむかし、おひゃくしょうさんたちの食べものは、とてもとてもまずしいものじゃったそうな。白いごはんなぞ、めったに食べられんかったと。

ある村に、あまりなかのよくない嫁さんとばあさんがおりましたと。

二人は、顔を合わせるとけんかばかりしておりましたそうな。

朝おきたときも……、

「嫁のくせに、なんておきるのがおそいんじゃろう。」

「年よりは、用もないのに早おきしてるんだべか。」

いものはいったおかゆを食べるときでも……、

「わしのほうが、いもがすくねえ。」

「そんなことはねえべ〜。」

と、悪口のいいあいばかり。

そんなある日、いそがしかった田植えが終わりました。

「毎日毎日、いもがゆばかりじゃのう。たまには、うめえもんが食いてえのう。」

ばあさんがいうと、嫁さんもこういうとりました。

「田植えも終わったことだし、きょうは、ぼたもちでもつくるべか。」

「なに〜っ、ぼ、た、も、ち、じゃと。」

それはいい。すぐつくるべえ。」

いつもは悪口をいうばあさんも、大よろこび。

「ゆんべな、夢のなかで、ぼたもちを見たんじゃよ。食おうとすると、どんどん消えていってしもうてな。」

「夢のなかでまでぼたもちが出てくるとは、食いいじのはったばあさまじゃな。はっははは。」

「ところで、あずきはあるのけ?」

ばあさんが心配そうにきくと、嫁さんは、むねをドンとたたきます。

「あるともさ〜。こんなときのために、ちゃんとしまっておいたんじゃよ。」

二人は、なかよくいっしょにぼたもちをつくりはじめました。

米をたきます。

あずきをにます。

米をつきます。

もちをまるめて、あんこをつけます。

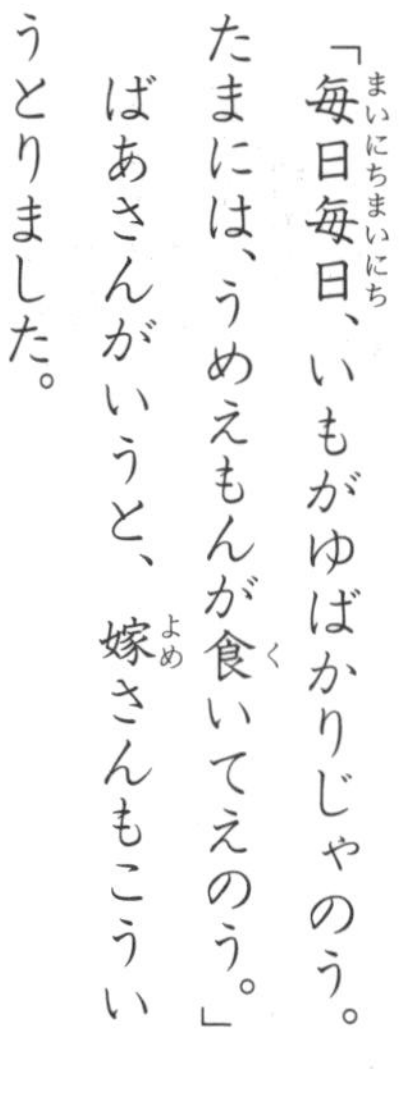

「どうじゃ、味見をすべえか。」

「ばあさん、一人で味見をするのは、ずるいぞ〜。」

「じゃあ、二人でいっしょに味見をするかや？」

めずらしく二人は、わらいあいながら、声をそろえていいました。

「うめえ。」

二人は、ぼたもちを食べはじめました。あんまりひさしぶりのごちそうだったので、口もきかずに食べました。

「ばあさん、いくつ食った？」

「おらあ五つ、いや三つじゃ。おめえはいくつじゃ？」

「おらあ、六つ。いや三つじゃ。」

二人は、そういうとまた、ぱくぱく食べはじめました。

「ふわ〜っ、もう食えねえ。おなかがわれそうだ。」

嫁さんは、食べるだけ食べると、となりのへやにいってしまいました。

一つだけ、ぼたもちがのこってしまいました。

ばあさんは、そのぼたもちを、なべにかくしながらいいました。

「ええか、ぼたもち。嫁の顔を見たら、かえるになるんだぞ。」

このようすを、嫁さんは、しょうじのすきまから見ていたのです。

嫁さんは、つぎの朝早くおきると、なべの中のぼたもちを食べてしまいました。

「ああ、うまかった。ぼたもちのかわりに、このかえるを入れておいてと。」

嫁さんは、なべの中にかえるを入れてしらんふり。

そうとは知らないばあさんは、嫁さんが田んぼにいったすきに、なべのふたを開けました。すると、ぴょ〜ん。

とびだしたのはかえる。

ばあさんは、にげだすかえるを、あわてておいかけます。

「これ、待て、ぼたもち。わしじゃ、嫁じゃないぞ。待て、待て。」

ばあさんは、田んぼににげこんだかえるを見て、なきべそじゃあ。

「わ〜ん、おらのぼたもちが、泳いでいってしもうただよ〜。」（おわり）

# 赤ん坊になったお婆さん

むかしむかし、あるところに、じいさまとばあさまが住んでおったと。

ある日のこと、じいさまが山へしばかりに出かけてな。

その日はかんかんでりの暑い日じゃ。じいさまは、のどがかわいてたまらなくなったんじゃ。小さな岩清水を見つけると、手ですくってその水をのんだ。

「な、なんじゃ、この水は？」

それは、なんともあま〜くおいしい水じゃったと。

じいさまは、なんだかとても元気が出てきたような気がしたんじゃ。

もう一口のんでみた。一口のめば一口だけ、体じゅうに力がみなぎってくるような気持ちじゃったと。

じいさまは、ゆっくり味わって、何度も何度も水を手ですくってのんだ。

じいさまの顔が、ゆらゆらと水にうつっておった。ところが、その顔は、わかい男の顔ではないか。

その水は、わかがえりの水じゃったと。

すっかりわかがえってしまったじいさまは、まだ、自分の身におきたふしぎなできごとには気がついていない。

それはそうじゃな。かがみがなかったんじゃから。

わかがえったじいさまは、たいへんないきおいで家へ帰りついた。

「いま帰ったよ、ばあさま。」

はいってきたわかがえったじいさまを見て、ばあさまは首をかしげた。

「はあ、これはこれは、どこの若い衆かいのう。なんのご用で？」

「なにをいうてる、ばあさまや。わしじゃよ、わしじゃ。」

「どこのわしさんですかいのう。」

「はて？　昼寝でもして、まだ寝ぼけとるのかいの。」

「わしゃ寝ぼけとりはしませんがな。」

と、いいながら、ばあさまはふと、若い衆の着物に目をやった。

「はて～、これはじいさまの着ていたものじゃがのう。」

「あたりまえじゃよ、わしがわしの着物を着てどこがおかしい。」

「その声は、じいさまの声じゃ！」

「あたりまえじゃい！」

「はて？　はれ～、その顔は、じいさまの若いときそっくりじゃあ！」

「若いときとそっくりじゃと……？」

じいさまは、たらいに入れた水に、自分の顔をうつして見たんじゃ。

「ありゃ～っ、ばあさま、こりゃいったいだれじゃあ。」

「わしも、わからんでおりますのじゃ。」

じいさまは、もう一度たらいをのぞきこんで、水にうつった顔を見た。

「わ、わしじゃ。わしにまちがいない。わしがわかがえったあ。あの水は、わかがえりの水じゃったのか。わ～い！」

大よろこびのじいさまは、ばあさまにいうた。

「わし一人でわかがえってはすまんでの。ばあさまにもわかがえりの水をくんできてやるんじゃ。」

「それは、あしたの楽しみにしましょうかい。」

「ばあさま、あしたまで待てるかい。」

「待てますとも、年よりは気が長いで。」

「その年よりも、今夜かぎりじゃ。」

その夜が明けて、目がさめたじいさまが、となりを見ると、ばあさまのすがたはない。

朝になるのが待ちきれんかったばあさまは、一人でわかがえりの水をのみに山へ出かけたんじゃ。早くじいさまをよろこばそう、そう思ってな。

ところが、いつまでたってもばあさまは帰ってこんかった。もう、昼もすぎたのに帰ってこんかったと。

じいさまは心配になってきた。

「なにかあったんじゃろうか。道にでも迷ったんじゃろうか。」

とうとう夕方になってしもうた。

待ちきれなくなったじいさまは、山へむかえにいったんじゃと。

「はて、あかんぼうの声じゃ。」

あの岩清水の前で、見おぼえのあるばあさまの着物の中で、あかんぼうがないておった。それは、まちがいなく、ばあさまじゃった。

なんと、じいさまをよろこばそうと、たらふくわかがえりの水をのんだばあさまは、わかがえりすぎて、あかんぼうになってしもうたんじゃ。

じいさまは、あかんぼうをだいて、家に帰ったと。それからのじいさまは、あかんぼうのせわで、とてもいそがしくなったということじゃ。（おわり）

# 小僧に負けた和尚さん

むかしむかし、ある山寺に、そりゃ、すなおで正直な小僧さんが、おしょうさんと二人ですんでおったそうな。

ある日のこと、小僧さんが、ほんどうのそうじをしていると、おしょうさんが帰ってきた。

「おしょうさま、お帰りなさい。」

「おほん！　そうじはすみからすみまでていねいに、時間をかけて……、な、わかっとるやろな。」

などといいながら、おしょうさんはすましてきた。

そのとき、さいふを落としたのに気がつかない。

おしょうさんは、まわりをきょろきょろ見まわしてからへやへはいり、そうっとしょうじをしめた。

ところでこのおしょうさん、あゆが大こうぶつだった。そのころのおぼうさまは、魚を食べてはいかんことになっておったんじゃ。ほやからおしょうさんは、いつもこっそりかくれてあゆを食べておった。

きょうもまた、そっとかくれてあゆを食べようと、ふところからつつみを出して開けた。

「まったくのう、あゆちゅう魚は、すがたといい、かおりといい、味といい、天下一品や……。」

と、おしょうさんはにんまり。

そのとき、さ〜っとしょうじが開いて、小僧さんが顔を出した。

「おしょうさま、さいふを……。」

と、いいかけて、あゆを食べようとしていたおしょうさんをみつけてしまった。

「あれっ、おしょうさまは魚を食べてはるんですか？」

「こ、これは魚じゃない。」

「ほいたら、なんちゅうもんですか。」

「おほん、これはな、おかみすりというもんや。」

「おかみすりって、あの頭をそるときの、でござりますか？」 

「そうや、わしはこのおかみすりが大すきでのう。」

といいながら、おしょうさんはあゆをおいしそうにもぐもぐ食べる。小僧さんはあきれ顔。

さて、つぎの日。小僧さんは、遠いところまで法事に出かけるおしょうさんのおともをすることになった。

「そうや！ いただいたかさを持っていって、だいじにしているところを見せにゃ。」

と、雨もふっていないのに、小僧さんにかさを持たせた。

「ではいくぞ〜、おとなしくついてくるんだぞ。」

「へえ〜い。」

おしょうさんの乗った馬が、パッカパッカといくあとを、小僧さんはかさをかかえてしょこしょことついていく。

「小僧や、川やぞ！」

大きな川を、馬に乗ったおしょうさんは、ざっぱざっぱとわたる。小僧さんは、ちゃぱちゃぱといっしょうけんめい追いかけた。

と、たくさんのあゆが川のあちこちにいるのが小僧さんの目にはいった。 

小僧さんは、前をいくおしょうさんに大声でいった。

「おしょうさま、いつも食べておられるおかみすりちゅうもんが、ほれ、たくさん泳いどります。おしょうさまこうぶつのおかみすりが……。」

そばを通りかかった旅人が、おかしそうに顔を見あわせた。

おしょうさんはあわてた。

「ばっか、なにをねぼけておる。急ぐんや。」

「ええ〜っ？」

おしょうさんは、あとをついてくる小僧さんに、こういった。

「ええな、なにごとも聞いたら聞きながし、見たら見すごして、なにがおきてもだまってついてくるんや。」

「へえ……。」

小僧さんは首をかしげるばかり。

パカパカ、パカパカ。馬に乗ったおしょうさんのあとから、しょこしょこ、しょこしょこと、小僧さんはだまってついていった。

すると、また川があった。

「小僧や、また川やぞ。」

二人は、ざぱっざぱっ、ちゃぱっ、ちゃぱっとわたっていく。

川のとちゅうで、おしょうさんがたばこ入れを落とした。

「ああっ、たば……。」

あわてて口をおさえた小僧さんは、流れるたばこ入れを見送っていた。

（そうや、なにがおきてもだまっててついてこい、そういわはった。）

そうしてまた、パカパカ、しょこしょこ歩きつづけた。

しばらくすると、馬からおりて、おしょうさんがいった。

「だいぶしんどくなってきたで、ここらでいっぷくしよか。」

道ばたの石にこしかけたおしょうさん、たばこ入れをさがした。

「はて？　たばこ入れがないぞ。おまえ、落ちたのに気づかなんだか？」

小僧さんは、口をもごもごさせて、あわてて手でおさえた。

「なんや、はっきりいうてみい。」

「へえ、二つめの川で、馬がちょいとこけたとき、ポチャンと落ちてぷかぷか流れていきました。」

「なんでひろわないのや。」

「ひろおうと思うたけど、なにがおきてもだまってついてこいて、えらいおこられましたやろ。ほんで……。」

おしょうさんはあきれかえって、小僧さんをどなりつけた。

「ばかもん！　これからは、馬から落ちたもんがあったら、なんでもひろうんや、ええな！」

「へ〜い。」

いまさらどうしようもないので、二人は一休みすると出発した。

パカッパカッ。しょこしょこ。

パカッ、しょこ。パカッ、しょこ。

法事のある家までは、そりゃあ長い道のりだった。

そのうち、おしょうさんが乗った馬が、おしりから、ぽたぽた、ぽたぽたと、なにやら落としはじめた。

小僧さんは、（馬から落ちたもんがあったら、なんでもひろうんや。）といったおしょうさんのことばを思いだした。

「けど、どうしてひろうたらええやろうなあ。そうや。」

小僧さんは、馬のすぐ後ろまで走っていって、持っていたかさをひろげた。

「よいしょっと。」

落ちるふんを、かさでうけとめた。

「ほい、やっ。こらよっ。おしょうさま、馬から落ちたもんがいっぱいで、もう持てませ〜ん。」

「なんやて？」

ふりむいたおしょうさんは、もうびっくり。

「ばかも〜ん。だれがそんなもんを！ ぜ〜んぶ川にすててくるんや！」

「でも、馬から落ちたものは、なんでもひろえと、おしょうさまがいわはった。」

「ばか正直にもほどがある。はよう！ きれいさっぱり流してこい。」

「へ〜い！」

小僧さんは、あわてて川のほうへ走っていった。

「まったく、こまったもんじゃ……。」

おしょうさんは、しかめっつら。

小僧さんは、川でかさをあらいながら、首をかしげていた。

「おしょうさまのいわはるとおりしとるのに、なんでしかられるんや。」

そのとき、きれいにあらったかさの中に、川を泳いでいたあゆがはいってきた。

川岸で見ていたおしょうさんは、そのあゆがほしくてたまらない。

「ほほう、みごとなあゆじゃ。小僧のやつ、あのまま持ってくればよいが。」

おしょうさんがこう思っているのも知らないで、小僧さんは、

「きれいなおかみすりやあ。けど、おしょうさまはぜんぶ川にすててこいといわはった。そうや、かさもぜんぶすてなくちゃいかんのや。」

と、かさをぽ〜んと投げすててしまった。かさは川のまん中に落ちて流れていく。

「おしょうさま〜あ、おいいつけどおり、ぜ〜んぶ流しておきましたあ。」

「あ〜あ、わしのこうぶつのあゆばかりか、だいじなかさまでも。とほほほ。」

かさは、ぽっかり、ぽっかり、流れていったと。

（おわり）

# たのきゅう

むかしむかし、たのきゅうという名の旅役者がおりましたそうな。

あるとき、おっかさんの待つ家へ帰るとちゅう、ある山のふもとの茶屋までやってきました。この山をこせば、おっかさんの待つ村はすぐそこです。

茶店のばあさんがいいました。

「これから山をこえなさるんか？　夜はやめなされ。大きなうわばみが出て、人間をぱくりじゃ。」

といわれても、いそいでいたたのきゅうは、暗い山道へはいっていきました。

「うんぎゃ～っ、で、出たあ！」

たのきゅうの前に立ちはだかったのは、これがすごい大男。

「こりゃあ、うわばみよりこわいよう。」

ふるえるたのきゅうに、大男がいいました。

「おまえはなにものじゃ。」

「た、たのきゅうというだ。」

「はあ、たぬきか。うまくばけたもんじゃなあ。」

この大男、耳もわるいが目もわるい。たのきゅうを、たぬきがばけたものとかんちがいしてしまいました。

「これ、たぬき。人間のおなごにばけてみせろや。」

たのきゅうは、そのときいいことを思いつきました。

「あの、だんな。おら、見られてるとはずかしいので、おらがばけるあいだ、ちょっくら後ろをむいててくだせえ。」

「ほう、たぬきはばけるときはずかしいのか。それじゃ後ろをむいとるで。」

大男は、くるりと後ろをむきました。たのきゅうは、そのすきに、自分の荷物の中から、女もののいしょうやかつらを出して身につけたのでした。

大男は、女すがたのたのきゅうを見て大よろこび。たのきゅうもその気になって、女のしばいをします。

「うっふん、ねえ、あんたあ。」

大男がぼうっとしているすきに、たのきゅうは、すばやくもとのすがたにもどりました。

「なんだ、おなごはもうおしまいか。さすがにたぬきじゃのう。」

大男はざんねんそうです。

「じつは、わしもばけておってな。わしの正体はこれじゃ！　けけけけ……。」

大男は、大きな大きなうわばみとなったではありませんか。


「ひゃ～っ、あわわわ……う～ん。」

「心配するな、わしは人間ならひと飲みじゃが、たぬきは食わん。」

「そ、そうそう、おら、たぬきじゃ。」


たのきゅうがふるえながらきせるをだし、たばこを口にくわえたときです。うわばみが急におびえだしました。

「やめてくれ～、わしはたばこのけむりをかぐと、ふらふらして死にそうになってしまうんじゃ。」

「へえ。たばこがにがてとはねえ。」

「このことは、人間にはいうなよ。」

「はい、もちろんいいませんとも。そのしょうこに、おらのにがてなものを教えますで。おらの大のにがては、お金。小判ですだ。あれを見ただけで、苦しくて苦しくて、死にそうになるんでやんす。これはないしょですよ。」

二人は、おたがいにひみつをまもるというやくそくをして、わかれました。

山をおりたたのきゅうは、ふもとの村の人たちに、うわばみたいじの方法を教えました。

さっそく村の人たちは、たばこをぷかりぷかりふかしながら、山を登っていきました。これにはうわばみもびっくり。たばこのけむりをすって、ふ～らふら。

「おのれ、たぬき！　うらぎったな。」


おこったうわばみは、さいごの力をふりしぼって、たのきゅうの家めざし、山をくだっていきました。

たのきゅうは、うわばみがくるのを、いまかいまかと待っていました。

「もうそろそろくるころだが……。」

ゴーッというものすごい音とともに、うわばみが天まどから顔を出しました。

「やい！　ひきょうもののたぬき、これでもくらえ～っ！」

と、小判をどばっと、はきだしました。

「ひゃ～っ、小判だ。うれし～い、じゃなかった。く、苦し～い。」

苦しむたのきゅうを見て、うわばみはうれしそうに、小判をはきだします。

たちまちのうちに、たのきゅうとおっかさんは、小判にうずもれてしまいました。

「苦しいよ～、うはは、苦しいよう。」

「思いしったか！　わっはははは。」

うわばみがまんぞくして山へ帰ってしまうと、たのきゅうは小判の山から顔を出して、したをぺろり。

「苦しい……。うれし～い！」


（おわり）

# はち助いなり

ずっとむかし、いまの福井県小浜は、港に出入りする船や、若狭街道を旅する人々で、たいそうにぎわう城下町であったそうな。

ある日、小浜の殿さまが、おしのびで町の見まわりに出かけたときのことじゃった。

「ココーン！　ココーン！」

まっ白なきつねがとびだしてきて、そのあとを男たちが追っている。

「この大どろぼうめ！」

「もう、にがさんぞ。」

男たちは、そのきつねをひっとらえて、なぐったりけったり。

「ココーン！　ココーン！」

きつねは、いたそうになきさけんでいるように見えた。見かねた殿さまが、男たちに声をかけたんじゃ。

「これ、いいかげんに、かんべんしてやったらどうじゃ？　かわいそうに、すっかり弱っているではないか。」

すると、男たちはいうた。

「へえ、しかし、こいつにつみ荷のひものをあらされて、店は大ぞんをしたもんで、まったく……。」

「きつねの命を取ったところで、ひものはもどるわけではあるまい。」

「けど、このままじゃ、あっしらの気がおさまらねえ。」

「それに、またやられちゃかなわねえからな。」

口々にもんくをいう男たちに、殿さまは、こういうのじゃった。

「では、わしがそのそんをした分をうめあわせようじゃないか。そのかわり、きつねはつれていくぞ。」

きずついたきつねをかわいそうに思った殿さまは、お城につれてかえり、やさしくかいほうした。

何日かするうちに、きずがなおったきつねは、元気をとりもどした。

きつねは、すっかり殿さまになついて、じゃれついたりする。

「よいか、これからは町に出て、人さまのものをとるようなわるいことは、けっしてするでないぞ。わかったな。

さあ、山へ帰るがいい。」

きつねは、何度も何度もお城のほうをふりかえりながら、山へ帰っていったと。

それからは、つみ荷をあらされることもなくなった。

こうして、なにごともなく数か月がすぎたころのこと。

お城では一大事がもちあがった。江戸へたいせつな手紙をとどけるはずの、ひきゃくの五平次が、きゅうな病でたおれたんじゃ。

殿さまはこまってしまった。

「う～ん、よわったのう。この手紙が七日以内に江戸にとどかねば、お家の一大事じゃ。だれかほかに、足のはやいひきゃくはおらんのか！」

といっても、五平次よりはやく走れる者など、どこをさがしたっておらん。

「あ～っ、どうしたらよいのじゃ。」

頭をかかえる殿さまのところへ、家来のものがあたふたとかけつけた。

「殿！　江戸まで七日以内に走るという男がおりました。」

「な、なんじゃと！」

一人のわかものが、お城にやってきた。

「わたしは、山向こうにすむ、はち助というものです。足のはやさには、いささか自信があります。どうか、今回の仕事、このはち助にお申しつけください。」

とつぜんの申し出に、殿さまはしばらくまよってはいたが……。

「よし！　たのむぞ、はち助とやら。」

と、だいじな手紙をわたしたんじゃ。

「はいっ。」

はち助は、すぐにお城の門から出て、すがたが見えなくなった。

「ぶじにとどけてくれるとよいが。」

「運を天にまかせるよりほか、ござりますまい。」

手紙をあずかったはち助は、殿さまのしんらいにこたえようとするのか、夜も昼も休むことなく、ひたすら走りつづけた。

はち助が出発して、七日め。

「ひい、ふう、みい、よう、いつ、むう……。きょうで七日めか。なんとかきょうのうちに江戸についてくれればよいが……。」

指おり数えながら、殿さまが心配しておると、家来たちがかけこんできた。

「と、殿さま！　はち助がもどってきました〜。」

「な、なに？　もう、もどったと？　ああ〜っ、この小浜藩も、もうおしまいじゃあ。む、無念じゃあ。」

がっくりとして、なきだした殿さまを、家来たちはきょとんとして見ている。

「なにをかんちがいされてるのです？　はち助はぶじつとめをはたしてもどったのでございます。」

「ええ〜っ、それはまことか。」

「はい、江戸からの返事も持ち帰りました。」

「なぜ、それを早く申さぬ。」

殿さまの前によばれたはち助は、江戸からの返事をうやうやしくさしだした。殿さまはたいそうおよろこびじゃ。

「はち助、ようやってくれた。それにしても、ひきゃくの足で、往復半月はかかる道のりを、わずか七日で走るとは、たいしたものよのう。あっぱれなひきゃくぶり、気に入ったぞ。これからは、わしの家来としてはたらいてくれ。」

「ありがたきおことば……。」

こうして、お城のおかかえひきゃくとなったはち助は、それからというもの、殿さまの手紙をとどけるため、何度も江戸と小浜とを往復するようになった。ふつうのひきゃくの二倍のはやさで走るはち助は、殿さまにたいそうかわいがられ、だいじにされたのじゃった。

ある日のこと、江戸からもどったはち助に、殿さまがいうた。

「ごくろうであったな、はち助。ゆっくり休むがいいぞ。」

「は、ありがとうぞんじます。」

「ところではち助、小浜と江戸の道中で、なんぞやっかいなものはないか？」

「はい、べつにございませんが。ただ……、一つだけ、小田原にいる大きなむく犬にはこまっております。」

「ほう、小田原のむく犬か。これはおもしろい、はち助ともあろうものが、犬にこまるとは……。はははは……。」と、殿さまにわらわれたはち助は、てれくさそうに頭をかいておった。

それからしばらくして、はち助は、また、江戸へ手紙をとどけるため、旅だっていった。

ところが、こんどは、何日たっても、もどってこなかった。

「はち助はまだもどらんのか。いったい、どうしたというのだ。」

はち助の身になにかあったのではないかと心配する殿さまは、ふと、はち助のことばを思いだした。

（ただ一つだけ、小田原のむく犬……。）

「そうじゃ、小田原じゃ！　いそげ、はち助をさがしにいくぞ！」

殿さまは、さっそくはち助をさがしだすため、小田原へとむかった。そして、何日も何日も、はち助のゆくえをさがして、旅をつづけたのじゃった。

小田原まで、もうすこしという山道へさしかかったときじゃ。

「はて、あれはなんじゃろう。」

殿さまが、草むらのほうを指さしていうた。

「さあ、なんでございましょうなあ。ちょっと見てきましょう。」

馬からおりた家来が、草むらをのぞいて、大声をあげた。

「と、殿！　これはなんと！」

そこには、まっ白なきつねが、だいじな手紙のはいった箱をだきかかえるようにして、死んでいたのじゃった。

殿さまはかけよって、しっかりときつねをだきしめた。

「は、はち助……、おまえは……。」

はち助は、殿さまがたすけた、あの白ぎつねの化身だったんじゃ。

小田原で犬におそわれながらも、なんとかお城にたどりつこうとして、こんな山の中でたおれて、息たえてしまったのじゃろう。

殿さまは、そんなはち助の死をたいそう悲しんで、お城の中にりっぱな社をたて、はち助いなりとしてまつった。

それからというもの、小浜のお城や町は、なにごともなくさかえた。

いまも、小浜城には、はち助をまつるおいなりさまが、のこっているということじゃ。

（おわり）

# 鬼子母神さま

むかし、狭山の広瀬というところに、平和でしずかな村がありました。

おとなたちは毎日せっせとはたらき、子どもたちは元気に野山をかけまわってあそんでおりました。

ある日のこと、あそんでいる子どもたちのところへ、とつぜん大きなつむじ風がふきおこったのです。

「子どもはどこだ、子どもはどこだ。」

平和な村に、子どもをさらっていくというわさの鬼女があらわれたのです。

「きゃあ～っ、たすけて～っ。」

「鬼女だあ～っ。」

風の中からあらわれた鬼女は、子どもを一人、さらっていきました。

「子どもはどこだ、子どもはどこだ？　くんくん。子どもはどこだ？」

それからは、夕方になると毎日のように、鬼女が山からやってきて、子どもをさらっていくのです。


どこへかくしても、においでみつけられてしまいます。

「ぼうやがいないっ、ぼうやを返せ。」

子どもたちの声でにぎわっていた村は、いまではひっそりとさびしくなってしまいました。

村の人たちは、なにかいい方法はないかと相談しました。


そこで、おしゃかさまにおねがいすることになりました。

つぎの日、村の人たちは、おしゃかさまのいらっしゃる山にのぼっていきました。

雲のあいだからすがたをあらわされたおしゃかさまに、村の人たちは、手をあわせてひっしでおねがいしました。

「わたしどもの村に、毎日鬼女がやってきて、子どもをさらっていくのです。どうかおたすけくださいませ。」

おしゃかさまはおっしゃいます。

「わかりました。どうぞ安心なさい。」

おしゃかさまは、さっそく鬼女のところへいって、雲の上からそっとのぞいてごらんになりました。

鬼女にさらわれてきた子どもたちは、あなぐらの中にほうりこまれてないておりました。

「え～ん、え～ん、おっかあ～。」

「え～ん、うちに帰りたいよう～。」

こんな鬼女にも、自分の子どもがいるのです。それも、一万人もです。

「おお、わたしの子はなんてかわいいんじゃろう。」

と、子どもをだきしめます。

このようすをごらんになったおしゃかさまは、たいそうおいかりになりました。

鬼女が出かけたすきに、おしゃかさまは、鬼女の子どもを一人、手のひらにのせて天にのぼっていかれたのです。

自分の子どもが一人たりないことに気がついた鬼女は、おどろきあわてました。

「あ～っ、わたしの子どもが一人いなくなった～。どこへいったの～。」

くるったようにわが子をさがしまわる鬼女のところへ、おしゃかさまがすがたをお見せになりました。

「おしゃかさま～、わたしのかわいい子どもが一人いないのです。」

するとおしゃかさまは、しずかにいいました。

「それはかわいそうに。ところで、鬼女よ。おまえは一万人も子どもがいるが、一人でもいなくなると、そんなに悲しいか？」

「はい、それはもう……。」

「人間たちも、おまえに子どもをさらわれて、悲しんでいるのだ。すぐに子どもたちを帰してやりなさい。」


おしゃかさまはこういいながら、鬼女の子どもを返してやりました。

「おゆるしください。わたしがわるうございました。」

すっかり心を入れかえた鬼女は、子どもたちを村へ帰したのです。

親と子どもたちは、ひしとだきあいました。

そして、また村に平和がもどってきました。

大人たちはせっせとはたらき、子どもたちが元気にあそびまわる毎日が。

鬼女は、それからは、おしゃかさまにおつかえして、おしゃかさまの弟子となり、鬼子母神となって、安産と子どもを病気からまもる神さまになったということです。

（おわり）

# 七夕さま

美しい夏の夜空。星くずがいっぱいにちらばり、まるで空を流れる川のように見える天の川。その天の川をはさんで、ひときわかがやく二つの星があります。牽牛星と織女星。一年に一度、七月七日だけに会うという、この二つの星には、こんな話がかたりつたえられているのです。

むかし、ある村に、山へいってまきをとったり、畑をたがやしたりしてくらしているひとりの若者がおりました。ある日、若者は畑しごとの帰り道で、ふしぎなものを見つけました。

「なんだべや、これは？　おお、衣じゃあ！　なんという美しい衣じゃろう。」

それは、いままで見たこともないような美しい衣でした。若者は、その衣が、どうしてもほしくなってしまいました。若者が、衣をそっとかごの中に入れて、家へ帰ろうとしたときです。

「あの、もし……。」

「は〜て、だれかわしをよんだかの？」

池のそばの草むらから、美しい女の人があらわれました。

「はい、わたしがあなたさまをおよびしたのです。」

「わ、わしになんの用じゃ？」

「どうか、わたしの羽衣を返してください。」

「は、は、羽衣？」

「はい、その羽衣がないと、わたしは天へ帰れないのです。」

女の人はいまにもなきだしそうな顔で、こんなことをいったのです。

「わたしは天に住む女です。下界の女ではありません。この池におりて水あびをしていたのですが、ついつい、ときのたつのをわすれてしまいました。どうかおねがいです。わたしの羽衣を返してください。」

「は、羽衣じゃと？　そ、そんなもの、わしは知らんぞ。」

若者は、いまさら自分が羽衣をかくしたともいえず、とうとう知らぬふりでおしとおしてしまいました。

天へ帰れなくなった天女は、なくなく下界にのこり、若者の家へいって、いっしょにくらすようになりました。

天女は、「たなばた」という名でした。若者とたなばたは夫婦になって、なかよくくらすようになりました。

それから何年かがたちました。

ある日のこと、若者が畑しごとへ出かけた後のことでした。たなばたは、天じょうのはりのすきまを、はとがつついているのを見つけました。はとがひっぱり出したのは、なんと、あの羽衣でした。

「あ、あれは……、やっぱり、あの人がかくしてたんだわ。」

羽衣をまとえば、はや天女。たなばたの心は、もはや天上の人となっておりました。

夕方になって、畑から帰ってきた若者は、家の前に立っているたなばたを見つけてびっくり。

「あ、たなばた！　ああっ、羽衣！」

若者は、羽衣を見て、なにがおこったのか、すぐにわかりました。

たなばたは、天にのぼりながら、こういいました。

「あなた……、もしも、わたしのことをこいしいと思うなら、わらじを千足あんで、竹のまわりにうめてくださいな。そうすれば、きっとまた会うことができます。かならず……、そうしてくださいね……。まってますよ〜。」

たなばたは、高く高くのぼって、天に帰ってしまいました。

若者は、とても悲しみました。そして、つぎの日から、さっそくわらじを作りはじめました。昼も夜も、若者はわらじをあみつづけました。

そして若者は、あんだわらじを数えては、まだたらんと、またあみつづけ、また数えるのでした。

ある日のこと、とうとう千足のわらじを、竹のまわりにうめることができました。

「ふ〜っ、これでいいんじゃろうか。」

わらじをうめたとたん、竹はどんどん大きくなり、ぐんぐん、ぐんぐん、空高くのびていきました。

「そうか、これを登っていけば、たなばたに会えるのか……。」

若者は、高くのびた竹を、どんどんどんどん、登りはじめました。そして、もうすこしで天にとどくというところまできたのですが、どうしても、天まで手がとどきません。

若者が、たなばたに早くあいたい一心で千足うめたつもりのわらじが、じつは、九百九十九足しかなかったのです。だから、あと一歩というところで手がとどかないのでした。

「お〜い、たなばた〜、たなばた〜。」

若者の声が、天の上で機をおっていたたなばたの耳にとどきました。

「はっ、もしや、あの人では……。」

雲の上からのぞいてみると、やはり、こいしい夫でした。

「あなた〜っ、あなた〜。」

「たなばた〜っ、たなばた〜っ。」

たなばたは手をのばし、若者を雲の上へと引き上げました。

「たなばた、会いたかったよう。」

二人は、手をとりあってよろこびあいました。

そのとき、雲の間から顔を出した男がいます。たなばたのおやじさまです。

「だれじゃな、その男は？」

「はい、わたしの夫です。」

「はじめてお目にかかります。」

おやじさまは、娘が下界の男とけっこんしたのが、気に入りませんでした。

それで、いろいろむずかしいしごとをいいつけて、こまらせてやろうと考えました。

「ふん、で、おぬしは下界ではなにをしておられた？」

「はい、畑しごとや、山しごとでございます。」

「それならちょうどよい。ちょっくらこれをやってもらおう。」

おやじさまは、三日のうちに、畑にたねをまくようにと、若者にいいつけました。

若者はがんばって、いわれたとおり三日間で畑にたねをまき終わったのですが、おやじさまは、また、こんなことをいうのです。

「わしは、むこうのたんぼにまけというたんじゃよ。」

「え〜っ、そ、そんな……。」

若者は、もう、がっかりです。

このようすを見ていたたなばたは、なんとか夫を助けようと、はとにたのみました。

「おまえのなかまをよんで、畑のたねをたんぼへまきなおしておくれ。」

はとは、なかまを集めて畑のたねをついばむと、いっせいにたんぼの上にとんでいき、空からたねをまきました。

こうして、たねのまきかえは、あっという間に終わりました。

くやしがったおやじさまは、こんどは、もっとむずかしいしごとをいいつけました。これは、三日三ばん、うり畑の番をせよ、というのです。

うり畑の番をしていると、ものすごくのどがかわくのです。でも、うりを食べるとたいへんなことがおこるというのです。

「けっしてうりを食べてはいけませんよ。」

若者は、たなばたにこういわれたのですが、のどがかわいてしかたありません。とうとうがまんしきれなくなって、うりに手を出してしまいました。

すると、あっという間に、うりの中から水があふれて出て、ゴーゴーと川になって流れはじめました。

「あなた〜っ！」

「たなばた〜っ！」

ふたりの間は、みるみるひきはなされてしまいました。

こうして、川をはさんでむかいあう二人のすがたが、牽牛星と織女星となったのです。

二人は、一年に一度、七月七日の夜にだけ、おやじさまのゆるしをえて、あうことができるようになりました。

いまでも二つの星は、天の川をはさんで、美しくかがやいています。

（おわり）

# 無用の位

むか～しむかし、ある山国の村に、伊助という、たいそう正直ではたらき者の男がおったそうな。

身よりのない伊助は、朝はようから夜ふけまで、村の衆のてつだいをしては、くらしをたてておった。

ある年のこと、伊助は都へほうこうにあがることになった。

伊助がほうこうしたのは、たいそう位の高い公卿さまのやしきじゃった。

伊助は、広いやしきの中でとまどうばかり。水くみ、まきわり、馬小屋のそうじと、一日じゅう休みなくはたらきつづけるのじゃった。

伊助は、どんないやなことでも、どんなつらいことにもしんぼうして、そりゃあまじめに、ようはたらいた。

そして、長い長い年月がたった。年をとった伊助は、こきょうがこいしくなった。

「ああ、村の衆はどうしているじゃろう。山や川や畑は……。帰りたいのう。」

とうとう伊助は、公卿さまにおねがいしたんじゃ。

「どうか、おいとまをくださりませ。」

「勤めがつろうなったか？」

「いいえ、こきょうに帰って、なつかしい人たちとくらしとうございます。」

公卿さまは、伊助がよくはたらいた礼に、位をさずけて、こきょうににしきをかざらせてやろうと思うた。

「これ伊助、近うよれ。」

と、伊助の頭にかんむりをのせたんじゃ。

「伊助、位をいただいたからには、いつもたいせつに身にまとうのだぞ。」

「は、はい。」

かんむりをつけた伊助は、なにやら自分がえらくなったような気がした。

村人たちは、何十年ぶりに帰ってきた伊助のすがたにおどろき、よろこんだ。

「伊助、りっぱになったもんじゃ。」

「ほんに、伊助さんは村のほこりじゃ。」

口々にほめられた伊助は、つんととりすましていうた。

「なに、それほどでもないわい。」

伊助は広い土地を手に入れ、大きな家をたてはじめた。

そんな伊助に、むかしなじみの友だちが声をかけた。

「伊助、畑にゃ、なに植えるだ？」

「これ！　口のきき方がわるいぞ！」

伊助のえらそうなたいどに、むかしなじみの友だちもびっくり。

村の衆は、はじめのうちこそ大かんげいでいろいろ世話をしたが、やがて、だれも伊助に近づこうとはしなくなった。


ある日、伊助は、村の衆が、立ち話をしているのを聞いてしまった。

「伊助さんは、なんで、ああいばりくさっとるんじゃ。」

「位なんかさずかると、ああも人間がかわるもんかのう。まるでばけものじゃ。」

伊助は、はっとした。

「そ、そうか……。このかんむりのために、お、おらは……。」

伊助は、はずかしさでいっぱいになった。

村の衆の気持ちを知った伊助は、すぐに都へと旅立った。公卿さまに位をお返しするためじゃ。

「なに、位を返したいとな？」

「はい、公卿さま。わたしは、こきょうで、みんなとなかよくくらしたいと思っとりました。ところが、位をさずかったばかりに、ひとりぼっちでさびしくくらすはめになりました。わたしのようなものにとっては、この位は無用の長物なのです。これはお返しします。」

位を返した伊助は、とぶようにこきょうへもどった。村の衆は、すっかりひゃくしょうらしい身なりで帰ってきた伊助を見ておどろいた。

「どうしたんじゃ。そのなりは？」

「かんむりも着物も、位といっしょにきれいさっぱり返してきたわい。」

そういうと、伊助は、すぐに畑に出てはたらきはじめた。

村の衆は、伊助が、むかしのままのはたらき者にもどったのを、心からよろこび、あたたかくむかえ入れたのじゃった。
それからというもの、伊助は、みんなと心をあわせて仕事にはげみ、なかようつきあいながら、しあわせにくらしたそうな。
（おわり）

# かぐや姫

むかしむかし、あるところに、竹取りのおじいさんが、おばあさんとくらしておりました。

おじいさんは、山から竹をとってきては、かごやざるを作っておりましたので、人々は竹取りじいさんとよんでおりました。

ある日のこと、いつものようにおじいさんが竹やぶの中にはいっていきますと、どこからかまぶしい光がさしてきました。あたりを見まわすと、なんと、一本の竹が金色に光っているではありませんか。

ふしぎに思ったおじいさんは、その竹を切ってみることにしました。

切った竹の光の中には、かわいらしい小さな小さな女の子がすわっておりました。

おじいさんは、その女の子を手にとり、だいじにだいじに家につれて帰りました。

「子どものいないわしらに、神さまがおさずけくださったんじゃ。」

「おお、ほんにかわいらしい娘じゃ。」

おじいさんとおばあさんは、その子にかぐや姫という名まえをつけて、たいそうかわいがりました。

かぐや姫を育てるようになってからというもの、おじいさんは、山へいくたびに、いつも金色にかがやく竹を見つけました。その竹を切ってみると、中は黄金の山です。おかげで、おじいさんはたいそうなお金持ちになっていきました。

それから三月とたたぬうちに、かぐや姫は、それはそれは美しい娘に成長していきました。そのかがやくばかりの美しさに、会った人はだれもがうっとりと見とれてしまいます。
美しいかぐや姫のうわさは、すぐ国じゅうに知れわたり、お金持ちや身分の高い人々が、つぎつぎとかぐや姫をおよめさんにほしいと、結婚のもうしこみにやってまいりました。

けれど、かぐや姫は首を横にふるばかり。

「わたしは、どなたのところへもおよめにはまいりません。いつまでもいつまでも、おじいさんとおばあさんのところにいとうございます。」

そこでおじいさんは、むりな注文をして結婚のもうしこみをことわろうと考えたのです。

「それでは、これからわたしがおねがいする品物をさがしてこられた方に、かぐや姫をさしあげましょう。」

と、一人一人にいいました。

「あなたは、光る実のなる金色の枝。つぎの方は、金の毛皮。つぎの方は、竜の目玉の首かざり。つぎの方は、光を放つおうぎ。そのつぎの方は、やみをてらす色紙……。」

というようなぐあいに、どれもこれもむりな注文です。

これできっとあきらめるだろうと、おじいさんは考えたのです。

ところがなんと、どこから見つけてきたのか、男たちは注文の品を持ってきたではありませんか。

どれもこれも、この世のものとは思えないたからものばかりです。

おじいさんは、すっかりこまってしまいました。

ところが、かぐや姫の光りかがやく本物の美しさの前には、見せかけの美しさはごまかすことはできません。たからものは、みなにせものだったのです。

やがて、十五夜が近づきました。

月がかがやきをますにつれて、かぐや姫のひとみには悲しみのかげがただよいはじめました。

おじいさんとおばあさんは、心配になって、かぐや姫に悲しむわけをたずねました。

「かぐや姫や、どうして月を見てそんなに悲しむのじゃ。」

するとかぐや姫は、おばあさんのひざになきふして、こういうのです。

「ああ、いつまでもお二人のおそばにいたい。でもわたしは、月へ帰らなければなりません。わたしは、月の都のものでございます。」

おじいさんたちはおどろきました。

「なんと、月の都のものじゃと！」

「はい、月の都にすむものは、大人になると月の都にもどらなくてはならないのです。」

「それは、いつじゃ。」

「はい、八月の十五夜じゃと！　あしたの夜に……。」

「十五夜じゃと！　あしたの夜ではないか。そ、そんな！　そなたはわしの娘じゃ。だれにもわたすものか。」

おじいさんとおばあさんは、かぐや姫をしっかりだきしめながら、なきくずれました。

とうとう十五夜の夜になりました。

おじいさんは、できるかぎりの手をつくして、かぐや姫をつれもどしにやってくる、月の使者たちを追いかえそうと、心にきめました。

おおぜいのさむらいたちにたのんで、家のまわりの守りをかためます。

やがて、山の上に月が出てきました。

さむらいたちは、弓に矢をつがえ、天にむけて待ちかまえます。

おやしきのいちばんおくの部屋では、おじいさんとおばあさんがしっかりとかぐや姫を守ります。

十五夜の月がかがやきはじめました。

身がまえるさむらいたちの上に、光の輪がひろがります。一人のさむらいが弓を引き、矢を放ちました。

月に向かってとぶ矢。ところが、矢はとちゅうですっと消えてしまうのです。

ふしぎなほどの強い月の光に、さむらいたちの目はくらみ、立っていることもできません。

さむらいたちは、光にうたれ、石のように動けなくなりました。

やがて、光の中から天女と天馬がまいおりてきました。

おくの部屋にいたかぐや姫は、すいよせられるように、月の光の中に立っていきました。

おじいさんとおばあさんも、どうすることもできません。

「おじいさん、これを……。」

かぐや姫は、おじいさんの前に、命のふくろを落としていきました。

「いつまでもお元気で……。」

「おお、いってしまうのか。か、かぐや姫……。どうかわたしたちもつれていっておくれ……。」

おじいさんとおばあさんは、よろよろと立ちあがって追いかけようとしました。

二人の目の前を、かぐや姫の乗った天馬が、するするとしずかに天にのぼっていきます。そして、月にすいこまれるように、みるみるうちに遠ざかってしまいました。

するとおじいさんは、かぐや姫のくれた、いつまでも死なずにすむという命の薬がはいったふくろを、火の中へくべてしまいました。

「おまえがいないのに長生きしても、わしは幸せではないわ。」

かぐや姫のいないいまとなっては、もう命のふくろなど持っていたくはなかったのでしょう。

おじいさんの思いをたくしたけむりは、かぐや姫のいる月へ向かって、高く高くのぼっていきました。（おわり）

# 安珍清姫

むか～し、むかしのことじゃった。

わかい旅のおぼうさまが、紀州の熊野大社へおまいりするとちゅうで、とっぷりと日がくれて、こまってお った。

おぼうさまの名は、安珍。

「今夜の宿をどこかにさがさねば。」

安珍は、真砂の里の庄屋の家にとめてもらうことにしたのじゃ。

この家には、清姫というひとり娘がおって、つかれた安珍をやさしくもてなした。

清姫は、一目見るなり、このわかくて美しいおぼうさまをすきになってしまったのじゃ。安珍とて同じこと。やさしくて美しい清姫に強く心をひかれた。

修行中のおぼうさまが、女の人に心をうばわれるのは、ゆるされぬことなのに、安珍は、熊野からの帰りには、かならずここによるからと、かたくやくそくをしてしまった。

つぎの日、安珍はめざす熊野大社についた。

熊野のそうりょたちは、すぐに安珍の心のまよいを見ぬいて、早くまよいからさめるようにと、じゅんじゅんと教えさとされた。考えてみれば、ゆるされることではなかったのじゃ。

そこで安珍は、清姫と会わぬため、帰りは、くるときとはちがう道をいくことにした。

ところが清姫は、そんなこととはつゆしらず、いまかいまかと、安珍の帰りを待ちわびておった。

「いったい、安珍さまはどうなされたのじゃろう？」

清姫は、かいどうに走り出て、見知らぬ旅人に声をかけた。

「あの……、もし……、熊野もうでのわかい旅のおぼうさまに、お会いになりはしませんでしたか？」

「その方なら、たぶんべつの道をいかれたと思うが……。」

「まさか……。そんなはずが……。」

清姫には、しんじられなかった。あんなにかたくやくそくしたのに……。清姫は、むちゅうでかいどうを走りだした。もう、くるったように走っていく。走って走って、走りつづけた。

日高川のわたし場まできたとき、やっと安珍のすがたを見つけることができた。

「安珍さま〜。安珍さま〜。」

走ってくる清姫に気づいた安珍は、清姫には、二度と会ってはならないのだと、自分にそういいきかせた。

「船頭さん、は、早く船を出してくだされ。は、早く！」

安珍は、船頭をせきたてる。

「安珍さま〜っ、あ〜っ、安珍さま。なぜ、どうして……、安珍さま〜。」

清姫は、自分からにげていこうとする安珍におどろき悲しみ、やがて、そのおもいは、はげしいにくしみへとかわっていったのじゃ。

清姫は、安珍ののった船を追って、そのまま日高川の水の中へはいっていった。そして、いつのまにか、清姫のすがたは水の中にきえてしもうた。

そこには、清姫の着物だけが、ぷかりぷかり、ういておったと。

清姫はおそろしいだいじゃのすがたになって、川をわたっていったのじゃ。

「う〜む、にっくき安珍め！」

船をおりると、安珍はむちゅうで走りだした。そのあとを追うだいじゃ。

かいどうのそばに、道成寺というお寺があった。安珍は、ひっしの思いでこのお寺ににげこんだ。

「どうか、わたしをおたすけください。どうか、この寺へ、おかくまいください。」

追われております。どうか、この寺へ、

「う〜ん、それならば……。」

寺の人たちは、つりがねをおろして、その中に安珍をかくまってくれた。

安珍は、そのつりがねの中に身をかくし、しずかにお経をとなえつづけた。

清姫のだいじゃは、道成寺の石だんをうねうねとのぼり、山門をくぐり、安珍をさがしもとめた。そうしてついに、だいじゃは、かねつき場に下ろされたつりがねを見つけたんじゃ。

だいじゃは、そのつりがねの上から、からだをぐるぐるとまきつけた。そうして、大きな口から、おそろしいまっかなほのおをはきつづけた。

おそろしや、安珍。まっかにそまるかねの中でいっしんにお経をとなえつづけた。

でも、ほのおでまっかになったかねの中で、とうとう安珍は、やけ死んでしもうたんじゃとさ。

道成寺というお寺に、いまものこっているお話でした。

（おわり）

# 天狗のかくれみの

むか～し、あるところに、彦八という、たいそうちえのある男がすんでおりましたそうな。

そのころ、山のおくにはてんぐというものがすんでおって、「かくれみの」というおもしろいものを持っているという話じゃった。このかくれみのを着ると、だれでも人の前からすがたを消すことができるという、ふしぎなみのじゃった。

彦八は、なんとかこのみのを手に入れたいものじゃと思っとった。

そこである日、一本の竹づつを持って、てんぐがいるという山へ登った。

山のてっぺんにつくと、彦八は竹づつを取り出し目にあてた。

「うわあ、見える、見える。なにもかもよう見える！　うわあ、すごい。」

と、まあ、大声でさわぎたてた。

さあて、てんぐはいるのやら、いないのやら。すがたは見えぬが、それでも木のざわつく音がした。どうやら近づいてきたようす。

(ふふふ……、きたぞ、きたぞ……。)

にやりとして彦八は、もっと大声でさけんだ。

「わあ～、見える。遠くの町まで見えるぞう。すごいぞ、すごい。」

しばらくすると、小さな声がした。

「おい、おい……、小僧。」

「はて、だれだでや？」

「わしじゃよ、てんぐじゃよ。」

声は、すぎの木の上からじゃった。

「その……、おまえさんの持っているめがねのようなもの、ちょっと見せてくれんかね。」

「だめだめ、だ～め。これはな、『千里とおし』というて、おらのたからじゃ。おっ、京の都では、みんながおどっとるでね～か。きれいじゃなあ。」

こういわれて、てんぐはもうがまんができんようになった。

のぞいている彦八の前にきて、

「小僧、ちょっとだけ見せてくれ。たのむよう。」

と、ねっしんにいうのじゃったが……。

「だ～め。この千里とおしはな、この世に二つとないたからなんじゃよ。だれにでも見せるわけにはいかんのじゃ。」

そういわれると、ますます見たくなってしまうてんぐ。ふと気がついて、

「みの」を出していった。

「そうだ。なあ、小僧。この『かくれみの』ととりかえっこしねえだか。」

「だ〜め。そんなきたないみのなんか。」

しらんふりして竹づつをのぞきつづける彦八に、てんぐはひっしでいう。

「きたないって、このかくれみのはな、すがたを消すことができる、そりゃあもうりっぱなたからものじゃぞい。なあ、たのむから。見せて！」

「う〜ん、こまっただなあ。そんなにいうんなら、ちょっとだけだよ。」

こまった顔をしながら、それでもやっとのことで彦八はしょうちした。

「さあ、小僧、早くかしてくれ。」

「その前に、みのをこちらへわたしな。」

彦八とてんぐは、竹づつとみのをとりかえっこした。

てんぐは大よろこびで竹づつを目にあて、遠くを見まわした。

そのときすぐに、彦八はかくれみのを着ると、さっさとすがたを消してしもうた。

竹づつをのぞいたてんぐは、

「あれ〜っ、小僧よ、なにも見えやせんがな。な、おい、小僧！」

と、ふりかえったときには、もう彦八のかげもかたちもない。

「おい、小僧、どこにいるんだあ。」

そのころ、彦八は、すがたを消したまま山を下っていった。とちゅう、道ばたの動物たちへ、さんざんいたずらをした。とにかく、相手にすがたは見えないのだから、こんなおもしろいことはない。

「ようし、これから町へいって、もっともっとためしてやろう。」

町はちょうど夕ぐれどき。おおぜいの人々でにぎわっておった。

とつぜん、荷物をせおった町人が、うしろから引っぱられ、荷物をとられた。

「だ、だれじゃ。ひえ〜っ。」

おらの荷物を引っぱるんは！

鼻をつままれるもの、耳を引っぱられるもの、頭をたたかれるもの。

「いてて、こら、なにをするんだ。」

「やったな！　おまえこそ。」

おたがいそばにいるものどうし、けんかをはじめるしまつじゃ。

　魚屋では、店先のたこが空中にうきあがる。茶店ではだんごが消えてしまう。町じゅうがてんやわんやの大さわぎとなった。

　こうして彦八は、さんざんいたずらをして、また村へもどってきた。

「お～い、おばあ。いま帰ったで！　おばあ、ちょっと出てこいや。」

　よばれたおばあは、家の中から出てきた。

「なんだや、おばあは、いまいそがしいだに……。はれ？　なあんじゃ彦八のやつ、人をよんでおいて。またおばあをだまそうとしてからに、ほんにしようのねえ……。」

といいながら、いま出てきたばかりの家の中を見ると、なんとそこに、彦八がいるではないか。

「ははは、どうした、おばあ。おら、さっきからずっとここにいるでよ。」

　彦八はその夜、物おきの中にかくれみのをしまっておいた。そうして、とこにはいったんじゃが……。

（きょうはおもしろかったなあ。さあて、あしたはどんないたずらをしてやろうかな……。）

　そんなことをいろいろ考えていると、楽しゅうて楽しゅうて、なかなかねつかれなんだそうな。

　おかげで、つぎの日、彦八はとんだ朝ねぼうをしてしもうた。

　目がさめて、庭に出てみておどろいた。おばあが、たき火をしていた。

「おお、彦八、起きたかや。」

といいながら、いま、火にくべようとしているのは、あのかくれみの。

「あわわ、そ、それは……。」

「彦八、こんなきたねえみの、どっから持ってきただかね。ほんにしようのねえ。もやしてしまうべえ。」

　このときばかりは彦八も、がっかりした。じゃが、そこはさすがにちえもんの彦八のことじゃ。

　彦八は大急ぎで着物をぬぐと、みのをもやしたはいをすくいあげて、ぺたぺたと自分のからだにぬりたくった。

と、どうじゃろう……。

　さすが「てんぐのかくれみの」だけのことはある。はいをぬっただけで、彦八のからだは、頭の先からつま先まで、すうっと見えんようになってしもうた。

「ははは。どんなもんじゃい。かくれみの着とるより、ずっと軽くていいやあい。」

こうして彦八は、また町へ出かけて、いたずらのしほうだいじゃ。

そのうち、まんじゅう屋の店先から、いいにおいがしてきた。

「うほっ、まんじゅういただこう。」

と、すがたが見えないのをいいことに、店のまんじゅうをぱくぱく。そのうち、口のまわりについたあんこをぺろぺろなめているうちに、いつのまにか、口のまわりのはいがなくなってしもうた。

「わあっ、口のおばけえっ。」

おどろいたのは、まんじゅう屋のおやじ。

「まんじゅうとられた。お〜い、どろぼうじゃっ。」

「な、なんだ。口のおばけじゃ。こら、待てっ、ばけもの。」

町の人たちがおおぜいで追ってきた。

さあ、たいへん。彦八はけんめいににげたが、にげればにげるほど、あせが出て、はいがだんだんおちてきて、正体がばれはじめた。

からだのあちこちが見えてきて、なんだか、ますますばけものみたいだ。

「こら、待て〜っ、待たんか。」

追いかけてきた人たちに、いまにもつかまりそうになった彦八は、目の前にあった川にドボーンととびこんだ。

水から顔を出す彦八。とうとう正体がばれてしもうた。

そうして、いままでいたずらしたぶん、ぜ〜んぶとっちめられてしもうたそうな。

ところで、彦八にだまされたてんぐじゃが、いまも木の上で、竹づつをのぞいているそうじゃあ。

（おわり）

# 六助いなり

むかしむかし。京都の峰山の近くに、六助という、かやをかるのを仕事にしている、はたらき者の男がおったそうだ。

六助は、おかみさんのおいちと二人で、山のかやをかってきては、それを売ってわずかなぜにをもらってくらしておった。むかしは、屋根をつくるのにかやを使ったものなんじゃ。

この六助、はたらき者のうえに、おせっかいなほどしんせつな男じゃ。

ある日のこと、六助は、おいちとかやをかっておった。

「おや？　こんなところに、きつねのあながあるわい。」

「そんなもの、さわらぬがええよ。たたりがあるかもしれねえから。」

「な〜に、たたりなんかあるもんか。見ろや、こんなにかやがおいしげっておるじゃろう。これじゃ、中は暗いし、お月さまもおがむことができめえ。いまおれがそうじしてやるからな。」

そういって六助は、きつねのあなのまわりのかやを、すっかりかりとってしまったんじゃ。

「ほれ、これでさっぱりしたじゃろ。さて、はらもへったで、帰るとしよう。」

さて、その夜のことじゃ……。

ねむっている六助とおいちのところに、きつねがやってきたんじゃ。

「きょうはごしんせつに、そうじをしてくれてありがとう。お月さまもねながらおがめるようになってうれしいわいなあ。お礼に、いいことを教えような。もう十日もすると、京の伏見のおいなりさんに富くじがあるで、いって買うがええ。きっと大当たりだ。」

きつねはこういうと帰っていった。

あくる日のばんも、そのつぎの日も、きつねはやってきていうんじゃ。

「おいなりさんの富くじを買え、ほんとに当たるんじゃぞ。」

何回もそういわれると、二人はその気になってきた。

「富くじが当たれば、金や米がぎょうさん手にはいるな。」

「でも、伏見までいくお金がないよ。」

その夜、またきつねが出てきていいよった。

「伏見までのお金は、戸やしょうじを売ってつくれば、ええではないか。」

「これはほんまもんじゃ。おいち、伏見へいくぞ！」

六助は、家の戸やしょうじを売りはらうと、伏見へむかった。

「金がぎょうさん手にはいったら、どうするかいなあ。りっぱな家をたてて、ええ着物きて……、おいちにもいっぱい着物を買うてやろう。」

六助は、七日かかってやっと伏見についた。だが、町の中はし～んとしておった。

六助は、通りかかったおじいちゃんにきいてみた。

「富くじは、どこで売ってるんで？」

「はて……、富くじ？　それは来年の二月二日の、午の日のことかいな。その日に市がたち、富くじが売られるんじゃが、まだ、一年も先のことだよ。」

六助はしかたなく、家にもどって、おいちにわけを話した。

おいちは、まっかになっておこった。

「おらあ、おまえさんがお金をぎょうさん持ってくると思って、楽しみにしておったのに～。戸もしょうじもないこの家で、寒いのをがまんして待っておったんぞ。どうしてくれるんじゃ。」

「そんなこというなら、おまえがいってこい！」

二人は大げんか。

そのようすを見て、はりの上からきつねが顔を出していうた。

「やい。六助、よ～く聞け！　おまえはわしらのあなのかやをかったじゃろ。おかげで、わしの家には、風がスースーはいりこんで、おちおちねむることもできなんだ。おまえたちも、戸やしょうじがなきゃ、おなじ気持ちだろう。どうだい、ねながらお月さまを見る気持ちは。はっはっは……。」

六助は、おいちにいったそうじゃ。

「しんせつのつもりでやったんじゃが、のう、きつねにとっちゃあ、ありがためいわくだったんだなあ。あした、きつねのあなの前に、戸を立ててこよう。」

六助はつぎの日、きつねのあなの前に、大きな石をおいたそうじゃ。その石を、道ゆく人は「六助いなり」といっておがんでいくようになったそうな。


（おわり）

# あさこ・ゆうこ

むかし、信濃のある山の、東と西のふもとに、それぞれ小さな村があった。

このニつの村は、ちょっとした争いがもとで、もう五十年もの長いあいだ、いききをしなくなっておったそうな。

さて、東の村に、たいそうかしこい女の子がおったと。この子は、朝早く生まれたので、あさこと名づけられ、すくすくと育っておった。

あさこは村の人気者で、村の人たちはあさこを見かけると、だれでもが声をかける。

「あさこちゃ、よってけや。」

「あさこちゃ、これ食べてけや。」

ある日のこと、東の村の年よりたちが集まって、思い出話に花をさかせておったが……。

「西の村とは長いことつきあいがねえが、どうじゃろう、ここらでひとつ、ちえくらべでもやってみねえか。こっちには、あさこちゃがいるわさ。ぜったい負けるわけはねえさあ。」

と、こんな話がもちあがった。

「おらたちが勝ったら、西の村を東の村の子分にして、あの山に道を作らすだ。」

「そりゃ、ええ。そりゃ、ええ。」

さっそく村いちばんの弓の名人が、矢文を西の村へ向けて放ったと。

矢は、すうっと山向こうの西の村へ消えていった。

西の村では、村の広場に矢がとんできたものだから、村の人たちはびっくりぎょうてん。

「うわっ! こりゃ、東の村からとんできたものじゃろうか。」

「なになに? あさっての昼に、山のてっぺんでちえくらべをしよう。こっちからは娘一人を出すが、そっちは何人出してもかまわない。負けた村は、

勝った村の子分になって、なんでもいうことをきき、一年以内に二つの村の間にある山に、道を作ること……。

ふふふっ、これはおもしろい。」

村の長老が矢についていた手紙を読むと、村の人たちは大わらい。

「はっはっは。東の村のやつめ、おらのほうには、ゆうこちゃという、かしこいちえ娘がいるのを知らんで、でっけえことをいうてきよったぞ。これでもう、東の村は、おらほうの子分に決まったようなもんじゃ……。のう、ゆうこちゃ。」

なるほど、西の村にも、あさこと同じ年ごろの、ゆうこというちえ娘がおったんじゃ。

「すぐに返事の矢文をとばすだ！」

さて、こうしてちえくらべの日がやってきた。

東の村からは、あさこが……。

西の村からは、ゆうこが、たった一人で出かけていったんじゃと。

なにしろ、もう五十年ものあいだ、人ひとり通ったこともないというとうげ道は、すっかりあれはてて、女の子の足でのぼるのは、それはそれはたいへんなことじゃった。おまけに、頂上近くには、東の村がわには大木が、西の村がわには、大きな岩があって、それぞれの行く手をふさいでおったんじゃ。

やっとのことで、二人は昼すこしまえに頂上にたどりついたそうな。

頂上で会った二人は、じいっと顔を見あわせた。

「あれえ？　あんたがゆうこちゃ？」

「うん、あさこちゃかえ？」

「にとるねえ……。」

「そっくりじゃなあ……。」

あさことゆうこは、顔かたちがそれはまあそっくり。いろいろ話してみると、生まれた日まで同じだったんだと。

二人はすぐになかよしになって、いつまでも話がはずんだ。

「どうして今まで、いききをしなかったんだろねえ。」

「なんだかわかんねえだが、にらみあっていたんだってさ。おかしなことよのう。」

「そうだ、おらたちの力で、二つの村がなかよくできるように考えんかえ？」

「そりゃあ、ええ。」

二人でちえを出しあって考えたすえに、やっと話がまとまった。

あさことゆうこは、わかれをおしみながら、東と西の村へ帰っていった。

村では、みんなが首を長くして待ちわびておった。

「おそかったな。どうじゃった？」

あさこは、みんなに話した。

「いままでやりあっておったけど、ちえくらべは引き分けになっただ。」

「なに、引き分けじゃと？」

村の人たちは、ちょっとがっかり。

「それでな、つぎの勝負は二人でこう決めただ。あすの夜明けを合図に、いっせいにとうげの道を作りはじめて、一日でも早く、頂上まで道を作りあげたほうが勝ちということだ。」

「ほうほう、なるほど……。」

「ようし、おらのほうは力持ちが多いでな、こっちの勝ちと決まってらあ。」

「そうじゃ、そうじゃ。」

東の村も、西の村も、こんどこそ自分たちの村が勝つぞと、えろうはりきりおったわな。


こうして、つぎの日から東の村と西の村の衆は、道づくりにとりかかった。暑い日はあせみどろになり、寒い日には、こおった弁当をかきこみながら、雨の日も風の日も、一日も休むことなく、道づくりはすすめられたそうな。

あさことゆうこは、ときどきこっそり会っては、工事のようすを知らせあい、同時に道ができるように、気をくばっておった。

「西の村は、あの大岩をどければ、もう終わりじゃ。」

「東の村は、あの大木をたおせば、おしまいさ。」

「いよいよだな。」

「じゃあな、また。」

二人は、楽しげに東と西にわかれていったと。

「さあ、てっぺんまで、もう一息じゃ。大岩をどけろ〜。がんばるだぞう。」

「おう〜！」

と、西の村の衆ははりきっておった。

いっぽう、東の村の衆も、

「頂上は近いぞ！　それいけ〜。大木をたおせ〜。う〜んせ、う〜んせ！」

「やったあ！」

「さあ、おらが村が勝ったぞ、あさこちゃ！」

「ゆうこちゃ、これで東の村は、おらたちの子分じゃ。」

大声でさけびながら、両方の村の衆は頂上にかけあがった。

「ああっ、西の村の衆が……。」

「ああっ、東の村の衆が……。」

「また引き分けじゃ。ええい、もう半日早ければ、おらたちの勝ちだったに、くやしい〜。」

「そりゃ、こっちのいいてえことじゃ。ほんに、口おしや〜。」

あさことゆうこは、両方の村人たちを同じところへよびあつめた。

と、東の村の長老が、西の村の長老に、

「おんや？　下戸の与作でねえか。」

「う〜ん、そういうおまえは、柿の下の照八かい？」

「おまえ、ちいちゃくて、年じゅうはなばっかたらしてたに。ええじいさまになっちまったのう……。」

「おまえこそ、すっかりおいぼれちまってからに。しかし何十年もたって年とらねば、ばけものじゃあ。はっはっはっは。」

「はっはっはっは、まったくじゃ。のう、与作、こうして、ちょうど同じ道ができあがったちゅうのも、いままでのことは、水に流して、なかなおりすべしってことじゃねえのかのう？」

「おまえもいいことをいうのう。そうとも、そうとも。はっはっはっ。」

これを聞いていた、東西の村の衆、おもわず、いっせいにわらいだした。

「うっはっはっは、あっはっはっは。」

というわけで、いつしか、二つの村の衆は、心がほぐれて、むかしからの知りあいのようになったと。

山の頂上で、にぎやかなえんかいがはじまった。手に手をとりあって、おどる村の衆。いまはもう、東も西もない。一つにとけあって、酒をくみかわしたそうな。

あさことゆうこは、しっかりと手をにぎりあい、うれしそうにほほえみながら、そのようすをいつまでもながめておったということじゃ。（おわり）

# 地獄めぐり

むかし、日光に弘法大師が開いたといい伝えられる寂光寺というお寺がありました。この寺に、人々からたいそうそんけいされている、覚源上人というおぼうさんがおりました。

ある日のこと、上人は横になって休んだまま、息を引きとってしまわれたのです。

でも、上人の体は、まるで生きているようにいつまでもあったかでした。

人々はこまって、どうしたものかと思っているうちに十七日が過ぎてしまいました。すると……。

なんと、上人が、ぽっかりと目をあけられたのです。上人は、心配そうに集まっていた人々を見まわしました。

「みなさん、わしはいま、めいどの旅から帰ってきたところじゃ。ちょうどよい、みなさんにぜひ、この話を聞かせたい。」

上人が語った旅の話というのは、世にもふしぎな話でした。

「わしは、雲にのってやみの中をどこまでもどこまでも進んでいったんじゃ。すると、ほのおにつつまれた山門があった。鬼が立っておる。これがじごく門だなと、わしは思った。

門をくぐるとそこはえんま堂でな。えんま大王の前には、おおぜいの人々がひきすえられておった。その人々をえんま大王がさばくのじゃ。

列の一番前の男が、えんま大王の前に引き出されるとな、こういうた。

『大王さま、あっしはじごくに落ちるようなことはなにもしちゃあいません。』

するとえんま大王は、おそろしい声でいう。

『だまれ、権六！　おまえは、犬を三びき、ねこを六ぴき、ころしたであろう。』

『犬、ねこをころして、じごくに落とされるんで？』

『虫一ぴきとはいえ、命はとうといものだ。理由もなくおもしろ半分でころせばつみとなる。おまえはじごくにいき、五百年間鉄棒でうちくだかれつづけるがよい！』

えんま大王がいうと鬼たちがやって

きて、権六をひきたてていったんじゃ。

『うわ～っ、た、助けてくれ～。』

『つぎは十郎太、前に出い！』

『へん、すきにしろ！　かくごのうえだ。』

『おまえのように、じごくのおそろしさを知らずに、うそぶいて殺生するものが、もっともつみが重い。おまえのいくのは黒縄じごくだ。そこで、一千年のあいだ、熱くやかれた鉄の縄で体をしばられつづけるのだ。』

こうして、えんま大王は、じごくに落ちた人間をつぎつぎにさばいていかれてな、とうとうわしの番がきた。すると、えんま大王は、こういったのじゃ。

『覚源よ、おまえをここへよんだのは、罪人としてではない。近ごろ、このじごくへくる人間の数がふえるばかり。これは、つみをおかせば、死後にじごくへ落ちるということをわすれているからではなかろうかと思ってな。そこで、人々に説教する役目のそなたにじごくのおそろしいさまをよく見てもらって、ここへくる人間が一人でも少なくなるよう、人々に話してもらいたいのじゃ。』


というわけで、わしはじごくめぐりをすることになった。そこで見たじごくのおそろしさといったらなかった。

じごくではな、どんなに苦しくても死ぬことはできんのじゃ。体を切りさかれても、いつのまにかもとへもどっていて、永久に苦しみがつづく。重い荷物をせおってはりの山をのぼっていく人々。血の池でもがき苦しむ人々。岸にはい上がろうとする人々を、鬼がはりの棒でつきおとす。

じごくの山にはそんな人々のさけび声、うめき声がつづいとる。それは、これ以上苦しいことはないというほど、苦しげなさけびやうめきじゃ。

『死んでまでこんな苦しいおもいをすることはない。人間は、こんなところへきてはならんのだ。』
と、えんま大王がいうんじゃ。
『よくわかりました。この覚源、のこる生涯をかけて、一人でもじごくへくる人間が少なくなりますように、説教をつづけましょう。』
えんま大王にこうやくそくして、わしはじごくから帰ってきたのじゃ。」

上人の話はおわりました。なんともふしぎな話ではありませんか。
その後、上人は、一人でも多くの人がじごくの苦しみからすくわれるように、じごくの話を説きつづけたということです。

（おわり）

# おこぜと山の神

むか~し、作物のよくとれる、ゆたかな村があった。これも、山の神さまのおかげと、村の人たちはよろこんでおった。山の神さまは、秋のしゅうかくが終わると、近くの山にはいって山を守り、春になると里に出て、田の神さまになられるのじゃった。

山の神さまは、山のとりもちの大木にすんでおって、とてもはずかしがりやの女の神さまじゃった。

ある年の春のこと。

今年もぶじ田植えが終わったので、村人たちは、山の神さまをおむかえに、そろってとりもちの木の前にやってきて、おいのりをささげておった。

山の神さまのお出ましじゃ。

「は、は~い! わらわは、山の神なるぞ~い。」

山の神さまは、いつもの年のように、里に出ると、田を守る田の神さまとなって、植えたばかりの田んぼの見まわりをしておった。

ところがそのとき、

「おっとっとっと……。あれ~っ。」

どうしたはずみか、石につまずいて、神さまは小川に落ちてしもうたんじゃ。

「あっ、神さま~っ、だいじょうぶですか。」

そのとき山の神さまは、ふと、水にうつった自分の顔を見てしもうた。その顔のなんとみにくくおかしいこと。

「あや~っ。これがわらわの顔かや。こんな顔がわらわの顔じゃったとは、おう、はずかしや、はずかしや。」

おどろいた山の神さまは、顔をかくしていちもくさんに走って、山へにげ帰ってしもうた。

「山の神さま~っ。どうされました。」

村人たちは、なにがなんだかわからず、ぽかんと見おくっておったと。

にげ帰った山の神さまは、おそなえものをひっくり返したりして、それはもう大あばれ。

「く、くやし〜っ。みじめ〜っ！　もう里におりるのはいやじゃ、いやじゃ、いやじゃ〜、いやっ！」

わ〜んわ〜んなきさけんで、そのまま、ほこらにとじこもってしもうた。

山の神さまが見まわりにこなかったので、植えたばかりの田んぼの苗はかれはじめた。それだけではない。村じゅうの畑はあれるわ、山の木も大きくならずにかれてしまうわで、村人たちはこまってしもうた。

「いってえ、どうしたってのかのう、山の神さまは？」

「これじゃあ、おらたち食うものがなくなっちまうで。」

「もう一度、山の神さまにおねげえして、田んぼを見まわってもらうべえ。」

というわけで、村人たちは、山のとりもちの木の前にあつまって、山の神さまにおねがいした。

「山の神さま〜っ！　田の神さま！　おねげえです。田んぼさ出てきておくんなせ〜っ！」

でも、山の神さまは、ほこらの中で、なきさけぶばかりじゃ。

「いやじゃ、いやじゃ。わらわは、もう、村へも田へも出はせんぞう〜。」

村人たちは、まいばんあつまって、どうしたものかとそうだんした。

「山の神さまは、きっとはらがへってるで、きげんがわるいだ。」

「みんなで、歌ったりおどったりして、おなぐさめすべえ。」

ということになった。

村人たちは、山の神さまのいるほこらの前に、山ほどのおそなえものをおいた。そして、おかめやひょっとこのお面をつけ、笛やたいこにあわせて、にぎやかに、歌ったりおどったり。

山の神さまは、そうっと、すきまからのぞいて見ておる。

「ああ、なんてきれいな着物……、おもしろそうな面……。やめてくりょ、おら……、いやじゃあ……、やめてくりょっ、やめてくりょ〜っ。」

山の神さまは、がまんができないとばかりになきさけんだ。すると、晴れていた空が、きゅうにくもって、いまにも雨がふりそう。

そして、ゴーッと、山ぜんたいがゆれうごき、木々がたおれ、石ころが村人たちの頭の上に落ちてきた。

村人たちは、わけもわからずに、ちりぢりになってにげ帰っていった。

「山の神さまがおこった〜っ！」

「山の神さまがおこった〜っ！」

「てえへんだ〜っ。」

「にげろや〜っ！」

村は大さわぎ。あわてふためいて、家財道具をせおって、となりの村へにげていった。

その村には、このあたりではいちばんの、ものしりばあさまがおった。

「おまえさんたちは、山の神さまの顔を見たことはあるかの？」

「うん、はっきりじゃねえが、見た。」

「みにくい顔じゃった。」

「そうじゃ、そうじゃあ。」

と、ばあさまはいうた。

「山の神さまはな、そりゃあみにくい顔をしてござっての。それをいまのいままで気づかれんかったんじゃ。ところが、それがわかってしもうて、はずかしくなって、ほこらにとじこもってしまわれたんじゃよ。

そんなところに、おまえらがきれいな着物を着ておどってみせたりするもんだから、気をわるうなさるのはあたりまえじゃ。気の弱い神さまじゃからのう。じゃから、神さまより、もっときりょうのわるいものをおそなえなされ。そうすりゃあ、自分よりおかしな顔のものがこの世にいたのかと、大よろこびなさるにちげえねえ。」

「それはどんなもんで？」

村人たちには、どこにそんなものがあるのか、さ〜っぱりわからん。

「おこぜ、という魚じゃあ。」

「おこぜ？　なんじゃあ、それは。」

ばあさまが水がめを持ってきた。

「ほれ、これよ。」

水がめをのぞきこんだ村人たちは、目をまるくした。そしてすぐに、おなかをかかえて大わらい。

「ぎゃっはっはっは、なんておもしろ

い顔じゃあ。」

「おかしな顔じゃ！」

「みにくい顔じゃ〜っ！」

「ぎゃっはっはっは……。」

さっそく、このおこぜを持っていって、村人たちは山の神さまがかくれているほこらの前においた。

ほこらのとびらが、そうっとあいて、山の神さまはこちらをのぞいておる。村人たちは、山の神さまの顔を見ないように、頭をさげたままじゃった。

そのとき、水がめの中のおこぜがひょいと顔を出した。

山の神さまとおこぜの目があった。じいっと見つめていた山の神さまは、とつぜん大わらい。

「ほっほっほ、わっはっは……。これはおもしろい顔じゃあ！　この世に、わらわよりおかしな顔があったのか！　わっはっは、おっほっほっほ。」

こうして、山の神さまのごきげんはすっかりなおって、村へおりてこられたんじゃ。

山の神さまと村人たちは、たのしそうにおどりながら田のあぜ道をいく。

田や畑や山は、また生き生きとした緑をとりもどした。

それからというもの、山の神さまと村人たちは、いつまでもなかよくくらしたということじゃ。

（おわり）

# 木仏長者

むか～しむかし、ある村に、一人の長者どんがおりました。

この長者どんは、たいそうりっぱな金の仏さまを持っていました。そして、この仏さまをぴかぴかにみがいて、人に見せ、じまんばかりしていました。

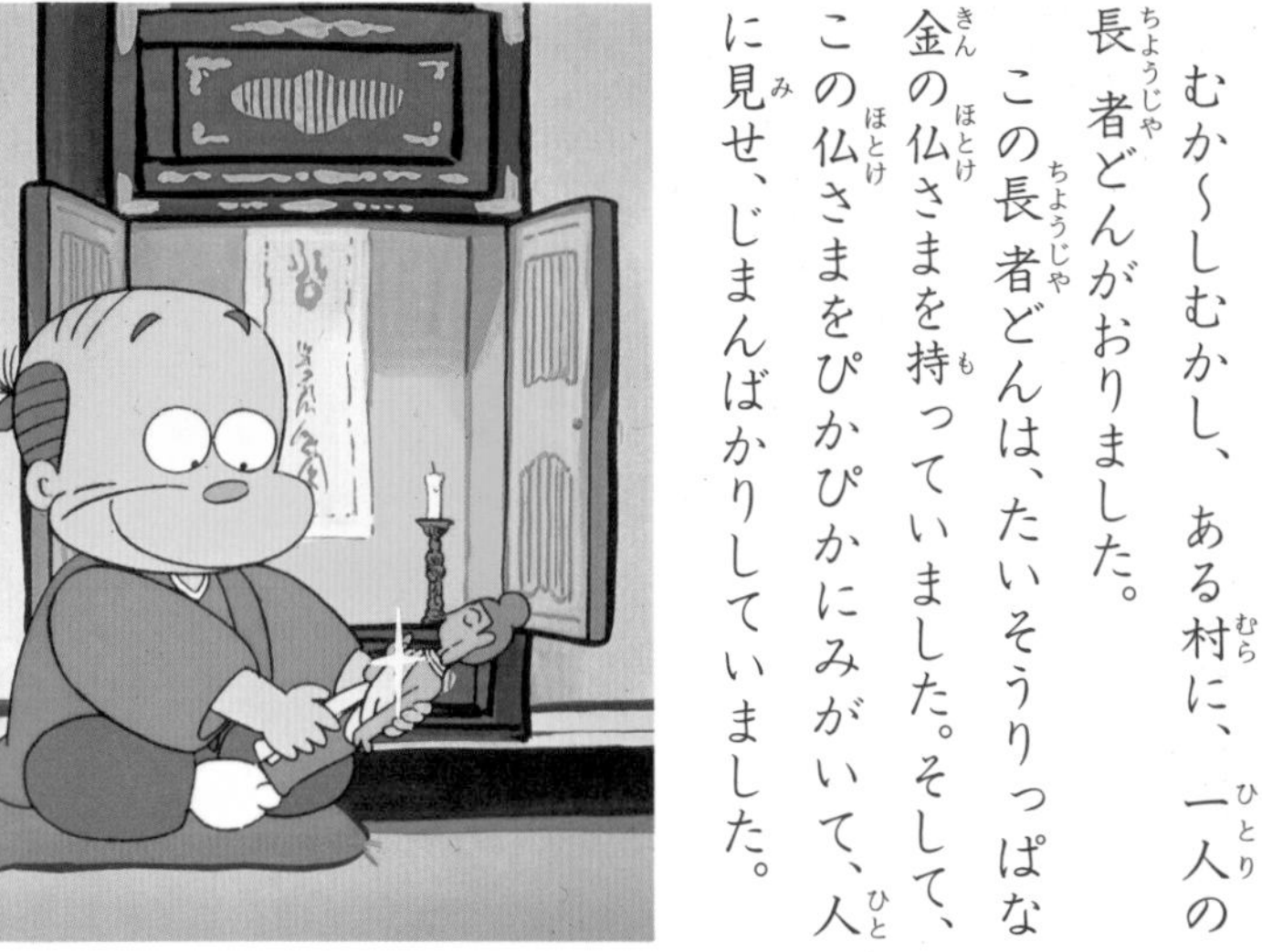

この長者どんの家には、おふろをたくのが仕事の、はたらき者の若者がおりました。ある日、若者は山へたきぎをひろいにいって、仏さまによくにた木のぼっくいを見つけたのです。

若者は、そのぼっくいを持って帰り、仏さまと思って毎日ねっしんにおがんでいるのでした。

若者は、この仏さまが、自分を守ってくれているような気がしたのです。

あるとき、ごますりの奉公人の一人が、長者どんにおせじをつかってこんなことをいいました。

「いや～、いつ見てもすばらしい仏さまでございますな、だんなさま。」

「そりゃあそうじゃよ。あのふろたきどんの木仏とは、ち～とわけがちがうわい。わははは。」

「どうです、金の仏さまと木仏で、すもうをとらせてみたらどうでしょう。どうせ、木仏はすぐなげとばされてしまうでしょうがね。」

「それはおもしろい。わっはっは。」

二人は顔を見合わせて大わらい。

長者どんは、ふろたきの若者をよんでいいました。

「おい、おめえさんの木仏さんと、わしの仏さまと、すもうをとらせてみよう。」

長者どんはおもしろがって、つい、こんなことをいってしまいました。

「もし、わしの金の仏さまにおまえの木仏さんが勝ったら、わしの家やしきをぜ～んぶおまえにゆずって、わしがふろたきになろうじゃないか。」

若者はこまってしまいました。

「こりゃあ、えらいことになっちまっただ。仏さまにすもうをとらせるだなんて……。こまっただなあ。」

しかたなく、若者が木仏さんをとりにいくと、なんと、木仏さまが口をきいたのです。

「やってみようじゃないか。だいじょうぶ、だいじょうぶじゃよ。」

若者は目をぱちくり。

「ひゃ～っ、仏さまが、口をきいた！」

若者は木仏さまを持って長者どんのところへもどりました。

「はっけよい、のこった。」

長者どんも奉公人たちも、みんな、どひょうをとりかこんでおうえんします。

「金の仏さま、がんばれ、がんばれ。」

ふしぎなことに、いつのまにか金の仏さまと木の仏さまは、はげしくぶつかりあって、おしたりひいたり。金の仏さまにからだをはずされ、たおれそうになる木の仏さま。

「ぼっくいの仏さま、がんばれ！」

若者は心の中でいっしょうけんめいおいのりしておりました。

金の仏さまが、木の仏さまをどひょうのはしまでおしていきます。木の仏さまがあぶない。

「やっぱり金の仏さまは強い。」

長者どんは、安心しきっています。

しかし、木の仏さまは、顔をまっかにしてがんばります。じわりじわり、すこしずつ金の仏さまはどひょうの反対がわへおしだされていきます。

「あ、あっ、あれ～っ。」

だんだん心配になってきた長者どん。

「う～ん、ぼっくいめ、やりおるな。金仏、がんばれ、がんばれ！」

どちらもがんばる、しんけん勝負。

みんなは、息を止めて見守ります。

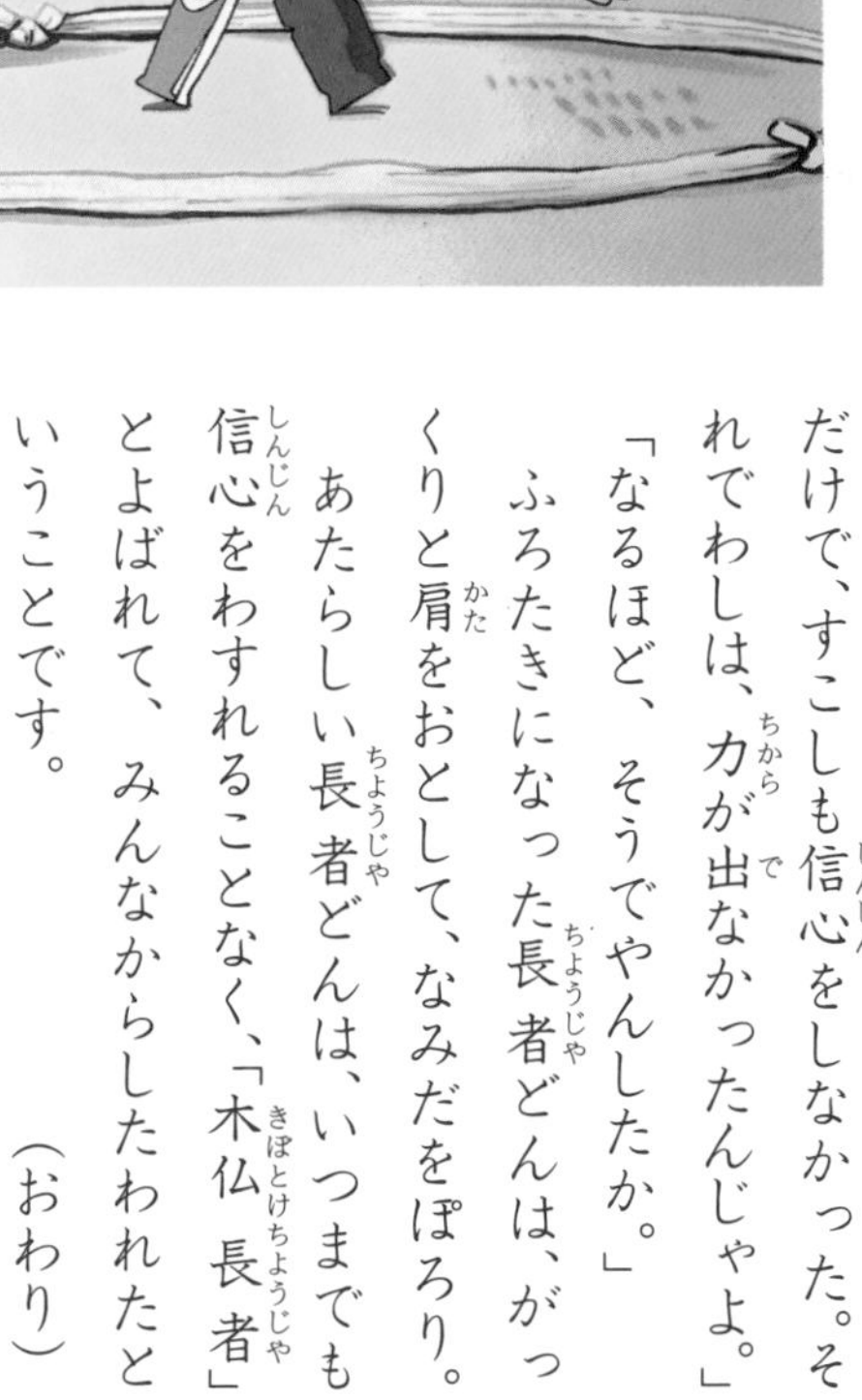

長い長い勝負がつづきます。

「あっ、ああ～っ！」

長者どんが、あわをふいてたおれてしまいました。

金の仏さまがたおされてしまったのです。

「うわ～い！　やったあ～、やった！」

こうして、やくそくどおり若者は長者になり、長者どんはふろたきになったのでした。

ある日、ふろをたきながら、もと長者どんは金の仏さまにたずねました。

「なんであんとき、木のぼっくいなんかに負けたんだか？」

すると、金の仏さまはいいました。

「おまえは、わしをぴかぴかにみがくだけで、すこしも信心をしなかった。それでわしは、力が出なかったんじゃよ。」

「なるほど、そうでやんしたか。」

ふろたきになった長者どんは、がっくりと肩をおとして、なみだをぽろり。

あたらしい長者どんは、いつまでも信心をわすれることなく、「木仏長者」とよばれて、みんなからしたわれたということです。

（おわり）

# 大きな運と小さな運

むか～し、ある山おくのほらあなに、ぐひんさんがすんどったそうな。

ぐひんさんというたら、てんぐさんのことやがな。このぐひんさんにうらなってもろうたら、なんでもようあたるといううわさやった。

そこで、おなじころに子どもが生まれることになった木兵衛と太郎兵衛は、はるばるぐひんさんをたずねて、子どもの運をみてもらうことにしたんや。

ぐひんさんは、大声でなにやらとなえておったが、やがて木兵衛にいうた。

「神さまのおおせられるには～。木兵衛、おまえのとこには、竹三本のぶにの子が生まれる。」

「た、竹三本のぶに？」

「そうじゃあ、人には生まれながらにそなわった運命がある。それすなわち、ぶにじゃ。」

「というと、おらの子は、たったの竹三本しかそなわらんのか？」

木兵衛はがっくりじゃ。

ぐひんさんは、こんどは太郎兵衛にいうた。

「太郎兵衛、おまえのところには、長者のぶにの子が生まれる。長者になるさだめじゃあ。」

「はあ？　長者ねえ……。」

ぐひんさんのうらないを聞いて、二人は山道を帰っていった。

それからしばらくして、二人の家に子どもが生まれた。

「たまのような男の子じゃ。」

「うちは女の子じゃ。」

どちらも元気な子で、二人は手をと

りあってよろこんだ。

木兵衛の子は吾作、太郎兵衛の子はおかよと名づけられ、二人の子どもはなかよう遊び、すくすくと育ったんや。

ある日のこと、木兵衛と太郎兵衛が畑仕事をしているところへ、吾作とおかよがきた。

「おとう、昼めしじゃあ。」

「みんなでいっしょに食べようよ。」

「おうおう、そうすべえ。」

あぜ道で、四人そろってにぎりめしをぱくつく。


「うまいのう、ありがたいこっちゃ。」

という太郎兵衛に、おかよはにっこり。

むしゃむしゃ……、ガチン！

木兵衛がかぶりついたにぎりめしに、小さな石がはいっていたんじゃ。

「なんや、石なぞ入れおって。ぺっ。」

木兵衛は、おこって、めしつぶごと石をはきだした。

「ぺっ、ぺっ、ぺっ。」

吾作がおなじようにまねをして、めしつぶをはきだした。

「あ〜あ、もったいないことをして、石だけえらんではきだしたらよかろうに。なあ、おかよ。」

と、太郎兵衛とおかよは石についているめしつぶをひろった。

それを見ていた木兵衛は、わらいながらいうのじゃった。

「石だけえらぶなんて、しんきくさいわい。おらあ、しんきくさいことは大きらいじゃ！　太郎兵衛どんは、よくよくの貧乏性じゃのう。はははは……。」

吾作もいっしょになって大わらい。

「おら、どうももったいないことができんのや。ははは。」


やがて、大きくなった吾作は町へ。おかよはとなり村へはたらきに出た。

そして何年かたって……、町へ出た竹三本の吾作は、なんと竹屋にほうこうして、竹かごをあむことや、輪がえの仕事をおぼえて、村にもどってきたんや。 

木兵衛は、うれしそうにいうた。

「よしよし、それだけの仕事を身につけたらりっぱなもんや。そのうちにゃ、竹三本どころか、竹百本、うんにゃ、竹千本の金持ちにだってなれるわい。吾作、がんばれよ。うひひひ……。」

こうして吾作は、村をまわって、輪

がえをするようになった。でも、毎日毎日、輪がえをして、わずかのお金をもらうくろうのわりには、金は思うようにはたまらない。

「あ〜あ、輪がえというのはしんきくさい仕事じゃあ。」

ある日のこと、となり村まで足をのばした吾作は、長者やしきの前でよびとめられた。

「輪がえ屋さ〜ん、おけの輪がえをおねがいします。」

お手伝いの娘がこわれかけたおけを持ってやしきから出てきた。

「長者さまなら、輪がえなんぞしないで、新しいおけをこうたらええのにな。」

輪がえをしながら、吾作はそう思った。


そこへ、長者さまの嫁さまが通りかかった。嫁さまは吾作を見るとそばへきてなつかしそうにいうたんじゃ。

「あれえ、吾作さんやないか！ あたし！ ほら、小さいころよくいっしょに遊んだ、となりの……。」

吾作は、嫁さまの顔をじっと見て、びっくり。

「ありゃあ！ おかよちゃんでねえか。こ、ここの嫁さまに……なられたのでござりまするか？」

「え、ええ……。あとでにぎりめしを

こさえたげるよって、待っとってな。」

そういって、やしきにはいっていくおかよを、吾作は、ただぼうっとして見ておった。

長者の嫁として、なに不自由なくくらしているおかよは、吾作にも自分のしあわせをわけてあげたいと思い、にぎりめしの中に、一まいずつ小判をしのばせた。その小判は、おかよが何年もかかってようやくためたものだった。

長者やしきの仕事がすんだのは、お昼をだいぶすぎたころじゃった。

はらぺこの吾作は、川岸へいって、おかよからもらったにぎりめしを食べることにした。

「こりゃ〜、うまそうじゃ。さすが、長者さまの家のめしはちがうわい。」

と、にぎりめしを手にとり、ぱくり。

カチン！ 歯にかたいものがあたった。

「ん？ ぺ〜っ！ なんや、えらい大きな石がはいったもんじゃ。」

吾作は、ぺっと川の中にはきだすと、二つめのにぎりめしにかじりついた。

カチン！

「これもや。ぺっ、ぺっ！」

三つめも……。

カチン！

「これもだあ～、ぺっ、ぺっ。」

四つめも、五つめも……。

「なんじゃ、このにぎりめしは？ どれもこれもみ～んな石がはいっとるやないか。」

さいごの一つも、やはり、カチンときた。これも、川にはきすてようとして、吾作はふとそのにぎりめしを見た。

「待てよ、長者の家のめしにゃ、どんな石がはいっとるんじゃ？」

にぎりめしの中から出てきたのは、なんと、小判やった。

「し、しもうた。まえにはいっていたのも、小判やったんじゃ。」

おかよの心をこめたおくりものは、深い川のそこにしずんでしもうたのやった。 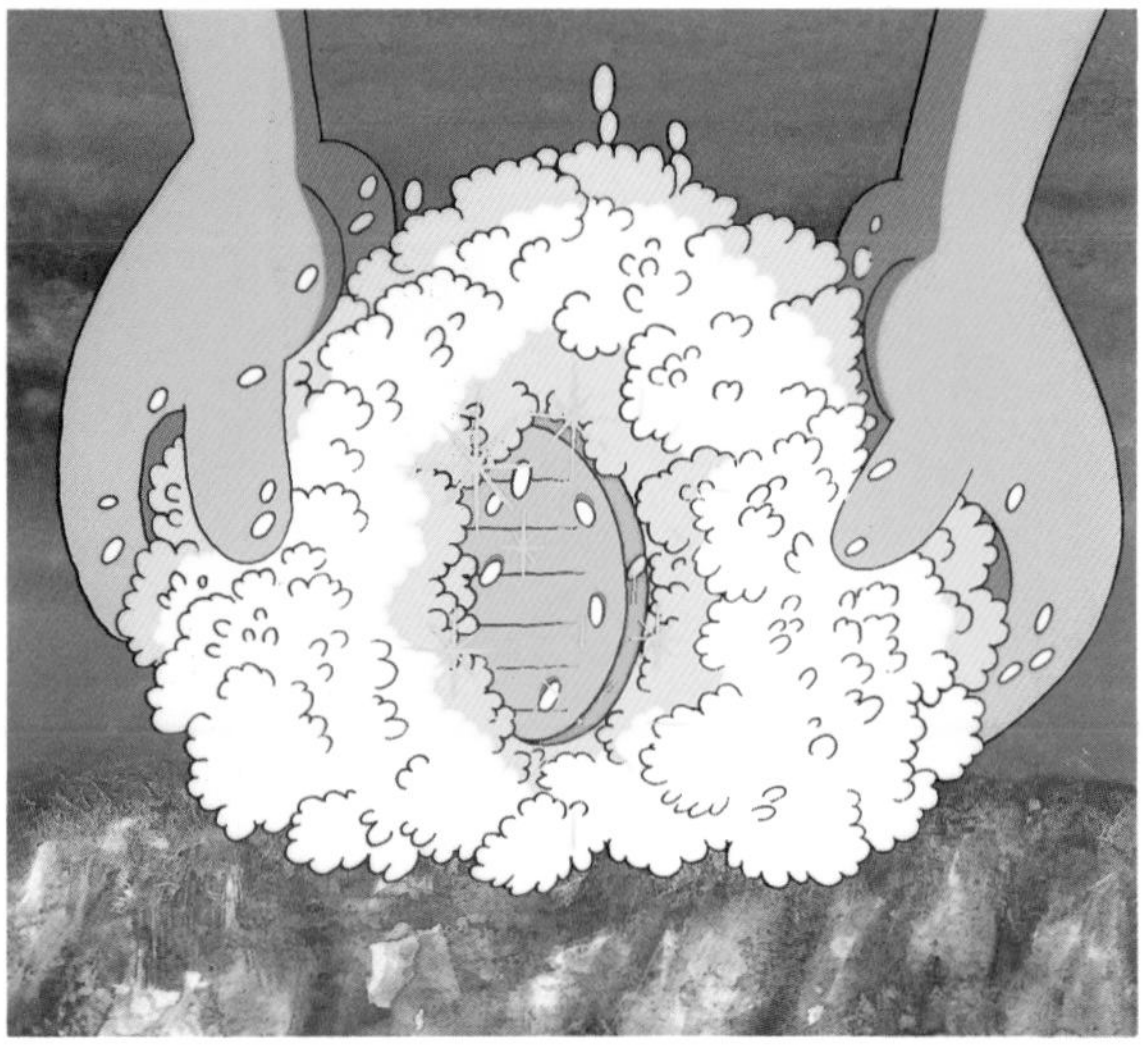

その話を聞いた木兵衛は、おこっていうた。

「なんで、はじめにカチンときたときに、たしかめなかったんや。そうすりゃ、七まいもの小判がもらえたじゃろが。」

「けど、石だけえらびだすようなしんきくさいことはきらいやろ？ やっぱりおらには、運がないんや。」

木兵衛は、そのことばを聞いて、はっとした。

「そうか、おかよは長者の嫁になったし、やっぱりぐひんさんのいうたとおり、竹三本に生まれた者は、それだけにしかなれんということなんや。」

木兵衛ががっくりしていると、どこからともなくぐひんさんがあらわれて、いうたんや。

「それはちがうぞ、木兵衛。おかよが長者の嫁になれたのは、こまごまよう気がついて、物をたいせつにするよいおなごだったからじゃ。いくらえぶにを持っとっても、それをいかせん者もおる。小さなぶにしかのうても、大きな運をつかむ者もおる。ぶにとは、努力しだいでまねきよせることができるものなのじゃ。心がけひとつじゃぞ、木兵衛……。」

それからというもの、木兵衛も、吾作も、ものをたいせつにするようになり、おかげで、だんだんくらしむきもようなったそうな。

（おわり）

# ねずみ経

むかしむかしのことじゃった。

ある小さないなかの村に、一人のおばあさんが住んでおりましたそうな。

このおばあさん、ついさいきんおじいさんをなくしたばかりで、もうさびしくってしかたがない。一日じゅう、ほとけさまばかりおがんでおったそうじゃ。

そんなある日のこと、このおばあさんの家に、一人の旅のぼうさんがやってきたんじゃそうな。

「道にまようてしもうた。今夜一ばん、とめてはくださらんか？」

「はいはい、ええですとも。」

おばあさんは、おぼうさんなら、おじいさんに、ありがた～いお経をあげてくれるじゃろうと思うて、たいそうなおもてなしをしましたそうじゃ。

ぼうさんに、はらいっぱいのごちそうを食べさせてあげると、おばあさんはおねがいしたそうじゃ。

「なあおぼうさまよ、たのみがあるんじゃが。うちのじいさまにお経をあげてくれんかのう……。」

「お……経！　ま、まあええか。」

じつはこのぼうさん、じつにいいかげんなぼうさんでな。お経なんかなにひとつも知らんかったんじゃ。しかし、そうともいえんで、ぼうさんはしかたなく仏壇の前にすわった。


「じいさんや、これからおぼうさんが、ありがた～いお経をあげてくださるでな。それではおねがいしますぞな。」

「ううむ、しからば……。」

とはいったものの、ぼうさんはこまってもじもじしておると、ちょうどそこへ、ねずみが一ぴき、ちょろちょろと顔を出しているのが見えた。

おばあさんは、お経がはじまるのを待っておる。かくごをきめたぼうさんは、うなるように声を出しはじめた。

「おんちょろちょろ、でて～こ～ら～れ～そ～ろ～。」

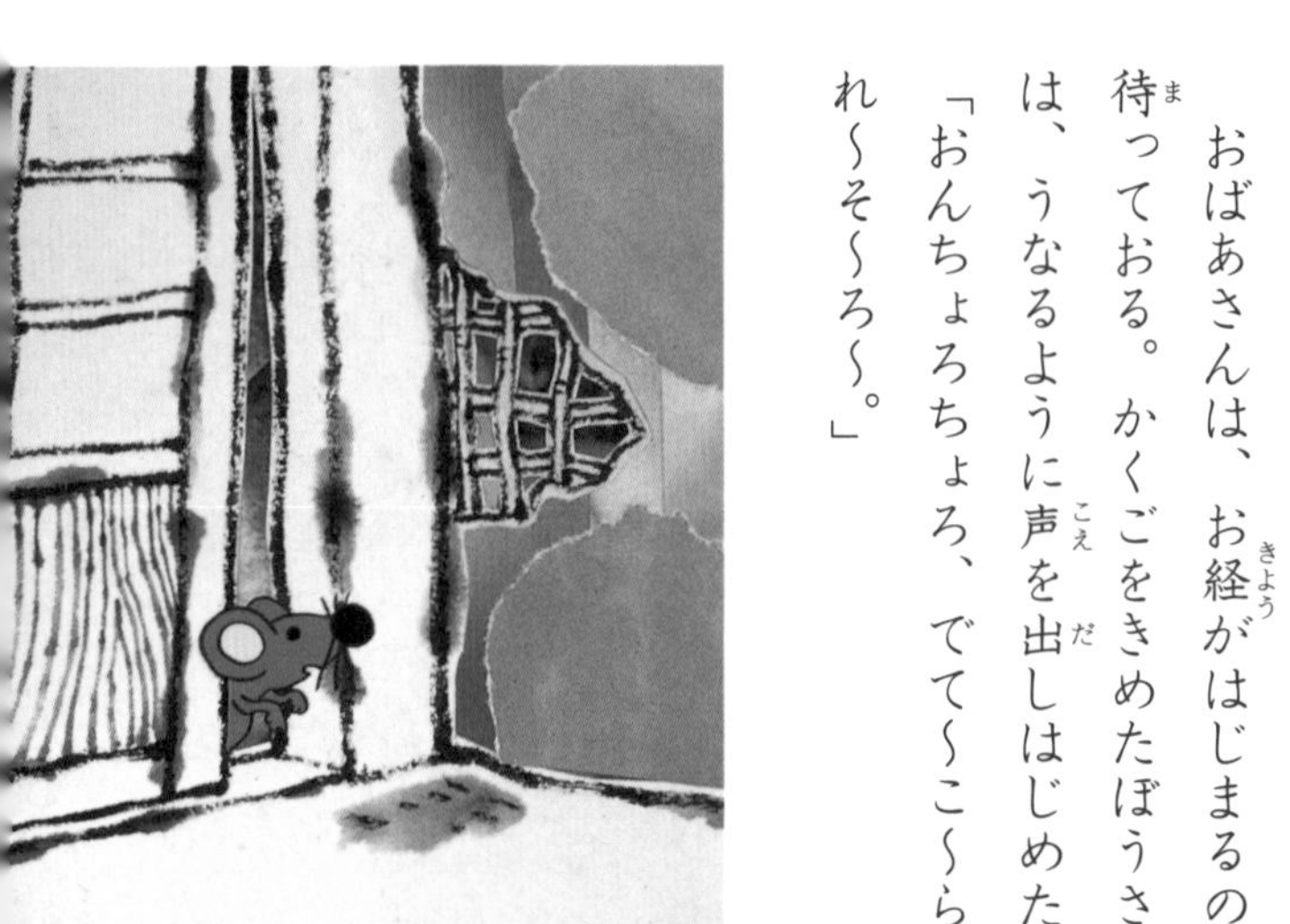

するとおばあさんは、ありがたそうに手をすりあわせたそうな。

調子にのったぼうさんは、つづける。

「おんちょろちょろ、でてこられ、そ〜ろ〜、おんちょろちょろ……。」

いつまでも同じことをいっておられないので、ぼうさんは、ねずみのようすをそのままお経のようにしてとなえたんじゃ。

「おんちょろちょろ、あなのぞきそろ。おんちょろちょろ、なにやらささやきもうされそろ。おんちょろちょろ、でていかれそろ。」

おばあさんはありがたがって、いっしんにお経をくりかえしておる。

「おんちょろちょろ、でてこられそろ。おんちょろちょろ、あなのぞきそろ。おんちょろちょろ、なにやらささやきもうされそろ。おんちょろちょろ、でていかれそろ。」

こうして一ばんお経をとなえつづけ、つぎの朝、ぼうさんは帰ることになった。

「おぼうさま、とうといお経をありがとうござえました。あれならわかりやすうて、わしにもおぼえられますだ。」

ぼうさんは、すっかりまいって、すたこらにげだしたそうじゃ。

それからというもの、おばあさんは仏壇の前で、昼も夜も毎日あのお経をあげておった。

あるばんのこと、おばあさんの家にどろぼうがしのびこんだ。

どろぼうが家の中をうろちょろしておると、おばあさんの声がした。

「おんちょろちょろ、でてこられそろ。」

どろぼうがびっくりして、あわててしょうじのあなからのぞいてみると、

「おんちょろちょろ、あなのぞきそろ。」

「な、なんじゃ、おらのいることを知ってるでねえか！」

「おんちょろちょろ、なにやらささやきもうされそろ。」

なにからなにまで、おばあさんにはお見通しじゃ。これはやまんばの家かもしれん。どろぼうがふるえあがってにげだしかけたそのときじゃ。

「おんちょろちょろ、でていかれそろ。」

どろぼうはきもをつぶして、命からがらにげだしたそうな。

おばあさんは、お経のおかげでどろぼうにはいられずにすんだんじゃ。

それからもおばあさんは、いつも、このお経をとなえておりましたそうな。

「おんちょろちょろ、でてこられそろ。おんちょろちょろ、あなのぞきそろ。おんちょろちょろ……。」

（おわり）

# 聴き耳頭巾

むかしむかし、まわりをぐるっと山でかこまれた、山また山の山おくに、一人のおじいさんが住んでおりました。

おじいさんは、毎日朝になると、しょいこをせおい、山へはいっていきました。そして、一日じゅうしばをかっているのです。

きょうも、しばをいっぱいせおい、山から出てきました。

「あ〜あ、ぼつぼつ帰るとするか。うん？　あれはなんじゃ？」

おじいさんが帰ろうとする道で、子ぎつねが一ぴき、いっしょうけんめい木の実をとろうとしていました。

「はて、きつねでねえだか。」

この子ぎつね、足がわるいらしく、いくらがんばっても、うまく木の実がとれません。

「よしよし、わしがとってやろう。よっこらしょ。さあ、これをお食べ。それじゃあ、わしはいくからな。」

子ぎつねは、おじいさんのしんせつが、よほどうれしかったのか、いつまでもいつまでも、おじいさんの後ろすがたを見送っておりました。

そんなある日、おじいさんは、町へ買い物に出かけましたが、帰りがすっかりおそくなってしまいました。

「ほれほれ、いそがなくっちゃ……。」

すっかり暗くなった日ぐれ道を、おじいさんがいそぎ足でやってきますと、おかの上で子ぎつねが待っていました。

「あれまあ、こないだのきつねでねえだか……。」

なにやら、しきりにおじいさんをまねいているようすです。

おじいさんは、きつねの後をついていきました。子ぎつねは、わるい足をひきずりながら、いっしょうけんめいおじいさんをどこかへあんないしようとしています。

ついたところは、竹やぶの中のきつねのすみかでした。

「ほう、ここがおまえの家かや。」

きつねの家には、お母さんぎつねがおりましたが、病気でねたきりのようでした。

お母さんぎつねが、なんどもなんどもおじいさんにおじぎをします。息子を助けてもらったお礼をいっているようにみえました。

そのうち、おくからなにやらとりだしてきました。それは、一まいの古ぼけたずきんでした。

「なにやら、ばっちいずきんじゃが、これをわしにくれるというのかね。では、ありがたく、いただいておこう。」

おじいさんは、お礼をいって、ずきんをうけとると、もときた道を一人で帰っていきました。

子ぎつねは、いつまでもおじいさんを見送っておりました。

さて、あくる日のこと……。

おじいさんが庭でまきをわっておりますと、ひらり、と足もとになにかがおちました。

「そうそう、これはゆんべきつねからもらったずきんじゃった。ちょっくらかぶってみるか。」

おじいさんは、ずきんをかぶって、またまきわりをはじめました。

「もうもう、うちのていしゅときたら、一日じゅう巣の中でねてばかりおって。いまごろは、すっかり太りすぎて、とぶのがしんどいなぞというとりますの。」

「ほう、やせのちゅん五郎じゃった、おたくのていしゅがのう……。」

なにやら聞いたこともない話し声が、おじいさんの耳に聞こえてきました。

「はて、たしかに話し声がしたが、だれじゃろう。」

家の中をのぞいてみたが、だれもおりません。

「うら林のちゅん吉が、はらがいたくてすっかり弱っとるそうじゃ。」

「はれまあ、木の実の食べすぎじゃあ。」

おじいさんは、また声に気がつきました。

「おかしいのう。だれか人がいるようじゃが、やっぱりだれもおらん。」

おじいさんは、家をぐるりとひとまわりして、ひょいと上を見上げました。

「……うん？　もしかしたら、このずきんのせいでは……。」

おじいさんは、ずきんをぬいだりかぶったりしてみました。

きつねがくれたこのずきんは、これをかぶると、動物や草や木の話し声が聞こえるという、ふしぎなずきんだったのです。おじいさんは、きつねが、こんなにたいせつなものを自分にくれたことを、心からうれしく思いました。

さて、つぎの日から、おじいさんは山へいくのがこれまでよりも、もっともっと楽しくなりました。

ずきんをかぶって山へはいると、小鳥や動物たちの話し声が、いっぱい聞こえてきます。

えだに止まって話しているニわの小鳥。木の上で話しているりすが二ひき。みんな楽しそうに話しています。

おじいさんは、山でしばをかりながら、小鳥や動物のおしゃべりを聞くのが楽しくてしかたありません。

「わたしゃ、のどをいためて、すっかり歌に自信がなくなっちまった。」

「そんなことございませんよ。とってもよいお声ですわ。」

「そうかな、では、いっちょう歌おうかな。」

虫の話し声まで聞こえるのです。

おじいさんは、こうして、夜どおし虫たちの歌声に耳をかたむけていました。

一人ぐらしのおじいさんも、これですこしもさびしくなくなりました。

そんなある日のことでした。

おじいさんが、山からしばをせおっておりてきますと、木の上でからすがニわ、なにやらしゃべっています。

これはおもしろい、さっそく聞いてみようと、おじいさんはあの「きき耳ずきん」をとりだし、かぶりました。

おじいさんが、耳をすましますと……。

「ふうん、長者どんの娘がのう。」

「そうよ、もう長いあいだの病気でのう。この娘の病気は、長者どんの庭に植わっとる、くすのきのたたりじゃそうな。」

「くすのきのたたり？　なんでそんな。」

「さあ、それはくすのきの話を聞いてみんとのう。」

からすのうわさ話を聞いたおじいさんは、さっそく長者どんの家をたずねました。こんなことがわかるのも、みんなふしぎなずきんのおかげです。

長者どんは、ほんとうにこまっていました。一人娘が、重い病気でねたきりだったからです。

おじいさんはその夜、くらの中にとめてもらうことにしました。ずきんをかぶって、待っていますと……。

「いたいよ～、いたいよ～。」

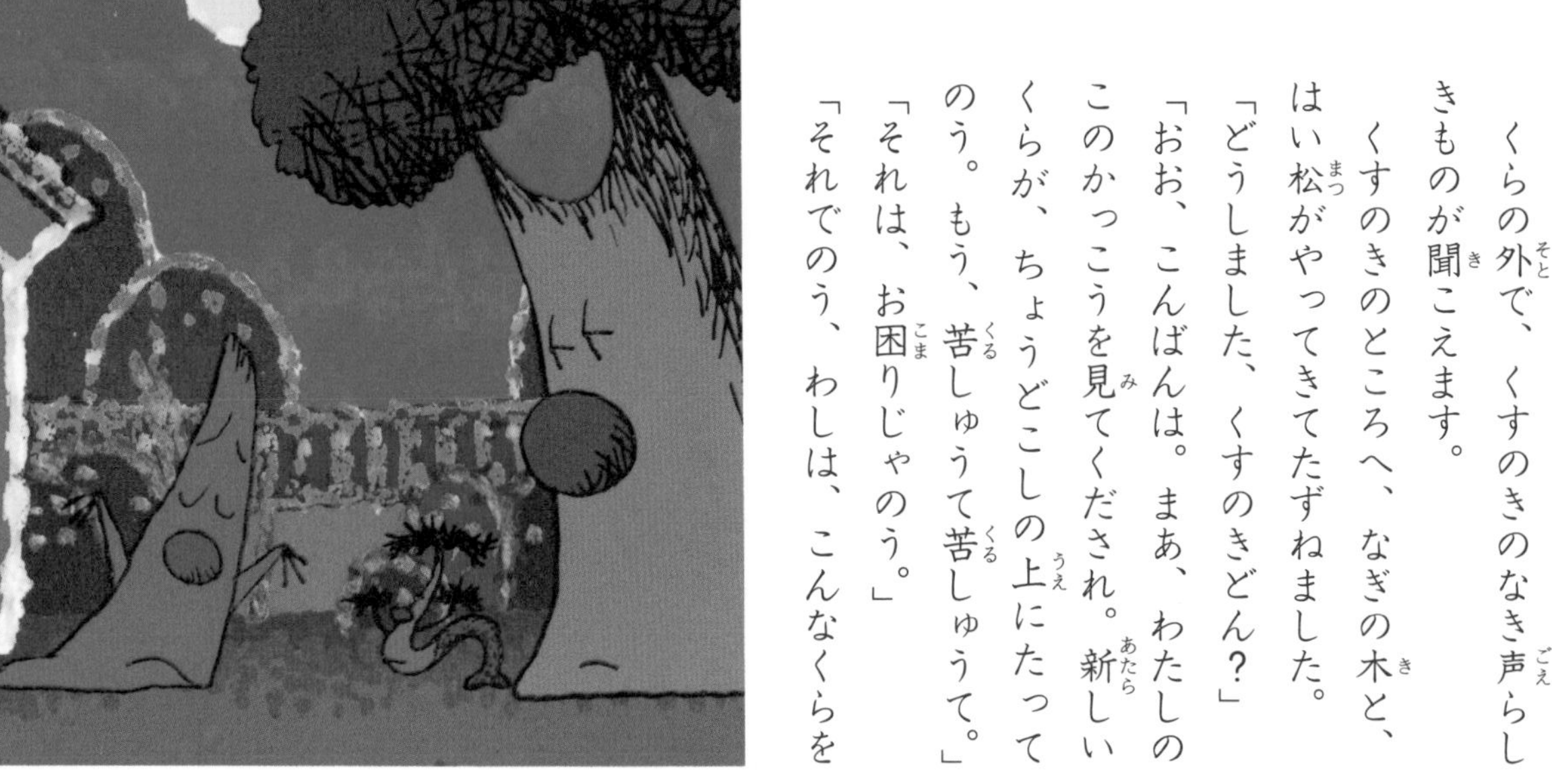

くらの外で、くすのきのなき声らしきものが聞こえます。

くすのきのところへ、なぎの木と、はい松がやってきてたずねました。

「どうしました、くすのきどん？」

「おお、こんばんは。まあ、わたしのこのかっこうを見てくだされ。新しいくらが、ちょうどこしの上にたってのう。もう、苦しゅうて苦しゅうて。」

「それは、お困りじゃのう。」

「それでのう、わしは、こんなくらをたてた長者どんをうらんで、長者どんの娘を病気にして、こまらせているんじゃ。」

くらの中のおじいさんは、くすのきたちのこの話を聞いて、すっかり安心しました。

（くらをどかしさえすれば、娘ごのやまいは、かならずよくなる。）

おじいさんは、つぎの日、長者どんにこのことを話しました。

長者どんは、すぐにくらの場所をかえることにしました。

「えんやこらしょ、どっこいしょ。」

それから何日かたって、くらの重みがとれたくすのきは、元気をとりもどし、青い葉をいっぱいしげらせたのです。

長者どんの娘ごも、すっかり元気になりました。

長者どんは大よろこびで、おじいさんにいっぱいおたからをおくりました。
「これは、きつねがくれたずきんのおかげじゃ。きつねの好物をなにか買ってやるべえ。」
おじいさんは、きつねの大すきな油あげをどっさり買って、山道を、えっちら、おっちら、帰っていきましたとさ。

（おわり）

# 幽霊の酒盛り

え〜、むっかしむかし、あるところに一軒のこっとう屋がございましてな。このこっとう屋、きょうはあいにく主人夫婦がるす。おいっ子の忠兵衛という男がるす番をしておりました。

お客がやってきました。さあ、どうなりますか。

「おじゃましますぞな。なにか、めずらしいものはないかな。」

と、いろいろなかけじくをひろげて見はじめました。

「ふむ、山水か、ちょっとへいぼんじゃな。ふうむ、書か。へたくそな字じゃ。どいつもこいつもありきたりでつまらん。」

そのとき、客の目がかがやきました。

「むむっ、こいつはめずらしい！　気に入った。このかけじくはいくらかの？」

それは、女のゆうれいの絵のかけじくでした。おじさんがただ同然で買ってきたがらくたでしたから、二十文ももらえば十分だと思って、忠兵衛は客に指を二本出して見せました。

「あのう……、二十……。」

忠兵衛がさいごまでいわないうちに、

「なに、二十両？　そいつは安い！」

と、客は大よろこび。

「え？　あ、あの……。」

目をぱちくりさせている忠兵衛に、客は、さいふをわたしていいます。

「いまは、持ちあわせがないので、手つけだけはらっておこう。のこりはあす持ってきますから、だれにも売らないでくださいよ。」

忠兵衛が、客を見送り、さいふの中を見てみますと……。

「うひゃあ、すごい大金！」

おじさん夫婦のるすのあいだに、思わぬ大金を手にした忠兵衛、すっかりうれしくなって、ゆうれいのかけじくを前に、一人で酒盛りをはじめたのでした。

「ちょっと店番をして二十両。笑いがとまらねえとはこのことだ。しかし、二十両と思って見ると、このゆうれい、なかなかの美人だな。」

そして、かけじくの中のゆうれいにむかって、

「おめえさんのおかげでかせがせてもらうのに、一人で飲んでちゃもうしわけねえ。おい、おめえさん、ちょっと出てきてしゃくでもしてくれや……、な～んちゃって。」

と、そのときです。夏だというのに、あたりがすうっとつめたくなり、風もないのに明かりが……ぱっと消え……、ふと気づくと、目の前に見知らぬ女の人が立っているのです。

「ん？　ま、まさか……。」

忠兵衛がかけじくを見ると、かけじくはもぬけのから、まっ白け。

「ぎゃあ！　で、出たあ！」

なんとまあ、ふしぎなこともあるもので、かけじくのゆうれいは、美人とほめられたのがうれしくて、おしゃくをしに出てきたのです。

はじめはこわがっていた忠兵衛も、美人のゆうれいのおしゃくで、すっかりいい気分。おまけにそのゆうれいの酒の強いこと。忠兵衛が歌えば、それにあわせてゆうれいがおどる。

二人は、夜どおし、飲めや歌えやのどんちゃんさわぎです。

つぎの朝、すだれからさしこむ朝の光で、忠兵衛は目がさめました。

「ふわ～。もう朝か……。しかし、へんな夢をみたもんだ。」

と、部屋を見まわし、おどろいたのなんの。かけじくの絵のゆうれいがねているではありませんか！

「ね、ねてる！」

忠兵衛は、ゆうれいを見ながら、なきそうな顔をしてつぶやきました。

「う～ん、困ったなあ……。早く起きてもらわないと、二十両がぱあになっちまうよう……。」

（おわり）

# しょじょ寺の狸ばやし

むかしむかし、山にかこまれた、しょじょ寺という小さなお寺がありました。

山にはたぬきがいっぱいいて、夜になると寺へやってきては、はらつづみを打ったり、あばれまわったりのいたずらのしほうだいでした。

おかげで、この寺にはおしょうさんがいつかず、寺はあれほうだい。

そのころ、一人の身分の高いおしょうさんが、この寺のことを聞いて、

「よろしい、わしがいってしんぜよう。」

と、しょじょ寺へやってきました。

「う～ん、聞きしにまさるひどさじゃ。」

あまりにもひどい寺のあれように、おしょうさんはあきれ顔。

「なんまいだあ～、なんまいだあ～。」

本堂からひさしぶりにお経が聞こえてきました。

うら山のたぬきたちは、顔を見あわせて、にやり。さて、そうなるとたぬきたちは、さっそく新しいおしょうさんを追いだす相談です。

たぬきの親分を中心にひそひそ話。

「おい、ぽん太とぽん子、いつものやつ、やってみろ!」

「へ～い!」

どろどろ、どろ～んのぱっ!

ぽん太とぽん子は、なにやらすがたをかえてしまいました。

「おう、みごとじゃ。はよういって、おどかしてこい。」

「へ～い!」

「なんまいだ～、なんまいだあ。」

お経をあげるおしょうさんのうしろに、そうっと近づいたぽん太は、ぬっと顔を出しました。

「ぎゃ～っ、あわわわ……。」

目の前にあらわれたのは、一つ目こぞう。そこへ、美しいむすめもあらわれて、

「おしょうさん、お茶をどうぞ……。」

といいながら、首をにょろにょろとのばしてきたではありませんか。

「た、た、たすけてくれ～っ。」

おしょうさんは、寺の石だんをころがるようにかけおりて、にげだしてしまいました。

寺の庭に集まったたぬきたちは、大わらいしながら、とくいになってはらつづみを打ちつづけておりました。

さて、つぎにあらわれたのは、力の強そうな、ごうけつおしょうでした。

おしょうが寺につくと、さっそくたぬきたちはおどかしにかかりました。

ところが……。

一つ目こぞうにばけたぽん太は、頭をコツンとなぐられ、むすめにばけたぽん子が、首をにょろにょろとのばすと、首をねじまげられるしまつ。

「うえ～ん、いたいよう～。」

二ひきは、なきなき帰っていきました。

たぬきの親分は考えました。

「う～ん、あのおしょう、なににばけてもこわがらん。そうだ、これだ！　一ばんじゅうはらつづみを打ちつづけるんだ。そうすればおしょうのやつ、ねむれなくなって、まいっちまうぞ。」

てなわけで、その夜もふけて、たぬきたちはいっせいにはらつづみを打ちはじめました。

ぐっすりねむっていたおしょう、さすがにその音で目をさましました。

むっくり起きあがって戸をあけると、

「こらっ！　庭であそんじゃいかん。」

たぬきたちはすばやくにげだして、木のかげにかくれてしまいました。

「こらっ、待てっ。こらっ、にげるな。たぬきたちのやつ、ばかにしやがって。」

おしょうは、庭じゅうたぬきを追いかけまわしましたが、たぬきたちのすばやさには、とてもかないません。

そのうち、石につまずいてころんで、目をまわしてしまいました。

こうしておしょうは、またまた、たぬきたちにやられてしまったのです。

さてさて、そのつぎにあらわれたのは、なんともきたないおしょうさん。

このおしょうさんは、きたないこの寺を、すっかり気に入ってしまいました。

「おう、しずかでいい寺じゃ。」  

たぬきたちは、さっそくこの新しいおしょうさんを追いだす相談です。

いつものように、まず一つ目こぞうのぽん太が出ていきましたが……。

「おう、これはかわいい一つ目こぞうじゃあ。どら、だんごでも食わんか。」

ぽん太はおしょうさんにだんごをもらって、とことこ帰ってきました。

こんどは、ぽん子ねえさんです。ところが、おしょうさんは大よろこび。

「さあ、一ぱいいこう。」

と、ぽん子にお酒を飲ませるしまつ。

たぬきの親分はおこりました。

「ようし、こうなったらあの手だ。」

というわけで、その夜、おしょうさんがねついたころ……。

物音で目をさましたおしょうさんが、戸をあけると、たぬきたちがせいぞろいして、はらつづみを打っています。

「わっ、こりゃおもしろい。わしもなかまに入れてくれ。」

ずいぶんかわったおしょうさんです。

庭におりてきて、たぬきたちといっしょにはらつづみを打ちはじめました。

ポンポコポンのポン！

ポンポコポンのポン！

どうも、たぬきたちの音とはちがうようです。

「わ〜い、なんだなんだ、その音は。わっはっはっは。」

たぬきたちに笑われて、おしょうさんはもう、いっしょうけんめい。

「よせよせ、はらがこわれてしまうぞ。」

たぬきの親分がとめるのも聞かず、おしょうさんはたたきつづけます。

そのうち、おなかをたたきつづけたおしょうさん、とうとうふらふらになってたおれてしまいました。

「そうれ、いわんこっちゃない。このままじゃ、かぜをひいてしまうぞ。おしょうさんを寺の中へ運んでやれ。」

おしょうさんを追いだそうとしたたぬきたちでしたが、おしょうさんをしんせつにかいほうしました。

つぎの日の朝。

「はて、わしはいつここへもどったんじゃろう。まあ、それはどうでもいいわ。もうすこしはらつづみがうまくならんといかんな。」

というわけで、おしょうさんは、朝早くからはらつづみの練習をはじめました。

「強くたたけばいいってもんじゃねえな。こつじゃよ、こつ。そいつをおぼえねば……。」

おしょうさんは、昼めしもそこそこに、またはらつづみのけいこです。

やがて、おてんとさまが、西にかたむくころ、おしょうさんのおなかは、かなりいい音が出るようになっていました。

さて、今夜は満月です。

おしょうさんもたぬきたちも、早くから寺の庭にせいぞろいして、みんなで楽しくはらつづみです。

ポンポコポン、ポンポコポン。

ポンポコポンの、スッポンポン。

おしょうさんのおなかの音がずいぶんよくなったので、たぬきたちも負けてはいられません。

「おしょうさんに負けるな、負けるな。」

と、ひっしでおなかをたたいているうちに、たぬきの親分のおなかは、どんどんふくれていきました。

それでもたたきつづけます。


パ〜ン！

とうとうおなかがはれつして、たぬきの親分は、ひっくりかえってしまいました。

「こりゃ、たいへんじゃあ！　薬、薬。」

おしょうさんは、大いそぎで薬を持ってきて、たぬきのおなかにぬってやりました。

「どうだ、ぐあいは……。」
心配そうにたずねるおしょうさんに、たぬきの親分はにっこりしていいました。
「おしょうさんのおかげで、もうなおったよ、さあて、つづきをやるぞうっ。そうれっ、あいてて……。」

たぬきの親分は、うでをふりあげましたが、まだむりのようです。

「つぎの満月までしんぼうしなさい。みんな、今夜は親分のおなかが早くなおるよういのって、元気よくやろう。」

こうして、たぬきたちとゆかいなおしょうさんは、朝まで元気よくはらつづみを打ちつづけました。

そして、しょじょ寺というこのお寺では、いまも満月の夜には、たぬきたちが庭に集まって、はらつづみを打つという話ですよ。

（おわり）

# おいてけ堀

むかしむかし、あるところに、おいてけ堀とよばれるお堀がありましたそうな。

このお堀でこいやふなをつって帰ろうとすると、お堀の水の中から、

「おいてけ……、おいてけ……。」

という、きみのわるい声がしましたそうな。

それでも、魚を持って帰ろうとすると、その声はだんだん大きくなって、ついには、

「おいてけ！」

あたりにひびきわたる大声になりましたそうな。

そんなことが重なって、人々はこのお堀のことを、おいてけ堀とよぶようになり、だれもよりつかなくなりましたそうな。

ところが、なんとも気の強い魚屋のとっつぁんがおりましてな。

「べらぼうめ、おいてけ堀がこわくて、魚屋をやってられるかい。」

と、魚をつりに、このお堀にやってきたのでした。

さっそくつり糸をたらすと、ほんのいっときのあいだに、数えられないほどのこいやふながつれましたそうな。

魚は、たらいいっぱいになりました。

「そろそろ引きあげるか。」

えっこらしょっと立ちあがりました。

とたんに、お堀の水面がブクブクとあわだちはじめたのです。

「おいてけ～。」

聞こえてきました。あの声が……。

「おいら、なにも聞こえねえ。さいなら！」

とっつぁんは走りだしました。

「おいてけえ～っ。」

まだ聞こえます。

とっつぁんは、走って走って走りつづけました。やっと、あの声が聞こえなくなったと思ったら、なにやらげたの音が聞こえてきましたそうな。

カラーン、コローン。

カラーン、コローン。

その音は、だんだん近づいてきます。

そして、やなぎのえだのところでぴたりととまりましたそうな。

そして、すっとあらわれた、美しい女の人。その女がいいました。

「これ、その魚を、わたしに売ってくださいな。」

「売らねえ。だれにも売らねえ。」

とっつぁんがこういうと、女の人のたいどががらりとかわったそうな。

「どうしてもかえ？　これでもかえ？」

と、つきだした顔は、のっぺらぼう。 

「ふぎゃあ〜っ。」

とっつぁんは、せっかくつった魚をほうりだして、にげだしてしまいましたそうな。


むちゅうでにげるうち、夜なきそばの屋台の明かりを見つけたとっつぁん、よろよろとかけこみました。

「お、おやじ、水をくれ。水を……。出たんだよ、あれが、あれが！」

「あれがじゃわかりませんよ。だが、もしかすると、あれというのは、こんなやつじゃありませんでしたかね。」

そういいながら、ふりかえったおやじの顔は、これものっぺらぼうでありましたそうな。

「ひ〜っ。」

とっつぁんは、こしをぬかしてしまいました。

それでもとっつぁんは、やっとのことで、家にたどりつきましたそうな。

「おや、おまえさん、元気がないね。」

「で、出たんだよ、あれが！」

「あれがじゃ、わかりませんよ。」

おかみさんがこういったときです。

「も、もしかしたら、こ、こいつも？」

とっつぁんは、ちらっとおかみさんのほうをぬすみ見しました。

「もしかして、出たというのは、こんなやつじゃなかったのかい？」

おかみさんが、顔をつるりとなでると、のっぺらぼう。

「やっ、やっぱし！」 

どういうわけか、おかみさんまでのっぺらぼうになってしまって、とうとう、とっつぁんは気をうしなってしまいましたそうな。

とたんにおかみさんのすがたは消えて、とっつぁんはお堀のそばのはか場でひっくりかえっておりましたとさ。

（おわり）

# たにし長者

むか～しむかし、あるところに、子どものいない夫婦がおったそうな。

二人はもう若くはなかったが、それでもあきらめずに、子だからがさずかりますようにと、毎日毎日、水神さまにおまいりしておねがいしておった。

「どうか、子どもをおさずけくだせえ。」

「どんな子でも、たとえたにしのような子でもかまいません。」

そのねがいが通じたのか、ある日、おかみさんがきゅうに産気づいた。

ふたりは大よろこび、いそいでさんばさんをよんだ。

待ちに待った子どもが生まれた！

男の子じゃろうか、女の子じゃろうか、胸をはずませてわが子を見ると……。

な、なんと！

「た、たにしじゃないか。」

たまげたのなんのって、生まれたのは、ちっこいちっこいたにしじゃった。

「たしかに、たにしのような子でもええというたが、ほんとうにたにしが生まれるとは……。」

「でも、かわいいのう……。」

夫婦は、これは水神さまの申し子だとばかり、だいじにだいじに育てることにしたと。

二人は、たにしの子どもに、元気に育ってくれといのりながら、せっせとごはんを食べさせた。

たにしは、出されるままにごはんをいっぱい食べたが、やはり、たにしはたにし……。いつまでもたにしのまんま。

なにかしゃべっておくれといのりながら、読み書きを教えてみたが……、やはり、たにしはたにし。いつまでたってもたにしのまんまだった。

こうして、二十年という月日がたった。夫婦は、すっかりおじいさんとおばあさんになったが、たにしはあいかわらず、ちっこいたにしのまんまだったと。

さて、きょうは長者さまのところに、ねんぐ米をおさめる日。

重い米だわらを馬にのせながら、年とった夫婦はため息をついた。

「やれやれ、生まれてきた子どもが、

たにしでのうて、息子だったればなあ……。いまごろわしらに楽させてくれてるだろうに……。」

と、ついぐちが出てしもうた。

そのとき、足もとで小さな声がした。

「おとう、おかあ。」

「だ、だれじゃ。」

「たにしの息子だあ。」

はじめて息子がしゃべった！

あまりとつぜんのことだったもんで、二人が、ぽか〜んとしておると、たにしの息子はいった。

「長いあいだ、くろうをかけたなあ。きょうからは、おらがはたらいて二人を楽にさせてやるからな。」

そして、おとうとおかあにむかい、てきぱきと指示をするんじゃ。

「馬に米だわらをのっけたら、その上におらをのせてくれや。」

たにしの息子は馬の上の米だわらにのって、一人で長者さまの家に出かけていった。

「はいはい、足もとわるいぞ。そうじゃ、そうじゃ。はい、どうどう。」

米だわらの上から声をかけるたにしの息子、なかなかの馬さばきじゃ。

これを見た村のものたちは大さわぎ。

「あんれ、あの馬、だれもたずなをとってねえのによ……。」

長者さまの家でも、たにしがねんぐを持ってきたといって大さわぎ。

長者さまは、めずらしがってたにしの息子を家にあげ、ごちそうした。

「こんどは魚をどうじゃ。それともめしをくうか？」

「めし！」

「ほほう、よしよし。」

長者さまは、このたにしの息子が、すっかり気に入ってしもうた。

「のう、たにしの息子や。わしの二人の娘のうち、どちらかをよめにせんか。そうすりゃ、おまえはわしの息子じゃ。わしは、まえからおまえのようなめずらしい息子をもちたいと思っとったんだが……。どうじゃ？」

たにしの息子は、長者さまの息子になれば、金持ちになって両親に楽させてやれると、よろこんでしょうちした。

その夜、長者さまが、二人の娘にたにしの息子のことを話すと……。

「なにい、たにしのよめになれって！　ばかをいわねえでくれ。いくらとっつぁまのいうことでも、それは聞けんな。」

姉娘は、ぷんぷんおこって部屋から出ていってしもうた。

気のやさしい妹娘は、こういうた。

「とっつぁま。おら、よめにいきます。あのたにしの息子は水神さまの申し子だで、ふつうの人よりはきっといいことがあると思うだ。」

「そうか、よめにいってくれるだか、たにしのところへ。」

こうして長者さまの妹娘は、めでたくたにしの息子のところへおよめ入りした。なにせ、長者さまの娘。たいへんなよめ入り道具じゃ。おかげで、たにしの息子の両親は、たいそうなもの持ちになったと。

よめさまは、毎日たにしのていしゅをつれて田んぼに出かけた。そして、ていしゅを田んぼのはしっこにちょこんとおいて、よめさまはせっせと、よくはたらいた。

はらをすかせたからすが、たにしをつまみにくると、よめさまはいっしょうけんめい追いはらって、たにしのていしゅを守るのじゃった。

このよめさま、こんなふうに心やさしいうえにはたらきものだったから、たにしのていしゅも、としより夫婦もそりゃあ、しあわせじゃった。

こうして一年の月日がたち、きょうは薬師さまのおまつり。よめさまは、たにしのていしゅとまつり見物をしようと、ていしゅをおびの間にはさんで出かけた。ちんじゅさまの近くまでくると、よめさまは、たにしのていしゅにいった。

「おまえさま、おら、ちょっと用事があるで、一人でいかしてもらえるかね。」

よめさまは、たにしのていしゅをなんとか人なみにしてあげたくて、一人で願かけにいきたかったんじゃ。

「ああいいとも。一人でいくがええ。おらを、田んぼのふちにでもおいてくれろや。」

たにしのていしゅがそういうと、よめさまはていしゅを田んぼのへりにおいて、

「からすにつまれんようにな。」

と、一人で願かけにいった。

これを見ていたのが姉娘。姉娘は、田んぼのふちにくると、たにしのすきなえさをまいた。

「たにし出てこい、えさをやろ。
たにし出てこい、えさをやろ。」
すると、田んぼじゅうのたにしが、ざあっと集まってきたもんで、たにしのていしゅは、たくさんのたにしにうもれて、見わけがつかなくなってしもうた。

姉娘は、こんどは木の上のからすを見あげていった。

「からす、出てこい、たにしやろ。からす、出てこい、たにしやろ。」

それを聞きつけたからすたち、ばさばさとおりてきて、たにしをつつきはじめた。あわててにげまどうたにしを見て、姉娘は大わらい。

と、そこへかけつけた妹娘。

「おまえさま、おまえさま！」

その声を聞いて、姉娘は、さっと木のかげにかくれた。

「おまえさま！ ごぶじですかの？ しっしっ、これ、からすども、つっつくならおらをつっつけ。おらのていしゅどのはつっつかないでおくれ！」

と、たにしの上にはいつくばって、ひっしでたにしのていしゅを守った。

そのときじゃ。ボカンと音がしたかと思うと、おびの下のたにしが大きくなり、よめさまはひっくり返った。

よめさまが、なにごとかと起きあがると、そこには、見たこともない若者が立っておった。

「お、おまえさまは……。」


「おら、おまえのていしゅだよ。」

よめさまの愛が通じたか、いのりが通じたか、たにしはりっぱな若者になったんじゃ。こうして二人は、手をとりあって、あきないをはじめた。たにしのていしゅのことは、たいへんなひょうばんとなり、店は大はんじょう。たにし長者とよばれ、末長くしあわせにくらしたそうな。


（おわり）

# 太助とお化け

むか〜し、あるところに、古ぼけたお寺があったそうな。

このお寺には、秋風がふくとともにばけものがあらわれるというので、村人たちはたいそうこわがって、昼間っから、家にとじこもったままじゃ。

これではいかんと、みんなは集まって相談した。

「ほんとうにこまったのう。だれぞ、寺にいってばけものをたいじしてくれるものはおらんかのう。」

ちょうどそのころ、富山から薬売りがやってきた。

太助というかしこそうな若者じゃった。

「おかしいなあ。この村は、いったいどうしたんじゃあ。」

太助は一軒の家の戸を開けた。

「こんちは〜。薬はいらんかね〜。」

「薬どころではねえだ。」

太助は、村人たちがばけもののために畑仕事にも出られず、こまっていることを聞いた。

そこで太助は、胸をドン！　とたたいて、こういうたんじゃ。

「わたしは、毎年みなさんに薬を買ってもらっております。そのお礼をさせてくだせえ。ここは、わたしにまかせて。ばけものをたいじしますで。」

というわけで、夜になるのを待って、太助はお寺へ出かけていった。

秋の夜はしずかにふけて、物音ひとつしない。太助が大きなあくびをして、こっくりこっくり、いねむりをはじめたときじゃった。

白いふわっとしたものが太助の目の前にあらわれた。

とうとうあらわれた、ばけものじゃ。

「この寺にひとりであらわれるとは、見上げたどきょうじゃ。おまえはわしがこわくはないのか？」

「ああ、こわくなんかないわい。」

ばけものは、すこしもこわがらない太助にはりあいがない。

「ははは、おもしろい小僧じゃ。この世にこわいもんはなにもないのか？」

「ああ、なにもないわい！」

といいながらも、太助はひやあせをたらたら流している。

「ほれ、見い。やっぱりこわいんじゃろう。それでいいのじゃ。お化けであるわしだって、こわいものが、たった一つあるのじゃからな。」

「なに？　おばけのおまえがか？」
「ある。じゃが、おまえがいちばんこわいものをいったら、教えてやってもええが……。」
「わしがこわいのは、ぜにじゃあ。で、おまえのこわいものはなんじゃ？」
「わ、わしか。わしはなすじるじゃあ。」
「なすじるがこわいなんて、おかしなおばけじゃなあ。」
「おまえはぜにがこわいとな。へっへ。わかったぞ、わかったぞ。」

つぎのばん、太助は、お寺のいろりに大きななべをかけて、集めたなすを山ほどにながら、おばけのあらわれるのを待った。

ゆうべと同じころ、おばけは大きなふくろをかついでやってきた。

「小僧、おまえのこわいぜにをやるぞ。」

「こ、小判がこわ〜い！」

太助がにげだすと、おばけは小判をなげつける。たちまち部屋じゅうが小判でいっぱいになった。

と、こんどは太助がおばけになすじるをふりかけた。

「そうれ、おまえのこわいなすじるじゃ。そうれ、なすじるじゃ。こわいぞう！」

「ひい〜っ。」

おばけは、悲鳴をあげながら、庭の中をにげまわり、やがて大きな木にしがみついた。

太助は、ここぞとばかり、おばけになすじるをなべごとあびせかけた。

するとどうじゃろう、おばけは大きなきのこにかわってしまったそうな。

そうして、小判は小さなきのこにかわった。

こうして、おばけをたいじした太助は、村人たちからたいそうかんしゃされ、薬もずいぶん売れて、またつぎの村へとむかった。

あの大きな木についたままのきのこは、寺のたからものになった。

それからじゃそうな。きのこじるになすを入れると、中毒にならないといわれるようになったのは。（おわり）

# 一休さん

むかし、京の都のはずれに、安国寺というお寺がありました。

このお寺には、一休さんというたいへんかしこくて、とんちのきく、小ぼうずがおりました。

一休さんの頭のよさといったら……、こんな話があるんです。

この寺のおしょうさんは、あまいものがだ〜いすきでした。

おしょうさんは、小ぼうずたちを部屋にさがらせたあと、一人でこっそり、つぼにはいった水あめをなめるのが、なによりも楽しみでした。

それを知った小ぼうずたちは、なんとかして、その水あめをなめてみたいものだと、うらめしく思っていました。

ある夜のこと、小ぼうずたちがしょうじのあなからのぞいているとも知らず、おしょうさんは、いつものように水あめをなめていました。

部屋の外では、小ぼうずたちがおしあいへしあいしたもので、パリン！と、しょうじがやぶれてしまいました。

「だ、だれじゃ、そこにおるのは。」

おしょうさんは、おどろいていいました。

小ぼうずたちは、にやにやしながら部屋へはいっていきました。

「おしょうさま、そこにお持ちのものは、なんですか。」

おしょうさんのあわてたこと。

「こ、これか？　これは、その、なんじゃ、ど、毒じゃよ。」

「毒？」

「そ、そうじゃ、おとなはなめてもよいが、子どもがなめると死んでしまうという、毒なんじゃよ。」

そんなことで、だまされる小ぼうずたちではありません。おしょうさんがうそをついているのは、わかっていました。

そこで一休さん、いいことを思いつきました。

つぎの日、おしょうさんがお出かけになったあとのこと、一休さんはみんなにいいました。

「ねえ、みんな。この水あめ、ぜ〜んぶなめちゃっていいよ。」

「おしょうさまにしかられるよ。」

「だいじょうぶ。わたしにいい考えがあるんだ。それじゃ、まず、わたしがお毒見。……うん、こりゃあうまい！」 

みんなも、まちきれないように水あめにとびついて、ぺろり、ぺろり。

あっというまに、水あめのつぼは、からっぽになってしまいました。

さて、一休さんはどうするつもりなんでしょう。

夕方になって、おしょうさんが帰ってみると、一休さんがないています。


「え〜ん、え〜ん。ええ〜ん。」

「はて、どうしたのじゃ。一休、なにをないておる？」

そこで、一休さんはいいました。

「はい、おしょうさま。わたしはわるいことをしてしまいました。それで死のうとしたのですが、どうしても死ねないのです。」

「なに、死ぬじゃと！　して、どんなわるいことをしたのじゃ？」

「はい、おしょうさまがだいじにしていらっしゃるすずりをわってしまったのです。それで、もうしわけなさに、死んでおわびをしようと、つぼの中の毒をぜんぶなめたのですが、それでも死ねないのです。」

「むむむ……。」

水あめを毒だと、うそをついたのはおしょうさんです。

一休さんをしかることもできず、おしょうさんは目を白黒させるばかり。

こんなこともありました。

おしょうさんは、碁がおすきで、小間物屋の太平さんを相手に、まいばんのように碁を打っておいででした。

ところが、小ぼうずたちには、これがなやみのたね……。というのも、太平さんが帰るまで、自分たちもねむることができなかったからです。

そこで一休さんは、寺の門に、こんなはり紙をしました。

「けものの皮を着た人は、寺の中へはいってはいけません。」

これは、太平さんがいつも毛皮のちゃんちゃんこを着ているからです。

ところが、とんちには自信のある太平さん、すましてお寺にはいっていきました。

「太平さん、門のはり紙はお読みになりませんでしたか？　太平さんは、毛皮のちゃんちゃんこを着ておいでなのに、どうしてはいってこられたのですか？」

　一休さんがとがめると、太平さんは、ここぞとばかりにいいました。

「それなら、寺の中にあるたいこはどうです？　たいこはけものの皮ではありませんか。たいこがあるのに、なぜわたしがはいってはいけないのでしょう。」

　これで一休さんがぎゃふんとなると思ったら、大まちがい。

「それなら、太平さんはたいこなんですね。たいこは、いつもばちでたたかれております。それっ、みんな、太平さんを、たたいてさしあげろ！」

　一休さんは、ばちをふりかざして、太平さんを追いまわしました。


　とんちで一休さんをやりこめてやろうと思ったのに、ぎゃくにまんまとやりこめられて、太平さんは、くやしいやらはらがたつやら。

　なんとかして、しかえしをしたいと思った太平さんは、あるとき、おしょうさんにごちそうをしたいから、一休さんといっしょにきてほしいと、手紙を出しました。

　二人が、太平さんの家の近くの橋の前までくると、なにやら新しい立てふだがありました。

「『このはしをわたらないでください。』なんじゃ、これは？」

　橋をわたらないで、どうやって太平さんの家にいくか、一休さんには、どういうことか、すぐにぴんときました。

　一休さんは、おしょうさんの前に出て、どうどうと橋のまん中をわたっていきました。

「これこれ一休さん、わたるなという立てふだを見なかったのですか。」

　太平さんがとがめると、一休さんはすまして答えました。

「はい。ですからはしではなく、まん中をわたってまいりました。」

「橋とはし。なあるほど！」

　太平さんは、一休さんのとんちに、すっかりかぶとをぬぎ、二人を気持ちよくもてなしたそうです。

さて、京の都では、一休さんのとんちのことがすっかり有名になり、将軍さまのお耳にまでとどきました。

ある日、一休さんとおしょうさんは、将軍さまにまねかれました。

「そちがとんちの一休か。きょうはひとつ、わしのねがいを聞いてもらいたい。
そこのびょうぶの絵のとらが、夜な夜なびょうぶをぬけだし、わるさをしてこまるのじゃ。このとらをしばりあげてほしいのじゃが。」
これは将軍さまのちえだめしです。

そんなことができるものかと、おしょうさんはあおくなりましたが、一休さんは、きりりとはちまきをしめて、

「しょうちいたしました。では、とらをしばるなわをおかしください。」

と、さけびました。

そして、なわを持って、びょうぶの前に立つと、

「とらがそこであばれますと、将軍さまにごめいわくがかかります。とらを、ここまで追い出してください！」

これには、将軍さまもびっくりしました。

「なんじゃと。これ、一休、絵にかいたとらを、追い出せると思うか？」

すると、一休さんも将軍さまにいいました。

「絵にかいたとらを、しばれると思いますか？」

「う、うむ！　なるほど、うまい！一休、あっぱれじゃぞ！」

一休さんは、こうしてみごと、将軍さまの難題にこたえました。

都の人たちはこのうわさを聞いて、大よろこびしたことは、いうまでもありません。

そして、とんちの名人、一休さんは、その後おとなになってから、「一休禅師」という、とてもえらいおぼうさんになりましたとさ。（おわり）

# 二人の甚五郎

むかし、飛騨の山おくに、佐吉という、彫り物のとてもじょうずな男がすんでいました。

あるとき、佐吉はうでだめしをしようと、彫り道具をせおって旅に出かけました。

ところが、生まれてはじめての旅なので、いろいろまごつき、尾張の国までできたときは、とうとう持っていた旅費をすっかり使いはたしてしまいました。

宿の支払いにもこまった佐吉は、宿の主人になにか彫り物をさせてほしいとたのみました。

「よし、それじゃ、宿代のかわりに、なにか彫っておくんなさい。」

主人がゆるしてくれたので、佐吉はさっそく彫りはじめました。

よく朝、佐吉はみごとな大黒さまを宿の主人に差し出しました。

「彫る木が手元になかったもので、このへやの大黒柱をくりぬいて使わせてもらいました。おゆるしください。」

おどろいたのは宿の主人です。大黒柱を調べてみてもきずひとつ見当たりません。それなのに、佐吉がポンと手をたたくと、柱の木がはずれ、なるほど中は空洞です。

すっかり感心した宿の主人は、佐吉のことを、そのころ日光東照宮の造営にたずさわっていた彫り物名人、左甚五郎に知らせました。

甚五郎は、さっそく佐吉をよびよせ、

「おまえのとくいなものを見せてくれ。」

といいました。

そこで佐吉が彫ったのは、いまにも動きだしそうなみごとな仁王さまです。

甚五郎はすっかり感心して、佐吉を東照宮の造営に参加させることにしました。

「わたしは、りゅうを彫ろう。佐吉、おまえは山門のねこを彫れ。」

左甚五郎にみとめられたうれしさに、佐吉はこれが自分のしょうがいの仕事と思い、力いっぱい彫りつづけました。毎日毎日、彫りつづけ、とうとう山門のねこはほりあがりました。そして、甚五郎やほかの弟子たちの仕事もすべておわり、東照宮は、かんせいしました。

検分の役人たちも、そのみごとさには、ただただおどろくばかりでした。

甚五郎をはじめみんなは、たいそういい気分になり、その夜は酒やごちそうでおいわいです。

心ゆくまでお酒を飲み、歌い、そのうちつかれたみんなは、もりだくさんのごちそうにもほとんど手をつけず、グーグーねむってしまったそうです。

ところがそのよく朝、みんなが目ざめてみるとどうでしょう。

あれほどたくさんあったごちそうが、一ばんのうちに食いちらされているのでした。

「おまえが食べたんじゃろうが。」

「とんでもない、おまえこそ……。」

弟子たちのいいあらそいを聞くうちに、甚五郎と佐吉は、はっと顔を見合わせました。

甚五郎は、のみと木づちを持ち、山門へといそぎました。佐吉もだまってあとを追います。

山門へきてみると、はたして佐吉の彫ったねこが、ごちそうを食いちらしたらしいあとがあります。

甚五郎は、くわっと目を見開き、カーンと、のみと木づちをふるいました。その一刀のもとに、佐吉のねこはねむりねこになってしまいました。佐吉は、甚五郎のうでのあまりのすごさに、思わず、地面にひれふしました。

「左甚五郎先生!」

甚五郎は、佐吉のかたに手をおき、しみじみといいました。

「佐吉よ、おまえはむかしの飛驒の匠よりすぐれた、真の名人じゃ。これより、わしの名をとって、飛驒の甚五郎と名のるがよい。」

「はいっ、ありがとうございます。」

佐吉の彫ったねこは、あまりの生きのよさのために、夜中に山門をぬけだして、ごちそうや魚を食べていたのです。そのあと、このねこは、「日光東照宮のねむりねこ」として、とてもひょうばんになりました。それにつれて、飛驒の甚五郎の名まえも、たいへん有名になったということです。（おわり）

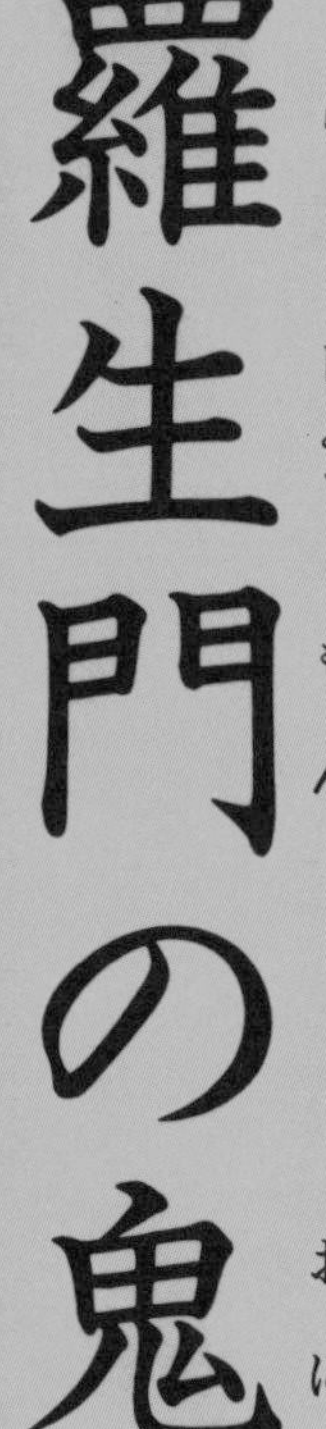
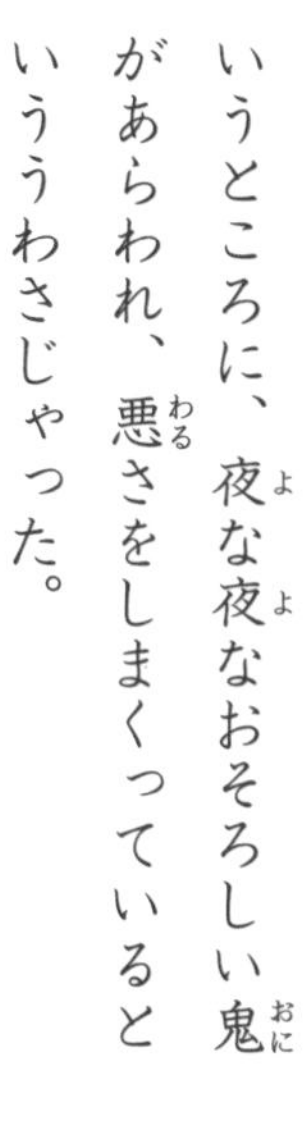

# 羅生門の鬼

むかあし、いまからおよそ千年いじょうもむかし。京の都につたわる、おそろしい鬼の話じゃよ。

「酒呑童子」の話を知っておろう。

大江山という山にたてこもり、都へあらわれては、さんざん悪いことを重ねた鬼じゃったが、この「酒呑童子」をせいばつしたのが、あの有名な源頼光の家来、四天王といわれる、渡辺綱、卜部季武、碓井貞光、坂田金時、の四人じゃった。いずれおとらぬゆうかんなものたちだった。

この四人が山ぶしすがたに身をかえて、大江山にたてこもる酒呑童子をみごとにせいばつし、都にはもとのくらしがもどった。

それからしばらくしたある夜、この四人があつまって酒をのんでいた。

むしあつ～い夏の夜のことじゃった。

そのころ、京の都では、羅生門というところに、夜な夜なおそろしい鬼があらわれ、悪さをしまくっているといううわさじゃった。

「おのおのがた、どう思われるかの？」

大将格の貞光が口火をきった。

「鬼か、それはありうることじゃ。」

「う～ん、おるかもしれんのう。」

季武と金時は、そういってうなずいたが、もっとも年のわかい渡辺綱だけは、むきになって反対した。

「まさか、鬼は大江山でぜんぶたいじしたじゃありませんか。」

しかし、とりのこしということがあるかもしれん、と話はあれこれわかれたが、それならいっそ、羅生門にいってたしかめてみよう、ということになったんじゃ。

そうして、その代表に、渡辺綱がえらばれた。

なかまの三人は、渡辺綱にこんなことをいうたんじゃ。

「いいか。ほんとうに羅生門へいったかどうか、しょうこに高札を立ててこい。」

外は、いつのまにか生あたたか～い雨がふっておった。その中を綱は、馬に乗って出かけていった。

そのうち、遠くに羅生門が見えてきた。黒々とそびえたつそのすがたは、さすがにきみわるく、なんともおそろしそうじゃった。

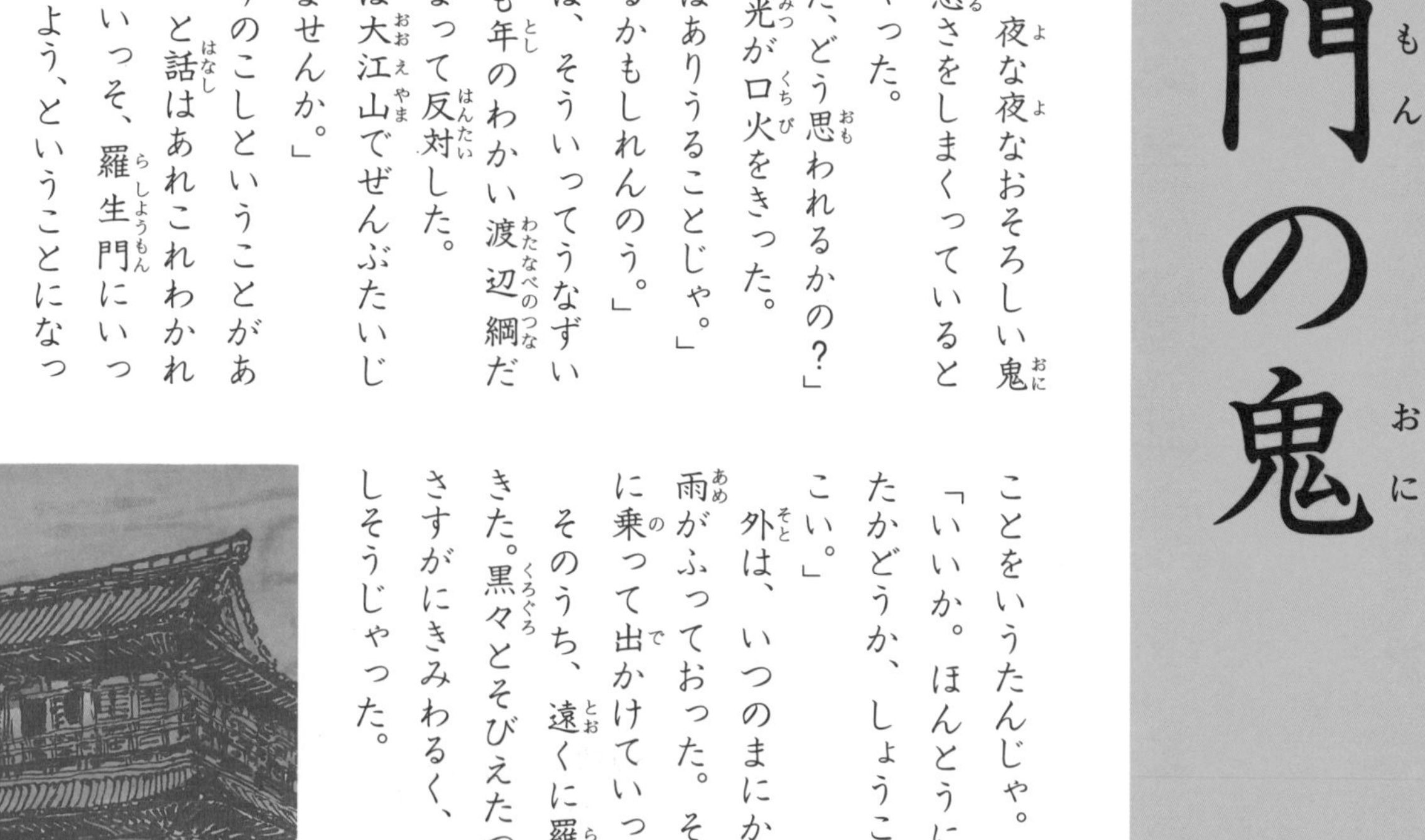

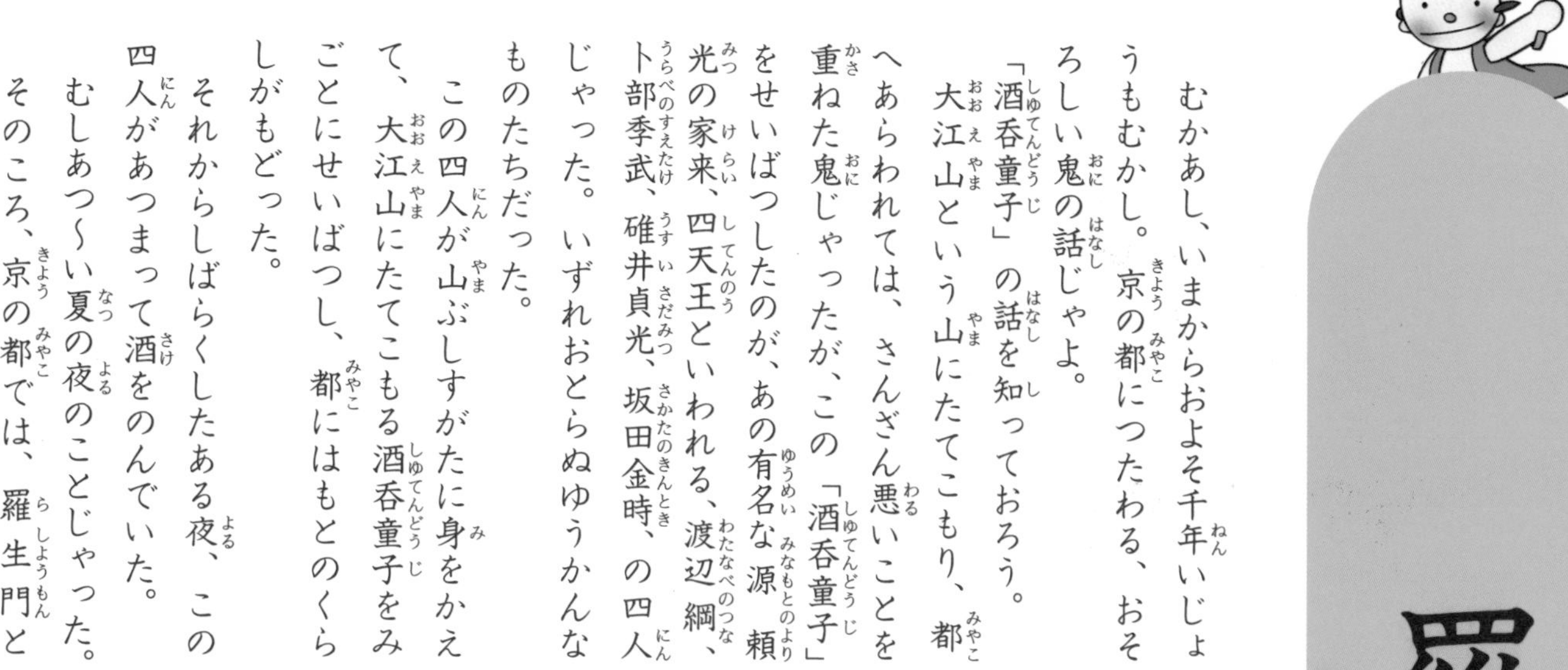

綱は、羅生門に近づくと、しばらく楼門を見上げておった。だれかがかくれているようにも思えて目をこらしてみたが、だれもおらん。

「ふん、だ〜れもおらんじゃないか。みな、うわさを聞いてびくびくしとるだけじゃ。」

綱は、鼻先でわらうと、やくそくの高札を羅生門の門前にうちたてた。

「渡辺綱、やくそくによりて羅生門、門前に参上す。」

こうして、綱が高札を立てて帰ろうとしたときじゃ。ふと、人の気配を感じて後ろをふりむいた。

すると、暗い柱のかげに、一人のわかい娘が立っておったんじゃ。

(はて……、こんな夜ふけに、わかい娘が一人でどこへいくのじゃろう?)

ふしぎに思った綱がたずねると、娘はこういうんじゃ。

「はい、わたしはこれから五条の父のところへもどらねばなりませぬ。でも、雨はふるわ、道はぬかるわで、こまっていたのでございます。」

「ほほう、五条ならわたしの帰るほうこうと同じじゃ。それならいっしょに、この馬に乗っていかれるがよい。」

そういって、綱が娘に手をさしのべたときのことじゃ!

「ぎゃっはっはっははは……。」

とつぜん、娘は鬼のすがたにかわったかと思うと、ものすごい力で綱の首をしめつけた。

「ぎゃっはっはっははは……。」

そして、手をはなすと、あっというまに空中高くまいあがったんじゃ。

「う〜ん、おのれ。きさまが羅生門の鬼であったか。」

と、刀に手をかける綱。

「はっはっは、いまさらじたばたしたって、おそいわい!」

と、いまにもおそいかかりそうな鬼。

綱は、鬼のいっしゅんのすきをついて、そのうでめがけて切りつけた。

「え〜いっ!」

「ぎゃあっ!」

綱の刀は、鬼のうでを、みごとにすぱっと切り落としたのじゃった。

「う〜む、く、くそ〜っ！　綱よ、おぼえておれ。そのうで、七日間だけきさまにあずけるわい！　その間に、かならずとりもどしにいくからな〜っ！」

鬼は、そうさけぶと、空高くまいあがっていった。

その鬼のうでというたら、それはもうすごいものじゃった。はがねのようなごつごつした太いうでに、はりのような毛が一面にはえておった。

そのうでをなかまに見せると、なかまたちは口ぐちに綱をほめたたえた。

じゃが、綱は、このうでを七日間、鬼から守らねばならん。どんなことがあっても、守らねばならん。
綱は七日のあいだ、警護をげんじゅうにし、家にとじこもった。鬼のうでは、がんじょうな木の箱に入れ、昼も夜も綱自身がこれを見守ったんじゃ。
そうして、なにごともなく七日めをむかえた。
七日めの夜は、月の美しいさわやかな夜じゃった。その夜、一人の老婆が、綱の家をおとずれた。

老婆がいうには、自分は綱のおばにあたるもので、はるばる難波から綱をたずねてきたとのこと。

家来たちは、一度はことわったが、老婆はひっしになっていうんじゃ。

「綱に会いたい一心で、わざわざ難波からきたのじゃから、おねがいしますよ。」

それでも中に入れないでいると、

「今夜じゅうに会わねば、またいつ会えるとも知れぬ身、どうかこのばばのねがいを聞きとどけてくだされ。」

と、なきだすしまつ。

こうして老婆は、とうとう綱のやしきにはいってしもうた。

「綱や！　おぼえておいでかい？　おばさんじゃよ。おまえを子どものころ、母親がわりに育てたおばさんじゃよ。ところで、どうしたのじゃ？　もののしい。なにか悪いことでもあったのかい？」

綱はそういわれても、おばさんのことをなかなか思い出せなんだが、それでも問われるままに、羅生門の鬼のことを話して聞かせたのじゃった。

老婆はたいそうよろこび、なみだぐんでいうた。

「そうかいそうかい、たとえ育ての子とはいえ、そのようなてがらを立ててくれたとはのう……。うれしゅうてならんわ。ところでのう、綱や。その鬼のうでとやらを一目だけでも見せてはくれぬかのう?」

さすがに綱も、それだけはことわった。

「あすならまだしも、今夜箱をあけるわけにはいかんのじゃ。」

すると老婆は、悲しそうな顔をした。

「じゃが、わたしは今夜じゅうにどうしても難波に帰らねばならん。」

こういわれて、さすがの綱も心がゆるんでしもうた。

「それならば、ちょっとだけ……。」

綱は、子どものころ世話になったというおばさんのため、箱を開いて、中から鬼のうでをとりだした。

「おばさん、これが鬼のうでです。」

「ほほう、なんともすごいうでじゃのう……。どれどれちょっとさわらせておくれ。」

綱が老婆に鬼のうでをさしだしたときのことじゃ。

なんと! 老婆のやさしそうな顔は、みるみるかわり、あのおそろしい羅生門の鬼の顔となったんじゃ。

「ぎゃっはっはっは。綱よ、よいか! 七日めの夜、このうで、しかともらったぞっ!」

「おのれっ、はかったな!」

綱が刀をぬくのもまにあわず、鬼は空中高くまいあがった。

そうして、しっかりと自分のうでをにぎったまま、ものすごい音といなびかりをのこして、雲の上高く、消えてしもうた。

鬼はやくそくどおり自分のうでをとりもどしたのじゃった。

むかし、羅生門にいたという鬼の話じゃ。

(おわり)

# 金太郎（きんたろう）

むかしむかし、足柄山（あしがらやま）の山（やま）おくに、元気（げんき）のいい男（おとこ）の子（こ）がおりました。

男（おとこ）の子（こ）の名（な）まえは金太郎（きんたろう）。生（う）まれたときから力持（ちからも）ちで、はいはいしながら、うすにむすんだひもを引（ひ）っぱって重（おも）いうすを動（うご）かしたというほどです。

金太郎（きんたろう）がよちよち歩（ある）きをはじめたころ、お母（かあ）さんは、金太郎（きんたろう）に赤（あか）いはらがけをぬってあげました。

はらがけは大（おお）きくて、まだ金太郎（きんたろう）にはぶかぶかでしたが、それは、早（はや）くこのはらがけがちょうどよいほどに大（おお）きくなってほしいという、お母（かあ）さんのねがいがこめられていたのです。

金太郎（きんたろう）は、楽（たの）しいなかまと友（とも）だちになりました。それは、うさぎやさるなどの山（やま）の動物（どうぶつ）たちでした。動物（どうぶつ）たちも、みんな金太郎（きんたろう）が大（だい）すきになりました。

金太郎（きんたろう）は、毎日山（まいにちやま）の中（なか）にはいって、動物（どうぶつ）たちを集（あつ）めて遊（あそ）びます。

「むこうの山（やま）までかけっこだあい。」

「えっさ、えっさ、えっさっさ。」

きょうはかけっこ、あしたはすもう。

「はっけよい、のこった、のこった。」

動物（どうぶつ）あいてにすもうをとっても、金（きん）太郎（たろう）にかなうものはありません。

「のこった、のこった。またまた、金（きん）太郎（たろう）さんの勝（か）ち～！」

こうして金太郎（きんたろう）はずんずん大（おお）きくなり、いつのまにかはらがけもぴったり。

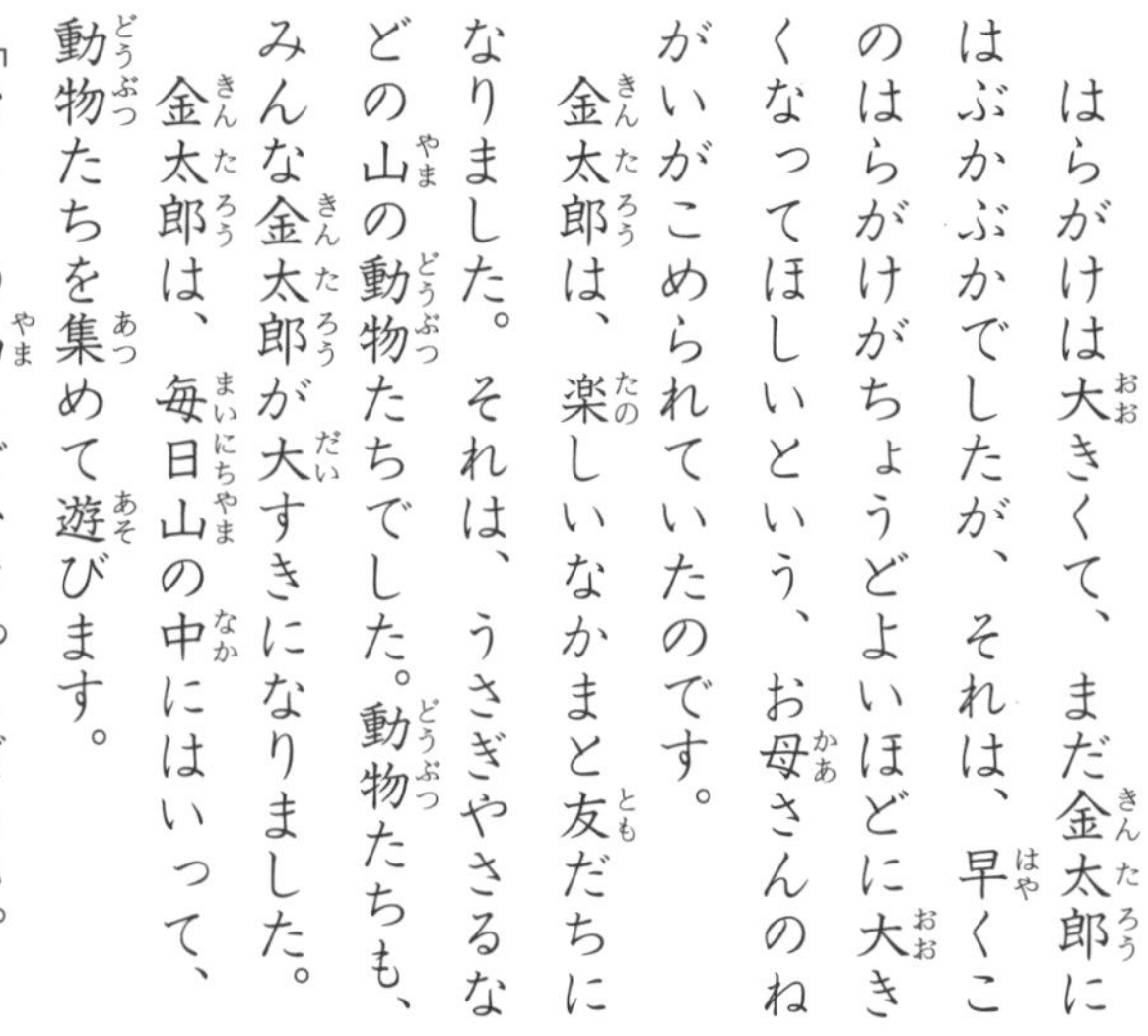

金太郎（きんたろう）にたいそう力（ちから）がついたことを知（し）ったお母（かあ）さんは、ある日（ひ）、金太郎（きんたろう）に大（おお）きなまさかりをあたえました。

まさかりを持（も）つ金太郎（きんたろう）のところへ、いたずらだぬきがきました。

「ねえ、金太郎（きんたろう）さん、ちょっと持（も）たせて。おっと、とと……、あっ、あっ。」

たぬきがまさかりを持つと、よろよろとひっくりかえってしまいました。

でも、金太郎は軽々とまさかりをかたにかついで歩きます。

山に秋がきました。

金太郎と動物たちは、むかいの山へくりひろいに出かけました。

「あれ〜、橋がないや。」

この前のあらしで落ちてしまったのでしょうか、がけにかかっていた橋がありません。

「よし、この木をたおして橋を作ろう。」

と、そばにはえていた大きな木を、金太郎はたおそうとします。

「う〜ん、う〜ん。」

「がんばれ、がんばれ、金太郎さん。」

「ええ〜いっ！」

とうとう木をたおして、橋を作ってしまいました。みんなでそろりそろりと橋をわたります。

「ちょっと待ってね。みんな、虫をふんじゃだめだよ。」

金太郎は、木の上をはう虫を助けようとしたのです。気はやさしくて力持ち。金太郎は毛虫一ぴきにもやさしい心をもっていました。

金太郎たちは、くりひろいにむちゅうになっているうちに、いつのまにか、あばれんぼうのくまがすむという山まできてしまっていました。

大きなくりの木に、くまのつめのあとがついています。

動物たちは、ぶるぶるふるえだしました。

「ウオーッ。」

「ひゃ〜っ、で、出たっ。どうしよう。」

「金太郎さん、逃げましょう。」

動物たちは、ちりぢりににげてしまいました。でも、金太郎はへいきです。くまは、目の前まできています。

「だれじゃ、わしの山をあらしとるのは、ゆるさんぞ！」

「よ〜し、くまくん、おれが相手だ。さあ、こい！」

くまと金太郎は、がっぷりと組み合いました。

「グワッ、グワッ、グワッ。」

「う〜ん、う〜ん。」

とうとう金太郎は両手でくまを持ち上げました。そして、くまを宙に投げ上げると、落ちてくるくまを両手でしっかりと受け止めたのです。

「やった〜、金太郎さんが勝った。」

こうして山いちばんのあばれんぼうのくまともなかよくなった金太郎は、動物たちをひきつれて、お母さんの待つ家に帰ってきたのです。 

おとなになった金太郎は、都へのぼって、坂田金時という、とても強いおさむらいになったということです。

その、坂田金時の、これはまだ、ともちいさかったころのお話です。

（おわり）

# 耳なし芳一

むかしむかしのこと、いまの下関が、赤間とよばれていたころのお話です。
阿弥陀寺というお寺がありました。
その寺に、芳一というびわひきがおりました。芳一は、おさないころから目が不自由だったために、びわのひき語りをしこまれ、まだほんの若者ながら、その芸はししょうのおしょうさんをしのぐほどになっていました。

阿弥陀寺のおしょうさんは、そんな芳一のさいのうを見こんで、寺にひきとったのでした。

芳一は、源平の物語を語るのがとくいで、とりわけ、壇ノ浦の合戦のくだりのところでは、その真にせまった語り口に、だれ一人なみだをさそわれないものはいなかったそうです。

そのむかし、壇ノ浦で、源氏と平家の長いあらそいの、さいごの決戦がおこなわれ、戦いにやぶれた平家一門は、女や子どもにいたるまで、安徳天皇とともに知られている幼帝もろとも、ことごとく海の底にしずんでしまいました。

この、悲しい平家のさいごの戦いを語ったものが、壇ノ浦の合戦のくだりなのです。

むしあつい、ある夏の夜のことです。おしょうさんが法事で出かけてしまったので、芳一は、一人お寺にのこって

びわのけいこをしておりました。

そのとき、庭の草がさわさわ、さわと波のようにゆれて、えんがわにすわっている芳一の前でとまりました。そして、声がしました。

「芳一！　芳一！」
「は、はい。どなたさまか、わたしをおよびでしょうか。わたしは目が見えませんもので……。」

するとき声の主はこたえます。

「わしは、この近くにお住まいの、さる身分の高いお方の使いの者じゃ。殿がそなたのびわと語りを聞いてみたいとおのぞみじゃ。」

「えっ、わたしのびわを……？」

「さよう、やかたへ案内する。わしのあとについてまいれ。」

芳一は、身分の高いお方が、自分のびわを聞きたいとのぞんでおられると聞いて、すっかりうれしくなって、その使いの者についていきました。

歩くたびに、ガシャッ、ガシャッ、と音がして、使いの者は、よろいで身をかためている武者だとわかります。

門をくぐり、広い庭をとおると、大きなやかたの中にとおされました。

そこは大広間で、おおぜいの人が集まっているらしく、さらさらときぬずれの音や、よろいのふれあう音が聞こえていました。

一人の女官がいいました。

「芳一、さっそく、そなたのびわにあわせて、平家の物語を語ってくだされ。」

「長い物語ゆえ、いずれのくだりをお聞かせしたらよろしいのでしょうか。」

「壇ノ浦のくだりを……。」

「かしこまりました。」

芳一は、びわを鳴らして語りはじめました。

ろをあやつる音、ふねにあたってくだける波、弓鳴りの音、兵士たちのおたけびの声。息たえた武者の海に落ちる音……。これらのようすを、しずかにもの悲しく語りつづけます。

大広間は、たちまちのうちに壇ノ浦の合戦場になってしまったかのようでした。やがて、平家の悲しいさいごのくだりになると、広間のあちこちからむせびなきがおこり、芳一のびわが終わっても、しばらくは口をきく人もなく、し～んと静まりかえっておりました。

やがて、あの女官がきていいました。

「殿もたいそうよろこんでおられます。なんぞふさわしいおれいをくださるそうじゃ。なれど、今夜より六日間毎夜そなたのびわを聞きたいとおっしゃいます。あすの夜も、このやかたにまいられるように……。それから芳一、寺へもどってもこのことは、だれにも話してはならぬ、よろしいな。」

つぎの日も、芳一はむかえにきた武者について、やかたにむかいました。

さくやとおなじようにびわをひいて、寺にもどってきたところを、おしょうさんに見つかってしまいました。

「いまごろまで、どこでなにをしていたんだね、芳一。」

おしょうさんがいくらたずねても、芳一はやかたでのやくそくを守って、ひとことも話しませんでした。

おしょうさんは、芳一がなにもいわないのは、なにか深いわけがあるにちがいないと思いました。そこで、寺男たちに、芳一が出かけるようなことがあったら、そっとあとをつけるようにといっておいたのでした。

そして、また夜になりました。雨がはげしくふっています。それでも、芳一は寺を出ていきます。

寺男たちは、そっと芳一のあとを追いかけました。ところが、目が見えないはずの芳一の足は意外にはやく、やみ夜にかき消されるように、すがたが見えなくなってしまったのです。

「いったいどこへいったんだ。」

と、あちこちさがしまわった寺男たちは、墓地へやってきました。

ぴかっ！　いなびかりで、雨にぬれた墓石がうかびあがります。

寺男たちがそこに見たものは……！

「あっ、あそこに！」

寺男たちは、おどろきのあまり立ちすくみました。

雨でずぶぬれになった芳一が、安徳天皇の墓の前でびわをひいているのです。その芳一のまわりを無数の鬼火がとりかこんでいます。

寺男たちは、芳一が亡霊にとりつかれているにちがいないと、力まかせに寺につれもどしました。

そのできごとを聞いたおしょうさんは、芳一を亡霊から守るために、まよけのまじないをすることにしました。

そのまよけとは……。芳一の体じゅうに経文をかきつけたのです。

「芳一、おまえの人なみはずれた芸が、亡霊をよぶことになってしまったようじゃ。無念のなみだをのんで海にしずんでいった平家一族のな。

よく聞けよ、芳一。今夜はだれかがよびにきても、けっして口をきいてはならんぞ。亡霊にしたがった者は命をとられる。しっかり座禅を組んで、身じろぎひとつせぬことじゃ。おそれて

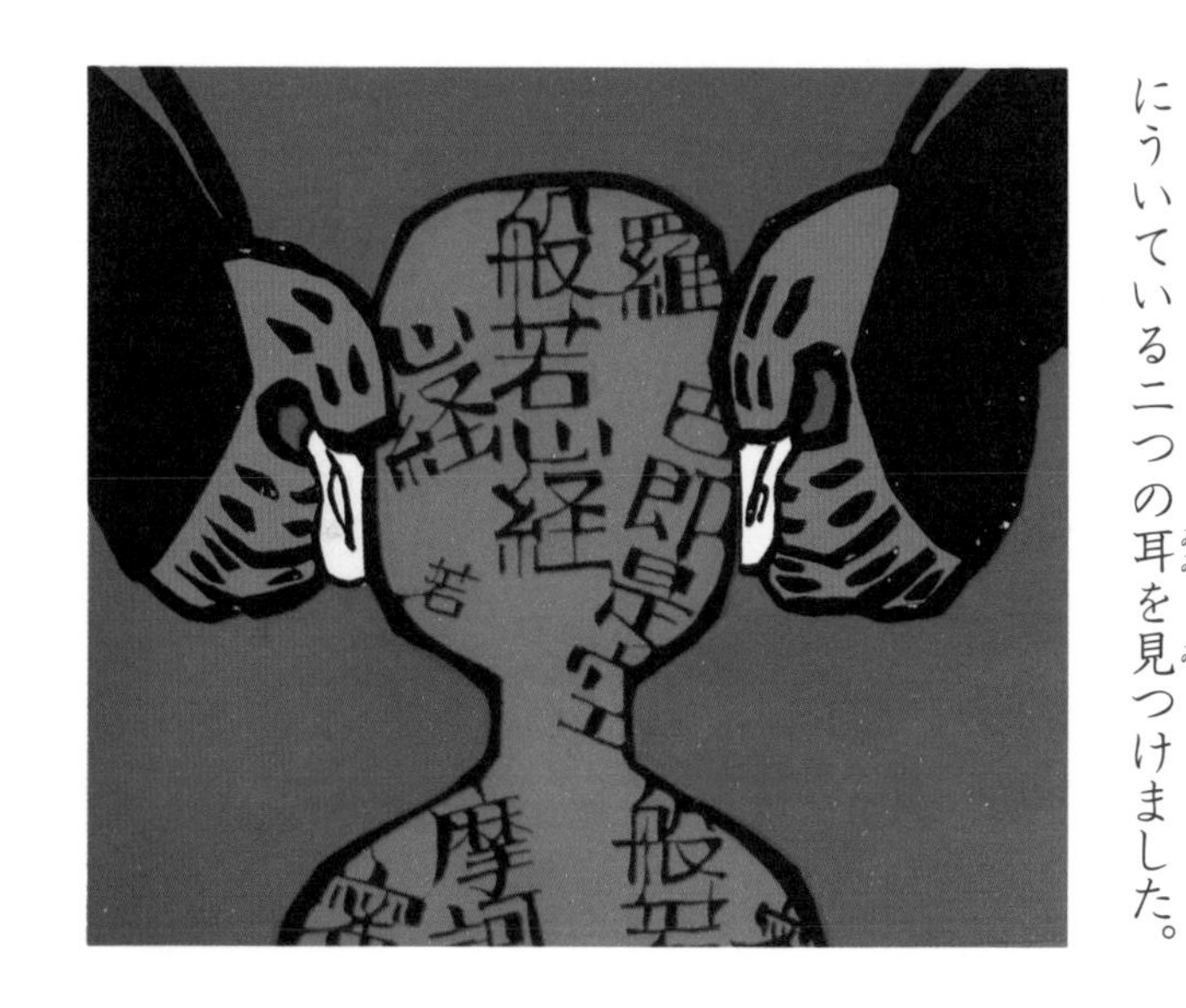

返事をしたり声を出せば、おまえはこんどこそ、ころされてしまうじゃろう。わかったな。芳一。」

おしょうさんはそういって、村のお通夜に出かけてしまいました。

芳一が座禅をしていると、いつものように亡霊の声がよびかけます。

「芳一、芳一、むかえにまいったぞ！」

でも、芳一の声もすがたもありません。亡霊は、寺の中へはいってきました。

「びわはあるが、ひき手はおらんな。」

あたりを見まわした亡霊は、ちゅうにういている二つの耳を見つけました。

「なるほど、口がなくては、返事はできまい。それなら、この耳を持ち帰って、芳一をよびにいったあかしとせねばなるまい。」

亡霊は芳一の耳に手をかけると、その耳をもぎとって帰っていきました。

そのあいだ、芳一は座禅を組んだまま、身うごきもしないでおりました。

寺にもどったおしょうさんは、芳一のようすを見ようと、大いそぎで芳一のいるざしきへかけこみました。

「芳一！　ぶじだったか！」

じっと座禅を組んだままの芳一でしたが、その両の耳はなく、耳のあったところからは、血が流れておりました。

「お、おまえ、その耳は……。」

おしょうさんには、すべてのことがわかりました。

「そうであったか。耳に経文を書きわすれたとは、気がつかなかった。なんとかわいそうなことをしたものよ。よしよし、よい医者をたのんで、すぐにもきずの手当てをしてもらうとしよう。」

芳一は、両耳をとられてしまいましたが、それからはもう、亡霊につきまとわれることもなく、医者の手当てのおかげできずもなおっていきました。

やがて、この話は、口から口へとつたわり、芳一のびわはますますひょうばんになっていきました。

びわ法師の芳一は、いつしか「耳なし芳一」とよばれるようになり、その名を知らない人はいないほどゆうめいになったということです。

（おわり）

# とろかし草

むかしむかし、あるところに、清兵衛というきこりがおった。

ある日のこと、木を切っておると、

「助けてくれ～っ。」

というさけび声が聞こえてきた。

首をのばしてみると、うわさに聞いておったうわばみが、一人の旅人を追いかけているところじゃった。

清兵衛は、大あわてでそばの木によじのぼった。そして木の上から見ていると、旅人は、清兵衛の目の前で、うわばみにぱくりと飲みこまれてしもうた。

うわばみのはらは、大きくぽっこりふくれあがった。そのうち、うわばみは、草むらの中にあった黄色い草を食べはじめたんじゃ。

すると、ぽっこりふくれあがったはらが、す～っと細くなったんじゃ。

「なんじゃ、あの草は、食べたものをとろかすんだなあ。」

うわばみがいなくなると、清兵衛は、草むらの中をさがしまわって、うわばみが食べていた草をさがした。

そして、その草を見つけると、ひとつかみぬいて、ふところに入れると、いちもくさんににげ帰った。

村へ帰ると、清兵衛はうわばみのことを話した。じゃが、あの草のことは、だれにも話さんかった。

つぎの日、命びろいのおいわいをしようということになって、みんなは清兵衛の家に集まった。

おいわいといっても、山の村のこと、たいしたごちそうがあるでなし、手打ちそばをさかなに、酒を飲むだけじゃ。

そのうち、村一番の長者といわれる男が、こんなことをいいだしたんじゃ。

「どうじゃ、山もりにもったそばを、つづけて五はい食えるもんがおったら、田畑一反、やってもええ。」

村人たちはわらいだしてしもうた。

「長者どん、そりゃむりじゃよ。うわばみじゃあるめえし。はははは……。」

ところが、清兵衛がなのり出た。

「よし、わしがやっちゃるわい！」

「清兵衛どん、いくらなんでも、そりゃむりだ。いくらおまえがそばがすきでもよ。」

清兵衛は、まわりのものが止めるのも聞かず、そばを食いはじめた。

「え〜い、めんどくさい。」

清兵衛は、そばにつゆをかけ、大きなどんぶりでがつがつと食う。

「へ〜え、なかなかたいしたもんじゃねえか。あれはそばを食っててんじゃねえ。そばのほうから口の中へはいってるんだ。おいらたちではああはいかねえ。」

清兵衛は、一ぱい、二はい、三ばいまではなんとか食べたが、四はいめからは、どうしても食べられんようになった。

おもしろがって見ていた村人たちじゃったが、清兵衛のようすがおかしいのに気がついた。

「清兵衛どん、どうした。だいじょうぶか？　だいぶ苦しそうだが。」

「はあ、はあ、はあ……。」

「清兵衛どん、もうやめろよ。むりだよ。」

村人たちが止めても、清兵衛は、意地でもやめない。

「こうなったら命がけじゃあ。」

「命がけなんて、おだやかじゃねえ。」

みんな心配したが、清兵衛は大きなおなかをかかえて立ちあがり、こういうたんじゃ。

「ちょっくら、便所へいってくるけん。」

清兵衛は、便所の中にはいると、ふところからなにやらとり出した。

それは、あのうわばみが食っていた黄色い草じゃった。

それから、いくら待っても、清兵衛は便所から出てこなかった。

「お〜い、いつまではいっとるんじゃ。」

村人たちは、ドンドン、ドンドンと、便所の戸をたたく。便所の中でたおれているんじゃないかと、みんなは心配になってきた。

「清兵衛どん！　清兵衛どん！」

いくらよんでも返事がないので、とうとう、戸をぶちやぶって便所の中へはいってみた。

なんとまあ！　便所の中には清兵衛のすがたはない。

ようく見ると、清兵衛の着ていた着物だけがのこっておったんじゃ。

あの草は、食べたものをとかす草ではなく、人間をとかす草らしかった。

（おわり）

# 牛若丸

いまから、およそ八百年ほどまえのころのお話です。京都のはずれの山の中、はげしいふぶきの中をいそぐ母と子のすがたがありました。

おさない子ども二人と、そして母のむねには、いま一人、乳飲み子がだかれておりました。

そのころ、さむらいたちの二大勢力、源氏と平氏は、各地ではげしくたたかい、源氏の総大将、源 義朝は、ついに平氏の手によってたおされてしまいました。

義朝のつま、ときわは、まだおさない今若、乙若、そして牛若の三人の子をつれ、なんとか平氏の手のとどかないところへにげようとしたのです。

でも、とうとう平氏の武士たちに発見され、とらえられて、平 清盛の前につれだされたのでした。

清盛は、おさない子が、源氏の大将義朝の子であることを知ると、すぐに首をはねるようにと命じました。

ところが……。

「わたしの命はいりませぬ。そのかわり、どうかこの子たちの命だけはお助けくださいませ。」

という、ときわのひっしのたのみに、心をうごかされた清盛は、子どもたちの命を助けることにしました。

そのかわり、七さいの今若、五さいの乙若はすぐに寺へ、そして牛若も、七さいになったらかならず寺へ入れるよう、母のときわにやくそくさせたのでした。

年月はまたたくまにすぎ、やがて清盛とのやくそくをはたさねばならないときがきました。

「牛若……、そなたはもう七さい。寺にはいって、りっぱなおぼうさまにならなければなりませぬ。」

「お母さま！」

こうして、七さいになったばかりの牛若は、やさしい母にわかれをつげなければならなかったのです。

「さびしいときは、お父さまが大切にしていたこの横ぶえをふきなさい。」

牛若丸があずけられた寺は、くらまの山の中。うっそうとしげる木立の中にある、くらま寺でした。

牛若丸のきびしい修行生活がはじまりました。

あるとき、牛若丸が一人で勉強していますと、どこからか、牛若丸をよぶ声がします。

「わかさま、わかさま。」

「わたしをよぶのは、だれじゃ。」

牛若丸がきょろきょろとあたりを見まわすと、見知らぬぼうずがすわっておりました。

「わかさま、お目にかかれてうれしゅうございます。わたしは鎌田正近と申す旅の僧。わかさま、よ～くお聞きくださいませ。あなたさまは、平氏にほろぼされた源氏の総大将、源　義朝公のお子さまですぞ！」

「えっ、わたしがっ！」

「そうです、わたしも義朝公におつかえした身、義朝公は、清盛の手によってころされたのです。あなたさまは、父ぎみのかたきをうち、おごる平家をこらしめなければなりません。そして、源氏一門をたてなおさなければなりませんぞ！」

なにもかも、はじめて聞く話でした。牛若丸は、山の中へ走りこんで、一人でなみだを流しました。

それは、おさない牛若丸が一人でせおいこむには、あまりにも重い運命でした。

そんな牛若丸を見ている一人のてんぐがおりました。そのてんぐは、ひらりと高い木からとびおりると、牛若丸のそばに立ちました。

「立て、小僧！　男の子がいつまでないておる。さあ、わしについてこい。」

いうが早いか、てんぐはあっというまにすがたをけしてしまいました。

「あれ、どこいっちまったんだろう。」

見ると、そばの木に太刀がたてかけてあります。

「よ～し、てんぐのやつ、これでとっちめてやる。」

太刀を持って木立の中をすすむ牛若丸の頭を、コツンとだれかがたたきました。

「あっ、いたい。う～ん、だれだ。」

頭をかかえてふりむくと、またも、コツーン。また、コツン。

「わっはっは。小僧、それでは太刀があってもなんにもなりはせんぞ。それそれ、ぐずぐずしておると、またやられるぞ。」

牛若丸は、あわてて太刀をひろい、こんどはしっかり目をすえて、身がまえておりましたが……。

なにやらみょうなかげが、あっちへ、こっちへとびかいます。

よく見ると、たくさんのからすてんぐが、ぐる〜っと牛若丸のまわりをとりかこんでいました。

「な、なにものっ！」

てんぐたちは牛若丸におそいかかります。負けてはならじと、牛若丸は太刀をふりまわす牛若丸。でも、牛若丸はかないっこありません。あちらこちら、めったやたらなぐられてしまいました。

これではならじと牛若丸は、昼なお暗いくらまの山中で、もくもくと剣の修行にはげんだのです。

「それっ！　右だ！　左だ！　走れ！　とべ！　まわれ！」

てんぐのしどうで、牛若丸の剣のうではみるみるじょうたつしました。

それから何日かすぎた、ある月のかがやくばん。

「きえ〜っ！」

するどく切りこんできた、からすてんぐの太刀を、牛若丸は、はっしと打ちとめると、かえす刀ではげしくてんぐに打ちこんだのです。

「やった！　やった！　とうとうてんぐをたおしたぞ！」

牛若丸の剣のうでは、とうとうてんぐをたおすまでになりました。

その日いらい、もう牛若丸にかなうてんぐは一人もいなくなりました。

そんなある日、てんぐが牛若丸にこういうのです。

「わかさま……、わたしどもがお教えすることは、もうなにもありません。このうえは、りっぱなおさむらいになられますよう……。」

そのてんぐたちも、源氏のことを思う義朝の家臣であったのかどうか。

くらま山で剣をならった牛若丸は、十五の年に、くらま寺からそっとすがたをけしたということです。

さて、ところかわってこちらは京都。

そのころ都では、夜な夜な、怪僧弁慶なる者がすがたをあらわし、通行人の刀をうばっては、これを一千本あつめる祈願をたてているといううわさで、おそれられていました。

そして今夜が、その一千本めの日でありました。

ここは、五条大橋。どこからともなく聞こえてくる、すんだふえの音……。ふえをふいているのは、あの牛若丸でした。

「なんじゃ、子どもか。子どもに用はないわい。」

といった弁慶でしたが、牛若丸のこしにさした太刀を見たとたん、

「う〜む、みごとな太刀じゃあ。この太刀なら、一千本めにふさわしい。」

と、なぎなたを高くかかげ、牛若丸の前に立ちはだかりました。

「やいやい、その太刀、おいていけっ。」

ところが、牛若丸は、弁慶のそばをするりと通りぬけていきます。

「あれれ、よ〜し、わしのなぎなたを受けてみよ、それっ。」

弁慶は、なぎなたをふりまわします。牛若丸は、ひらりひらりとかわしてしまいます。ここと思えばあちら、あちらと思えばまたそちら。弁慶は、もうあせみどろ。

牛若丸は、ひょいととびあがりながら、手に持ったおうぎを投げました。おうぎは弁慶のひたいにあたり、弁慶はひっくりかえってしまったのです。

「まいりました。」

さしもの弁慶も、がっくりひざをついてあやまりました。

弁慶は、このときから牛若丸の家来となって、いつまでも牛若丸につかえました。

牛若丸は、のちに源九郎義経となって、兄頼朝と力をあわせ、ついには壇ノ浦の戦いで、平氏をたおすことができたのです。

（おわり）

# 養老の滝

むかしむかし、ある山おくの、それはもうたいそうな山おくに、長いこと病気でねたきりの父親と、気立てのよい息子とが、二人ですんでおりました。

息子はまだおさない子どもでしたが、はたらけない父親のかわりに、毎日、山でたきぎをひろい、それをお金にかえて、くらしをたてているのでした。

息子は、山にはいるとたきぎをとりながら、父親の体によさそうな薬草をとったり、谷川で魚をとったりするのでした。

そんなある日のこと、

「おとう、おら、きょうは、二つ三つ向こうの山までいってみるよ。」

「そんなおくじゃ、まだおまえにはむりじゃぞ……。」

「なあに、へっちゃらだあい。」

近くの山のたきぎは、ほとんどとりつくして、なくなっていました。

息子は、元気よく山のおくへおくへとはいっていきました。

でも、たきぎは思ったほど落ちてはいませんでしたから、どんどん山おくに足をふみ入れてしまいました。

気がついてみれば、もう、すっかり夕ぐれでした。息子は、その日は山で野宿することにきめました。

すっかりつかれていた息子は、太い木の根もとに横になると、いつのまにかぐっすりとねむってしまいました。

山のひえこみははげしく、息子は明け方になって、寒さで目をさましました。

「ハ、ハックショーン！　うう、寒い。」

そのときです。どこからともなく、なんともいえない、いいにおいがただよってきました。

「いったい、なんのにおいだろう。」

息子は、そのにおいにさそわれるように、ふらふらと歩きはじめました。

こいきりがたちこめています。

「あ〜っ！」

きりで足もとが見えなかったので、息子は足をふみはずして、深い谷ぞこへと落ちてしまいました。

そして、きずだらけになった息子の顔に、水しぶきがかかりました。

そこには大きなたきつぼがあって、美しいにじがかかっていました。

息子は思わず息をのみました。

「あのにおい！」

息子は、かけおりて、水をすくってにおいをかいでみました。そして、ちょっとなめてみました。

あまいような……、おいしいような、なにやらみょうな味がします。

息子は、こんどは手にすくって一口飲んでみました。するとどうでしょう。体じゅうが、ぽっぽとあつくなり、なんだか元気が出てくるような気がしました。

「これなら、おとうの病気にもきくかもしれないぞ！」

息子は、たきの水をひょうたんにいっぱいつめると、いそいで父親の待つ家へと帰りました。

「おとう、この水を飲んでみてよ。」

と、ひょうたんをさしだしました。

「な、なに？　水じゃと……。」

父親は、その水を一口飲んで、目をまるくしました。

「こ、こりゃあ、酒じゃ、酒じゃよ。酒がたきに流れとるわけがねえ。」

「だって、ほんとうにおらが、山でくんだんだよ。」

「ふ〜ん、ふしぎなこともあるものじゃのう。」

そのつぎの朝のこと。

息子が目をさますと、となりにねていた父親のすがたがありません。

「あれっ、おとうがいない。まだねてなくちゃだめなのに。」

すると、外から、にこにこ顔の父親がはいってきました。

「けさはどういうわけか、えらく気分がよくてのう。」

「きのうの酒がきいたんだろうか？」

「うん、どうやらそうらしいのう。酒は、よろずの薬とか……。」

こうして孝行息子が見つけたふしぎなたきの水のおかげで、父親の病気は日一日とよくなり、何か月かするとすっかり元気になりました。

このことは、国じゅうに知れわたり、あのふしぎなたきは、感心な息子が年おいた父をやしなったたきというので、養老のたきと名づけられ、いつまでも語りつたえられたそうです。（おわり）

# からいもと盗人

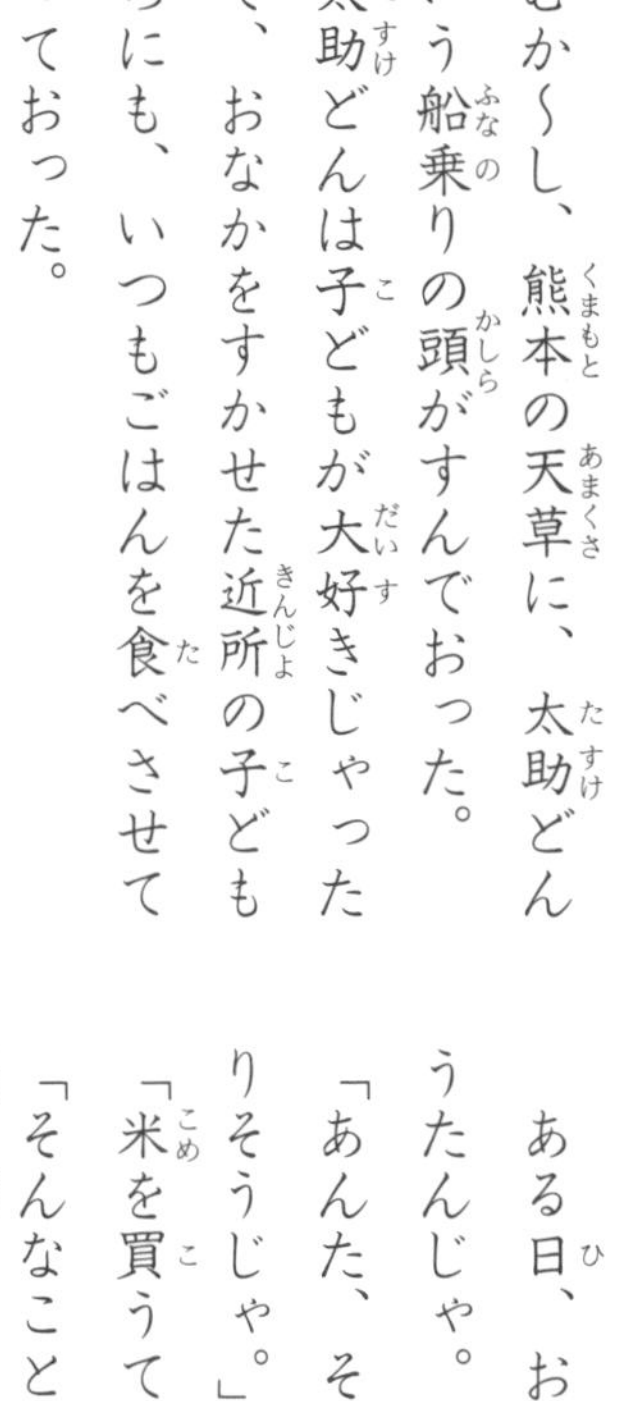

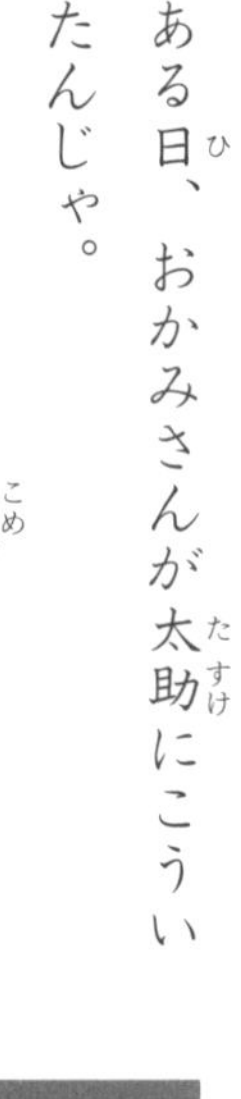

むか〜し、熊本の天草に、太助どんという船乗りの頭がすんでおった。

太助どんは子どもが大好きじゃったので、おなかをすかせた近所の子どもたちにも、いつもごはんを食べさせてやっておった。

ある日、おかみさんが太助にこういうたんじゃ。

「あんた、そろそろ米びつもからになりそうじゃ。」

「米を買うてきたらいいでねえか。」

「そんなこというても、不作つづきで、米も麦もありゃせん。」

「心配すんな。薩摩から、麦でも買うてきてやるわ。」

「とうちゃん、また、船に乗るんだか。」

「おう、みやげ買うてきてやるで、楽しみに待ってろや〜。」

この二年ほど、この天草のあたりは日でりつづきで、畑の麦もすっかり立ちがれてしもうておった。

太助どんは、薩摩の国に荷物をはこぶために船を出した。

帰りには、子どもたちに食べさせる食べものを、船いっぱいにつんでくるつもりじゃった。

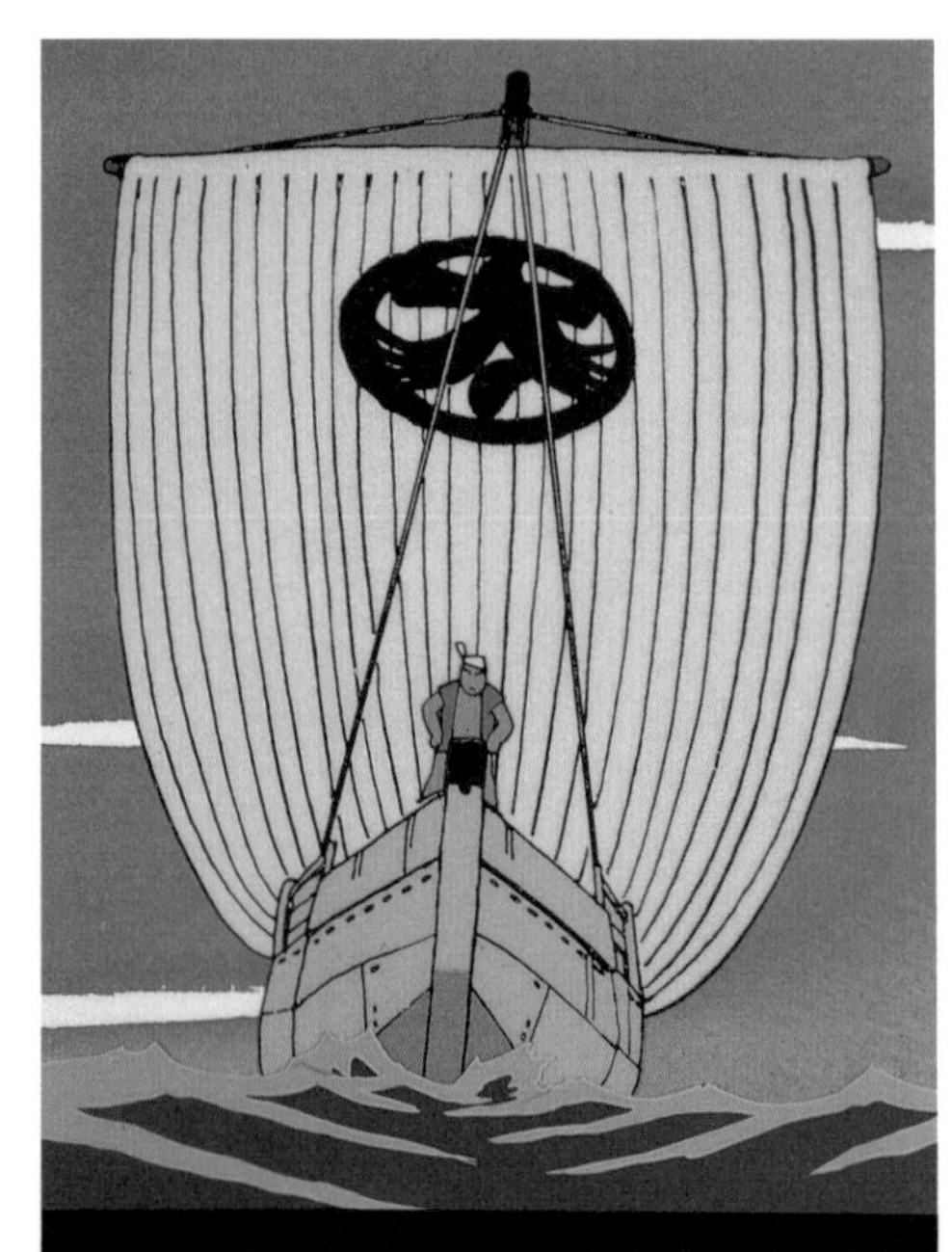

「なんとかせにゃあ、子どもたちがかわいそうじゃ。」

やがて船は、薩摩の港に着いた。

薩摩の荷主に荷をとどけた太助どんは、そのばん、荷主の家にとまることになった。

そこで太助は、おなかをすかせた子どもたちのことを話した。

「う〜む、そりゃあ、たいへんなことでごわすな。」

「子どもたちに、ひもじい思いはさせとうなくて……。」

「太助どんの子どもも思いは、ほんとうに感心でごわすな。」

荷主は、太助どんが近所の子どもたちにもごはんを食べさせていることを知っていた。そして、なにかと手助けしてくれておったんじゃ。

そのばん、太助は、めずらしいものをごちそうになった。

「だんな、こりゃ、なんて食べもので？」

「これはな、薩摩にしかごわせん、からいもでごわす。」

「どれ、ひとつ。……う〜ん、こりゃ、じつにうまい！」

「ははは、そうでごわしょう。たんと食べてくだっせい。」

からいもとは、いまでいうさつまいものことじゃった。

太助どんは、はじめて食べたからいものうまさにおどろいた。そうして、なんとかしてこのからいもを天草に持ちかえり、自分の畑で育てたいと思った。

「そりゃあ、だめでごわす。」

荷主は、太助のねがいを聞き入れてはくれなかった。

「どうして？　天草の子どもたちは、はらをすかしておるとです。どうかおねがいしますだ。」

「からいもは、ご禁制品でごわす。もし、よその土地の人にわたせば、この首を切られてしまうのでごわす。」

子どもたちのことをおもえば、太助はどうしても持ちかえりたかったが、ご禁制品とあってはしかたない。

つぎの日、薩摩から船を出すときは、ご禁制の品が持ち出されないか、役人がそれはきびしく調べた。

「よし、この船はご禁制の品はござらん。船を出してさしつかえないぞ。」

太助どんの船は、役人のゆるしをえて、いよいよ出発じゃ。

「船を出すぞ〜。」

そのとき、荷主が走ってきた。

「太助どん、太助ど〜ん！」

「だんな〜、どうなさいました。」

「子どもさんのみやげの手まりを、おわすれでごわしょう？」

「手まり？」

「そんなことでは、子どもさんにきらわれますぞ。お役人さま、わたしてもよろしいでごわすか？」

「ああ、いいよ。わしが投げてやろう。それっ！」

手まりは、荷主から役人の手へ、そして太助どんの手へとわたった。

「太助どん、その手まりは、子どもさんのためによ～く育ててくだされ。」

そんな手まりなどにおぼえのない太助どんは、ふしぎに思って手まりを見ると、中からからいもの芽が出ておった。 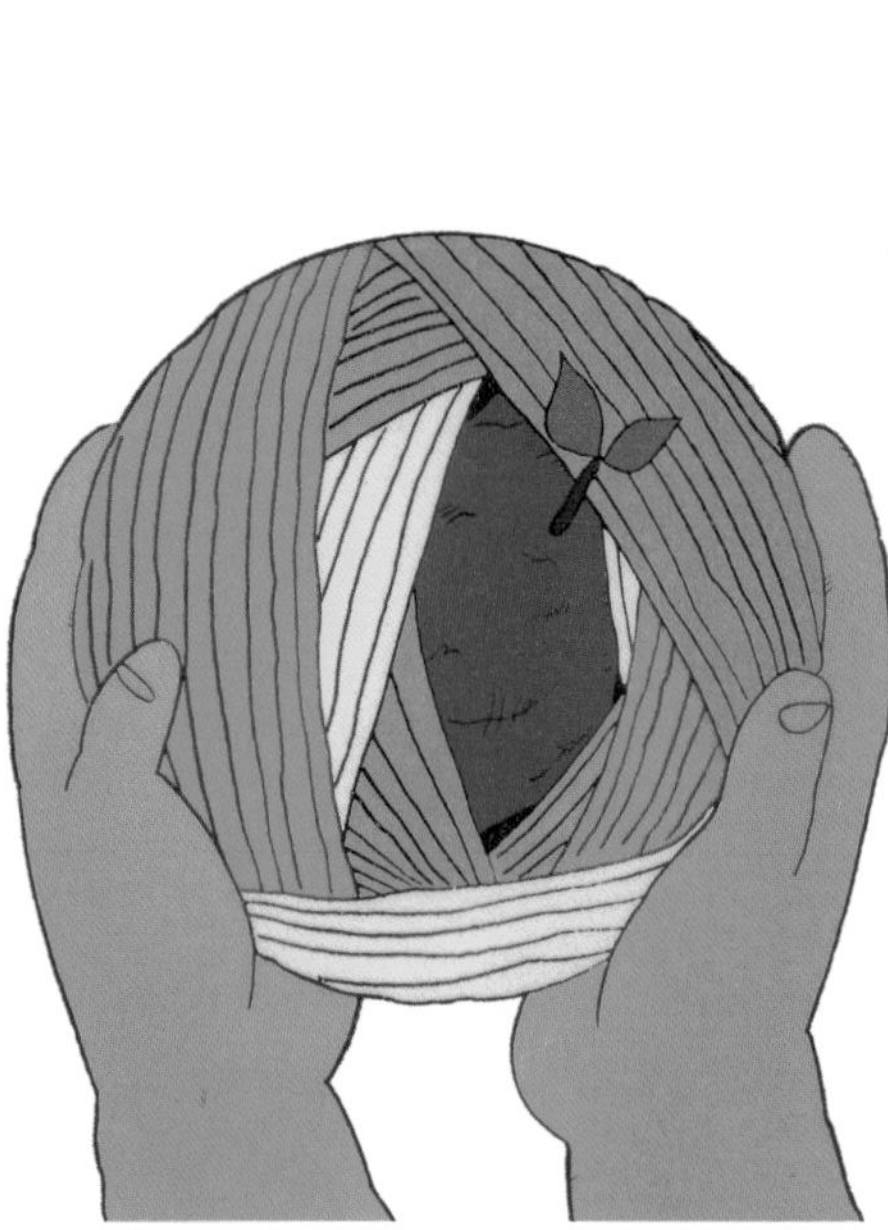

「あっ、これはからいものなえじゃ。」

荷主が太助どんのために、こっそりとからいものなえを入れておいてくれたんじゃ。

「太助どん、ぶじに天草までいきんしゃいよ～。」

「だんな、ありがとうございます。」

「子どもたちによろしゅうなあ……。」

「ありがとうございます……、かならず、りっぱに育てますたい。」

こうして、ご禁制のからいもは、薩摩から天草へ持ち出された。

からいものなえを畑に植え、太助はむちゅうで育てた。

「いいか見てろ、いまにこの木に、うめえからいもがたあんとできるぞ。」

「おっとう、ほんとうか？」

「あ～、大きな木になる。そして、からいもが食い切れんほどみのるぞ。」

「早く大きくなるといいなあ。」

あいかわらず、天草は日でりつづきじゃったが、からいもばかりは元気に育っていった。

「こりゃあ、木でのうて、つるが出ちょるな。からいもはつるになるんか。そんなら、そえ木にまきついて実がなるんじゃろうか。」

太助どんは、竹を立ててやったが、まきつくどころか、つるはいつまでも地をはっておった。

畑一面につるはのびたが、やっぱり実はならない。

「う～む。春だというのに、花もさかん、あのだんながうそをつくはずはないし……。」

太助どんはがっくりじゃ。おなかをすかせた子どもたちはなきだす。

「わしだってなきたいわい。どうして実がならんのじゃ。」

からいもがどんなものか、だあれも知らなかった。

夏になって小さな花をつけたが、やはり、実はつかない。太助どんはもうからいものことなどわすれかかっていた。

そんなころ、畑にあるわずかな作物をぬすむどろぼうがやってきた。

「ぬすっとじゃ、畑あらしじゃ〜。」

にげるどろぼうを太助どんは追いかけていった。

「作物ができんで、みんなこまっとるのに、こんなときに畑をあらすとは、ゆるせんっ。」

どろぼうは、太助どんのからいも畑のほうへにげこんだ。

いものつるが、どろぼうの足にからまって、つんのめってころんだ。

「わ〜っ！」

「ははは、からいものつるにひっかかったな。」

「ゆるしてつかあさい、ゆるしてつかあさい。」

「役たたずのいものつるが、とんだところで役にたったわい。」

「とったものは、ぜんぶ返すけに、ゆるしてつかあさい。」

と、どろぼうがさしだしたのは、つるがからまった、どろだらけのいもじゃった。

「か、からいもじゃあ〜っ！　そうか、そうだったんか。からいもは、土の中になるもんじゃったんか。」

太助どんは、むちゅうでくきをかきわけ、土から引きぬいた。

くきにつづく根っこには、どろのついたからいもが、どっさりついとった。

「ぎょうさんのからいもじゃあ。」

太助は、こそこそとにげだそうとするどろぼうをよびとめた。

「おい、おまえのおかげじゃ。わしゃ、からいもを土の中でくさらすところじゃった。たすかったぞ。」

「へえ？　からいも？」

「ああ、このいものことじゃ。おまえも持っていけや。うまいぞう。」

そりゃあ、たいそうないもが、土の中からごろごろ出てきた。

それからの天草では、どこの家でもからいもをつくるようになったそうな。

「うまいのう、からいもは。」

「うまか〜っ。」


（おわり）

# しっぽの釣り

とんとむかし、あるところに、きつねのすむお山があったとさ。

お山に冬がやってきて、何日も何日も雪がふりつづいた。どこを見まわしても、見えるのはまっ白い雪ばかり。あなにとじこもったきつねは、食べるものもなく、もう、がまんができないほどおなかがすいていた。

「このままでは、死んじまうよう。」

きつねは、えさをもとめて山をおりることにした。

深い雪の中を、とことこ、とことこ、どこまでもどこまでも、歩きつづけた。やがて、雪のかなたに川が見えた。川では、かわうそが水にもぐっては魚をとって食っていた。

そんなかわうそのところへ、もう、雪をはらいのける元気もないほど、はらをすかせたきつねがやってきた。

「な、なんだ、きつねどんか。」

「かわうそどんよ、うまそうな、さ、魚……。すこし食べさせてくれ。」

かわいそうに思ったかわうそは、きつねに魚のおいしいところを半分食べさせてやった。

きつねは、やっとしあわせな気分になれた。

「ああ、ええ気持ちだなあ。ところで、なあ、かわうそどんよ。わしのたのみを聞いてくれんか。おまえさんは魚とりの名人じゃが、どんなふうにとるのか教えてくれんか。」

「いいとも、やさしいことだよ。」

かわうそは、きつねに魚をとられてはこまるので、ほんとうは教えたくないのだけれど……。

「魚のとり方はだな、まず寒い夜だ。川や池にはあつい氷がはっている。なるべく寒い夜のほうがええな。」

「なるほど、なるほど。」

きつねは、かわうその話を、しっかり聞こうと耳をかたむける。

「あつい氷のはった池のまん中に、ぽっかり開いたあなをみつける。そのあなに、しっぽをたらす。そう、そして、じい〜っと待つ。待つほどいいんじゃ。待てばでっかい魚が、かぽ〜っと食いつくって。」

「でっかい魚が、かぽ〜っとな。」

「そう、そうしたら力いっぱいひっぱりあげる。それだけさ。」

といって、かわうそは帰っていった。

「ひゃっ、ええことを聞いた。」

きつねは、寒さをがまんして、池がこおるのを待った。そのばんは、月もこおりつきそうな夜だった。それでもしんぼう強く待ちつづけた。

夜もふけて、あつい氷がはりつめた。

「ようし、いまだ！」

きつねは、氷の上を歩いてあなをさがした。

「あっ、あながあったぞ。さあて、しっぽをたれてと。ひゃあ、つめたい。」

でも、でっかい魚のためだと思うと、そのつめたさもがまんしなければならない。きつねはひっしだった。

「でっかい魚、でっかい魚。」

そう思ってきつねは、じっとがまんしたんじゃ。

そのとき、しっぽの先に、こつんとさわったものがある。

「まだまだ、ふなぐらいじゃだめだよ。ようし、このぶんなら、もっとがまんすりゃあ、もっとでっかい魚がかかるにちがいない。」

そう思ってきつねは待ちつづけた。寒さにふるえながら、どのくらい待っただろうか。とうとうでっかい魚が食らいついてきた。

しっぽに、ぐ〜んと重みがきた。

「こりゃあ、すごいぞ！」

きつねはひっしでしっぽを引きあげようとしたが、びくとも動かない。

それもそのはず、きつねのしっぽに食いついたのは、でっかい魚じゃなくて、あつい氷だった。

朝になって、きつねはやっとだまされたことに気がついた。

きつねが、なくなく力いっぱいしっぽをひっぱると、しっぽはぷつんと切れてしもうたそうな。　（おわり）

# 天狗の羽うちわ

え〜、むかしむかしのそのむかし、どうしようもないほどの、ぐうたらな男がおりましてな。

この男のやることといったら、朝からばんまでつぼでさいころをふることでしてな。さいころをふって遊んでばかりいる、どうしようもない男でありました。

ある日のこと、どういうわけか、さいころをふって遊ぶ相手が見つからない。

「しようがねえな。おかにでもいってみるか。」

ってんで、一人とぼとぼおかにやってきましたが、そこはそれ、どうしようもないさいころずき。

だ〜れもいないおかの木の下で、さいころをとりだし、「四だ！　三だ！　二と六で八だ！」などと、一人でおもしろおかしげに遊んでおりました。


これを、さっきからず〜っと見ている者がおりましてな。

男はそんなこととはつゆ知らず、ますますむちゅうになっておりました。

「一と一で二だ！　わっはっはは。」

そこへ、ひょいと木からとびおりてきたのがてんぐです。

てんぐは、よほどこのさいころが気に入ったらしくて、

「おらにもちょっくらかしてけろや。」

というのです。

「それじゃあ、おれとさいころで勝負して勝ったら、かしてやるだ。」

男はそうこたえました。

てんぐは、とうとう男と勝負というはめになってしまいました。

「よ〜し、ほいじゃあ、いくぞ！」

「勝負だ、どっちだ。」

といったって、なあんにも知らんてんぐが、勝てるわけはありません。


負けたてんぐは、着ているものをぬいで、男にわたします。

何回か勝負をしているうちに、とうとうてんぐは身ぐるみはがされてしまいました。

「はっはっは、もう、かけるものは？　おっ、まだなにかあっか？」

男は、てんぐの持っているうちわに目をとめたのです。

「あっ、これだけはいやだ。」

「う〜ん、これはよほどだいじなものなんだな。じゃあ、使い方だけでもおせ〜て？」

てんぐは、しぶしぶと羽うちわの使い方を教えてやりました。

表であおぐと、鼻がどんどんのび、うらであおぐと鼻がどんどんちぢまるという、ふしぎなうちわです。


「ひえ〜、おもしれえ。どうだ、このさいころととりかえねえか。」

てんぐは、よほどそのさいころがほしかったとみえて、とうとうとりかえちまったってえからおもしろい。

「わ〜い、わ〜い。うれしいな。」

てんぐは、大よろこびで西の空へとんでいってしまいました。

いっぽう、男はというと、

「さ〜て、これをどう使うかだが……。そうだ、これはいい！」

この男の思いつきなんざ、どうせろくなこたあございませんでな。

つぎの日、男は長者どんの家の前へやってきました。

男は、長者どんのひとり娘が、すきだったのです。

「さ〜て、娘はいるかな。」

娘は家から出てきました。

「おっ、いましたよ。おつにすましちゃってもう……。よっ、娘さん、おこんにちは。」

男が声をかけましたが、娘はしらん顔で通りすぎていきます。

「ふん、なにさ、あんな男。」


「ちくしょう、ばかにしやがって。」

男はおこって、たもとからあのうちわをとりだして、あおぎます。

「長者の娘の鼻のびろ。大きくのびろ、うんとのびろ！」

娘の鼻は、にょきにょきのびはじめたではありませんか。

「のびろ、のびろ、もっとのびろ。」

「きゃ〜っ、あたいの鼻が……。た、助けて〜っ。だれかきておくれよう。れれれのれ〜っ。」

娘はなきだす、おともの者はびっくりしてにげだすありさまです。

「ははは、もっとのびろ、のびろ。」

娘は、大声でなきながら家へ帰りました。でも、長くのびた鼻は、そのままです。さ〜て、どうなることやら。

長者どんの家には、ありとあらゆる医者たちがやってきましたが、み〜んな、首をふってため息をつくばかり。

「は〜て、きみょうなやまいじゃ。まったくふしぎなやまいでござる。」

長者どんは、ほとほとこまりはてて、こんな立てふだを出しました。

「娘の鼻のやまいをなおした者を、娘のむこにする。」

この立てふだを見て、にた〜っとわらった者がおりました。

まもなく、長者どんの家に、唐の国からきたという医者があらわれました。

「せっしゃが娘ごの鼻をすぐになおしてしんぜよう。」

と、うちわをとりだして、

「鼻よ、小さくな〜れ、娘の鼻よ、小さくな〜れ。」

これはふしぎ、娘の鼻は、みるみるうちに小さくちぢんでいったのでした。

「ひゃ〜っ、なおったぞ。」

長者どんは大よろこび。まあ、こんなめでたいことはありません。

「どうか、娘をよろしくな。」

男はこうして、まんまと長者のむこにおさまったわけでして。

さて、その夜は、男と娘の結婚のおいわいで、村じゅうの人が集まって、どんちゃんさわぎ。

宴会が終わると、男はすっかりいい気分でよっぱらってしまいました。

ごろりとねっころがって、娘にいいました。

「ねえ、わしのよめさんよ、すこし暑いで、ちょいとあおいでおくれ。」

「はい、こうでございますか。」

娘は、そばにあった羽うちわで、男をあおぎました。

「そうそう、もっと強く、もっと。」

それは、あのてんぐの羽うちわでしたからたいへん。男の鼻はぐんぐんのびて、天じょうをつきやぶり、屋根をぶちぬいて、夜空にのびていきます。

いい気なものですな。男はいい気持ちでねむっております。

娘は横を向いたままあおぎつづけているのでした。

鼻はどんどんのびて、雲をつきぬけ天の川へとむかってのびていきます。

そのころ、天の川では、天上の人たちが橋の工事をしておりました。

「くいが一本、たりないでござるな。」

といっているところへ、男の鼻がするするとのびてきたものですから、天上の人は、大よろこびで橋のくいのかわりに打ちつけてしまいました。


「ぎゃ〜、いてててて〜。」

なにしろ、これはいたかった！

男は大あわて。なにがなにやら、さっぱりわかりません。

「うちわじゃ、うちわじゃ。」

「はい、あおいでおりまする。」

「うらじゃ、うらにしてあおぐのじゃ。」

「はい、うらでございますね。」

バタバタバタ……。

こんどは、鼻がどんどん、どんどんちぢんでいきます。でも、鼻の先が天の川の橋げたに打ちつけられているので、そのうち、鼻がぴ〜んとひっぱられてしまいました。

「ど、どうなっているんだ！」

「ぞんじません。」

娘はしらぬ顔で、うらがえしたうちわであおぎつづけます。

「わ〜っ、助けてくれ〜っ。」

なんとまあ、男のからだはふわりとうきあがり、みるみるうちに高い空へとのぼっていくではありませんか。

「助けてくれ〜っ、わ〜ん、わ〜ん。」

男の鼻がちぢめばちぢむだけ、男はどんどんのぼっていき、とうとう天の川の中へすいこまれてしまいました。

娘はというと、天を見上げたまま、いつまでもいつまでも、うちわをあおぎつづけておりましたと。

夏のうつくしい夜空、銀河がひろがる空のどこかで、いまも男は、

「助けて、助けて〜っ、鼻がいたいよう〜。」

となきながら、ぶらさがっているかもしれませんね。

（おわり）

# あずきとぎ

むかし、あるところに、きみのわる～い お寺がありましたそうな。

あるばんのこと、村人たちが集まって、物知りのおじいさんから、お寺のばけものの話を聞いていました。

「よいか、あの寺には、いろんなばけものがいるが、そのなかでも、まず、一にこわいのがひとだま。二にこわいのが身投げの古いど。三が、うらめしやのやなぎで、四が動くはか石、つぎに出てくるのが、一本足のかさ小僧で、これが、こんばんは～、こんばんは～……と。」

おじいさんの話がもりあがるほどに、村人たちはふるえあがりました。

けれども、兵六という男だけは、へいきな顔です。

「これだけは、おまえでもこわいはずじゃ。あずきとぎのおばけじゃよ。」

おじいさんはまた話しはじめました。

「あずきとぎはな、本堂にすみつくおばけの大将でな。この村のものも、だれひとり正体を見たものはおらん。ショーキ、ショキショキ……。あずき、とぎましょか。人とって、食いましょか。ショーキ、ショキショキ……。声だけじゃそうな、これがいちば～んこわ～いおばけじゃ。」

ところが、兵六どんときたら、

「おら、なんともねえ。」

なんていうものですから、それなら、兵六どんはほんとうにどきょうがあるものかどうか、きもだめしをしようということになりました。

そこで村人たちは、暗いお寺の山門から、いっそう暗くてぶきみなはかばへ、兵六どんをひっぱっていきました。

はかばでは、ちょうちんが一つ、きゅうにけたけたとわらいだしました。

「ひゃあ、出た！」

村人の何人かはにげだしました。

でも兵六どんは、

「おら、なんともねえ。」

古いどのところでは、がいこつがとびだし、やなぎの木の下では、ゆうれいが顔を出し、「うらめしや～。」と、

かさ小僧が「べえっ！」とおどしても、兵六どんはへいきのへいざ。

村人たちはとっくににげだして、もうだれもおりません。

だが兵六どんは、本堂のまん中まできて、すわりこんでしまったのです。

本堂の主は、あの名高いあずきとぎ。さあて、どうなることやら。

「おばんでやんす。あずきとぎのだんな、ちょっくら顔を見せてくだせえ。」

兵六どんがこういうと、とつぜんいなびかりがして、なにやらいんきな声が聞こえてきました。

「あずきとぎましょか、人とって食いましょか。ショキショキ、ショキ……。ショキショキ、ショキショキ……。」

兵六どんは、あずきとぎの声にあわせて、同じようにいいました。

「しょきしょきしょき。だんな、ほかにいうことはないんですかい。」

いくらあずきとぎが兵六どんをこわがらせようとしても、ちっともこたえません。

あずきとぎは、とうとうこまりはててしまって、

「ええい、これでもくらえ！」

ドドドドドド！

天じょうから落ちてきたのは、なんと、それはそれは大きなぼたもちでした。そのあまいこと、おいしいこと。

それからというもの、兵六どんは、夜な夜なお寺に出かけて、あずきとぎのぼたもちをごちそうになるようになりました。

このうわさをきいた村人たちは、ぼたもちを食べたくて、兵六といっしょにお寺にきました。

「おばんでやんす。今夜は村の衆もつれてきやしたで、ひとつ、でっかいぼたもちをおねげえしますだ。」

ところが、どうしたことか、そのばんにかぎって、一つまみのあんこも落ちてきません。

「だんな、ぼたもちを出してくれねば、おら、うそつきになってしまうだ！」

はらをたてた兵六どんが、どなったとたん、いなびかりがして、天じょうからなにやらドサンと落ちてきました。

「なんだこりゃ？ なすのつけものでねえか。ぼたもちはどうしただ？」

すると天じょうから、あわれな声がひびきました。

「毎度毎度、ぼたもちはないわい。たまにはなすのつけものでお茶でも飲んでけれ。これがほんとの、もてなすじゃわい！」

（おわり）

# だんだらぼっち

むかしむかし、志摩半島の波切という村のおきに大王島という島があって、そこには「だんだらぼっち」という、一つ目の大男がすんでおったそうじゃ。その大男のいびきは、岩をも動かすほどじゃったという。

なにしろ、この大男はお話にならないくらいでっかくて、大王島から波切の村まで一またぎでわたってくる。

そうして、このからだじゃ、力ものすごく強い。漁師たちのとった魚なども船ごともっていってしまうのじゃった。だから、だんだらぼっちがくるときは、波切の村は、まるで大津波におそわれたようなさわぎじゃった。

「きゃあ〜っ、だんだらぼっちだ〜。」

だんだらぼっちは、はらがへると村へやってきて、にげまわる村人たちや、家をふみつけながら、村じゅうをすきかってにあらしまわっておった。

きょうもきょうとて、だんだらぼっちにあらされた波切の村では、村の衆たちが網元の家に集まって相談じゃ。

「どうしたら、だんだらぼっちが村にこなくなるんじゃろうか。このままじゃ、村ははめつじゃ。なんとかせにゃならん！」

網元がこういっても、みんなはうでぐみをして、うなるばかり。

「そうじゃ、大きな落としあなをつくったらどうじゃ。なあ、網元どん？」

「う〜ん、だんだらぼっちが落ちるあなとなると、そうとう大きなあなをほらななんねえぞ。」

「で、どうやってそのあなに落とす？」

「そりゃ、まだ考えとらん。」

また、みんなはこまってしもうた。

「ええ方法があるぞ！　酒をたらふく飲ますんじゃ。そうすりゃ、ふ～ら、ふ～らと……。」

「うん、そりゃええ。」

「で、わしらが、あなのほうへにげるんじゃ。すると、だんだらぼっちが追っかけてきて、あなの中に、ストーン。」

「で、その後はどうするんじゃ？」

「え～と、え～と……。」

「そうじゃ、魚のあみをぐるぐるまきにかぶせりゃええ。」

というわけで、相談がまとまりまして、村人たちは、その夜のうちに大きな大きなあなをほった。

そして、酒だるを五つも用意して、夜の明けるのを待った。

夜が明けると、だんだらぼっちが、酒のにおいにつられてやってきた。

「お～い、だんだらぼっちがくるぞ。」

木の上の見はりの男がさけんだときには、もうだんだらぼっちは村に足をふみ入れておった。

「う～ん、なんじゃかにおうようじゃな。おい、これは酒でねえか。」

酒だるを前にした村人たちの頭の上から、大声がした。

「へい、きょうはめでてえ日なんで、だんだらぼっちさまに、これを飲んでもらおうと……。」

「で、きょうはなんの日だ。」

「それがそのう……、じつは……、あっしの生まれた日なんで。」

大男にたずねられた網元がいった。

漁師たちは、こそこそいいあった。

「そうじゃったかなあ？」

「さ～て、聞いてねえな。」

だんだらぼっちは、そんなことおかまいなし。すぐに酒に手をのばした。

「とにかく、そりゃめでてえ。う～ん、これはうめえ、うめえ。」

ごくん、ごくん、だんだらぼっちは、あっというまにたるをからっぽにして、投げとばしてしまった。

「う～い、もっと飲ませろ～い。」

よっぱらった大男は、もっともっと、酒をさいそくする。

「へっへっへ、うまくいったぞ。」

「だいぶ、飲んだようだな。」

村人たちは、さ～てこれからじゃと、はりきった。

「へいへい、ただいま。さあさ、酒はこっちで。どうぞ、どうぞ……。」

あんないする村人たちに、大男がついていく。

「酒はどこじゃ～っ！」

「あっち！」

網元が指さした方向へ、だんだらぼっちが足を出したとたん、
ドデ～ン！

「やった～っ！」

だんだらぼっちがあなに落っこちた。

村人たちは大よろこび。

ところがどっこい。

「うい〜っ、酒はどこじゃあ〜。」

大男はあなから立ちあがった。あなはあさすぎたのじゃった。

「だめじゃ〜っ、にげろ〜。」

だんだらぼっちは、その日は、さんざん村をあばれまわって帰っていった。

村人たちは、その夜はまた、網元のところへ集まって、相談のしなおしというわけじゃあ。

「落としあなくれえじゃ、とてもだめじゃ。ほかになにかええ方法はねえか。」

「う〜ん、このままじゃ、村は、ほんとうにつぶれてしまうぞ。」


そこへ網元の子どもが顔を出して、こんなことをいうんじゃ。

「父ちゃん、おらにいい考えがある。」

「なんじゃと、子どもがなにをいうか。ま、いちおういってみろ。」

子どもは、網元の耳に口をよせて、なにやらひそひそ……。

「どう、父ちゃん？」

「う〜ん、子どもの考えとしては、まあまあじゃな。」

というわけで、村人たちは、なにやらごそごそ準備をはじめた。

それから何日かたって、また、だんだらぼっちがやってきた。

「はらへった〜っ、なにかうめえものないか〜。」

そういいながらやってきただんだらぼっちは、大きなかごを見つけて、村人にたずねた。

「おい、こりゃあ、なんだね？」

「はい、これは、考えるだけでもおそろしい、千人力の男が使うたばこ入れでごぜえます。二、三日前からこの村にやってきましたその大男は、あなたなど、そばへもよれないほどの強いやつでございます。」

だんだらぼっちはおどろいた。

「そんなやつがこの村にいるのか。」

だんだらぼっちが、おそるおそる歩いていくと、こませぶくろという、太さが、一かかえ半もある、大きな魚のえさぶくろがほしてあった。

「これは、なんじゃ？」

「へい、千人力の男のでっけえことでごぜえます。その男がはく、ももひきといったら、あなたなんぞ、まるで、子どもみてえなもんでごぜえます。」

だんだらぼっちは、こんなことを聞くと、いつもの元気が出なかった。

こんどは、大きなあみがほしてあるのが目にはいった。

「こ、これは、なんじゃあ。」

「これは、千人力の男がきる着物だよ。これでも短くて、足が半分ほど出てしまうだ。」

「そ、そんなにでっけえのかっ！」

「でけえのなんのって。そいつはこんなことというだよ。『おめえたちは小さすぎてたよりない。もっと大きいやつがいたら、まりのようにほうりなげて遊んでやる。』なんてね。」

だんだらぼっちは、なんだかいや〜な気持ちになった。

「お、おれ、きょうはもう帰るわ。」

といって、ふと足もとを見た。

「こ、これは、なあに？」

大きなむしろのようなものの上に、だんだらぼっちと村人たちは立っていたのじゃ。網元がこたえた。

「ごらんのとおり、わらじでごぜえます。」

「わわ、わ、ら、じ？」

「千人力の男のはくわらじでごぜえます。もうすぐ、ここへはきかえにくるとおもいますよ。」

「ここへ、くるじゃと！」

こんな大きなわらじをはく男に、つかまったらたいへんじゃと、だんだらぼっちは、あわてて大王島へにげ帰ったそうな。

そして、二度と波切の村にはやってこなかったそうじゃ。

いまでも、波切の村では、大わらじを海に流すしゅうかんがのこっているそうな。

そして、大王島の岩の上には、だんだらぼっちの大きな足あとがのこっているということじゃ。

（おわり）

# にわとりのお告げ

むかし……。庭のとり小屋で、たくさんのにわとりとひよこをかっている、貞蔵さんという人がおりましたそうな。

ある夜のこと、この貞蔵さんの家で、ふしぎなことがおこりました。

みんながねしずまった真夜中、一わのにわとりがためいきをつきながら、天じょうを見上げていました。そして、とつぜんけたたましく鳴きだしたのです。

「コケコッコーッ！　コケコッコーッ。」

おどろいてとびおきた貞蔵さんは、まっさおになりました。

このにわとり、いつもはしずかなのに、この夜は村じゅうにひびきわたるほどの大声で鳴きつづけるのでした。

「これはたいへんなことになった。」

このあたりでは、夜、時ならぬ時刻ににわとりが鳴くと、よくないことがおこると信じられていたのです。

そして、夜鳴きしたにわとりは、川へ流してしまう、というならわしがありました。

「かわいそうに……、なにもわるさをしたわけではないが……。」

貞蔵さんにはどうすることもできません。しかたなく、貞蔵さんはにわとりをわらぶくろにつめて、くびだけはふくろから出して、川へとむかいました。

貞蔵さんは、川岸に立つと、そっとつめたい水の中に、にわとりを流しました。そうして、あとも見ないで走って家に帰りました。

すてられたにわとりは、どうなったのでしょう。

にわとりは、川を流されていくうちに、牛野谷の水越しにひっかかってしまい、そのまませきとめられて、夜を明かしたのでした。

ところで、その牛野谷の水越しから、すこしはなれたところに、虎吉さんという人が住んでおりました。

虎吉さんは、その夜、それはふしぎな夢をみました。その夢とは……。

トントントン……。

「だれじゃ～。」

だれかが戸口をたたくので、出てみると、一わのにわとりがそこにいて、虎吉さんにこんなことをいいました。

「わたしは、土手町に住む貞蔵という

者の、手飼いのにわとりじゃ。主人の家では、せんぞのいはいが一まい、にわとり小屋の上にころがっている。このままにしておったら、ばちがあたって、家はほろびてしまうじゃろう。どうか、早くわたしをつれていって、主人にそういってくだせえ。わたしはいま、牛野谷の水越しに、わらぶくろごとひっかかって、どうすることもできません。おねがいしますだ。どうか手をかしてください。」

そういうと、にわとりは空高くとんでいったのです。

「に、にわとりがしゃべった〜っ！」

虎吉さんはとびおきました。

「ふしぎな夢をみたもんじゃなあ。」

さっそく虎吉さんは、夢のなかでにわとりがつげた牛野谷の水越しへいってみました。するとどうでしょう。そこには、わらぶくろからくびを出したにわとりがいたではありませんか。

「おお！　夢でみたとおりじゃ。」

虎吉さんがかけよると、にわとりは、

「コケコッコー。」

と、元気よく鳴いたのです。

虎吉さんは、すぐににわとりを助けあげて、貞蔵さんの家をたずねていきました。そして、昨夜の夢の話をしましたところ、貞蔵さんもびっくり。

「ほんに、そんなことがあるんかのう。」

二人は、さっそくにわとり小屋の天じょうの上を調べました。

すると、ふしぎやふしぎ……。ごせんぞのいはいが一まい、ほこりまみれでころがっていたのです。

「あっ、あった〜っ！　虎吉さん、ありましたよ。」

「なんとふしぎなことよのう。」

貞蔵さんの家では、せんぞのいはいを集めて、おぼんや正月におまつりしていたのですが、その中の一まいを、ねずみがにわとり小屋の上に運んだのでしょう。

「これで家がほろびずにすみましたよ。」

貞蔵さんは、虎吉さんに、たくさんのおれいをしました。

「おまえのおかげで助かったよ。これからは、気をつけるで、ゆるしてくれや。」

にわとりは、そのことばがわかったのか、うなずくように、

「コケコッコー！」

と、元気に一声鳴きました。

「よかった、よかった。」

それからは、貞蔵さんの家では、おつげをしたにわとりを、とてもだいじにしたということです。

（おわり）

# 大工と鬼六

むかし、あるところに、ものすごく流れのはやい大川がありました。この川では、大雨がふるとすぐ橋が流されてしまうのでした。

こまった村人たちは、どうしたもんかと相談しました。

そこで、このあたりではいちばんうでがたつといわれている、名人の大工に、橋づくりをたのみにいきました。

「親方！ あそこに橋をかけられるのは、おめえさましかいねえ！」

「どうか、じょうぶな橋をかけてくれ。」

みんなにたよりにされ、大工どんは、ポンと、胸をたたいていいました。

「よっしゃ！ おらにまかしとけ。」

その返事に、村人たちは安心して帰っていきました。

でも、そばで話を聞いていたおかみさんは、心配顔です。

「おまえさん。だいじょうぶなの？」

「うるせえ、人にたのまれて、いやといえるか。やってみせるとも。」

おかみさんにはそういったものの、大工どん、内心は心配でたまりません。

「あの大川に、橋をのう……。ちょっくらいって、ようすを見べえ。」

と、大川へ出かけていきました。

雨で水かさのふえた大川は、ゴーゴーとすごいいきおいで流れていきます。どんなじょうぶな橋も流してしまいそうな、そのはげしい流れを前にして、大工どんは、考えこんでしまいました。

「う〜む……。この川に橋を……。どんな大雨でも流されない橋をな。」

何時間、そうして流れを見つめていたことでしょう。とつぜん、目の前の流れがうずをまきはじめました。

そして、そのうずの中から、一ぴきの鬼があらわれたのです。

「はっ、お、おまえさんは……。」

おどろいている大工どんに、鬼はいいました。

「大工どん！ さっきからなにを考えとるんだね？」

「う〜ん、この川にじょうぶな橋をかけたいんじゃが、どうしたらいいかわからなくてのう。」

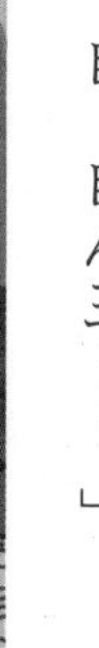

「そりゃ、そうじゃろう。人間の力には、かぎりというものがあるでのう。でも、たった一つ、よい方法があるで。」

「と、いうと……？」

大工どんは、思わず身をのりだしました。すると、鬼は、こわい顔をしてこういうのです。

「おめえさんの、目ん玉をくれることじゃあ！　目ん玉をくれるんなら、わしが橋をかけてやる。人間の力ではできん鬼の橋をなあ！」

「目、目ん玉……。」


「がっははは……。とにかく、あしたもう一度、ここへきてみればようくわかるわい。」

「お、鬼の橋……。」

あまりのことに、大工どんがぼうっとしていると、鬼はわらいながら、川の中へ消えてしまいました。

大工どんは家へ帰ってからも、ずっと鬼の橋のことを考えていました。

人間にも作れない橋を、鬼はどうやって作るのでしょう。さすがの名人大工にもわかりません。

つぎの日、大工どんは、まだ暗いうちから家を出て、大川へ向かいました。

すると……。

「ああっ！　は、橋だ！　鬼の橋だ。」

なんと、橋が半分できています。それは、一目見ただけで、ものすごくりっぱな橋とわかりました。

「やい、大工どん、おどろいたか。」

声のするほうを見ると、半分できた橋に、きのうの鬼がすわっています。

「この橋、おまえが作ったのか？」

「もちろんじゃとも。どうじゃあ、目ん玉よこす気になったか。」


大工どんは、半分の橋と、鬼の顔をかわるがわる見て、いいました。

「あとの半分は？」

「目ん玉よこすなら、あしたは、のこりの半分もできあがるんじゃが、どうじゃ。」

「し、しかし……。」

橋は作ってほしいが、目ん玉はとられたくない。大工どんはまよいました。

「ようし、話は決まったでや！　また、あしたきてくんろ！」

大工どんの返事も聞かず、鬼は、そういって、川にとびこみ、消えてしまいました。

そのつぎの日は、朝からはげしい雨がふっていましたが、大工どんは大いそぎで大川へいきました。

橋を見た大工どんはびっくり。橋が完成しているではありませんか。

「し、しんじられん。この雨のなか、どうやって作っただ？」

そこへ、鬼があらわれました。

「ぎゃはっは、大工ど〜ん、やくそくじゃ、目ん玉もらうど！」

「ま、待ってくれ、おら、この橋が、あらしのなか、もちこたえるのを、この目で見てえ。あと一日待ってくれえ。」

大工どんのひっしのたのみに、鬼は、こんなことをいうのです。

「おめえさんも、目ん玉がおしかろう。もし、わしの名まえをあてることができたら、目ん玉ゆるしてやってもええんじゃがのう……。」

「おめえの名まえじゃと？」

「まあ、あしたまでに考えてこいや。ぎゃっはっはっは……。」

大工どんは、家に帰ってからも、考えつづけました。

「鬼は、なぜ、名まえをあてろなどというんじゃろうか。いやいや、そんなことよりも、名まえを考えなくちゃ、目ん玉とられちまう。う〜ん。」

いくら考えたところで、鬼の名まえなど、わかるはずもありません。

そのときです。となりのへやから、子どもをねかしつけているおかみさんの、子守歌が聞こえてきました。

「ねんねこよ、ねろってばや。
鬼にも名はある、ねろってばや。
はよねた子には、鬼六が、
目ん玉もってやってくる。」

「目ん玉？　鬼六！　そうじゃ、鬼六じゃあ。橋かけの名人鬼六じゃ。人間にだって名があるように、鬼にだって、名人なら名がある。

鬼六だ！　鬼六だ！　鬼六だあ！」

大工どんはもう、とんだりはねたり、大よろこび。いつしか外は、雨もあがり、月が顔を出していました。

つぎの日、大工どんは、またまた朝早くから川へ出かけました。

いよいよ、鬼に目ん玉をとられるか、名まえをあてるか、勝負のときです。

川の水かさはましていましたが、鬼のかけた橋は、びくともしません。

鬼は、大工どんがくるのを待っていました。

「よう、大工どん！　わしの名まえ、わかったか？」

大工どんは、すこし鬼をじらしてやろうと思いました。

「やっぱりわからんのじゃろう。」

と、鬼は悲しそうにいいましたが、大工どんは、なかなか返事をしません。

鬼はいらいらしだして、大工どんにつかみかかりました。

「わからねえなら、目ん玉もらうど。」

「わあっ、待った。思い出した！」

そのことばに、鬼は、手をゆるめましたが……。

「橋かけの名人、鬼太郎！」

「こらあ！　でたらめいうでねえ。」

「ああ、ちがった、ちがった。こんどこそほんとうだ。鬼八じゃあ。」

「ちが～う！　やっぱり、おらの名まえなんか、だれも知らねえんだから。」

鬼はがっかりして、いまにもなきだしそうでした。

大工どんは、鬼をおこらせてはたいへんと、ポンと手をうって大声でいいました。

「そうだ！　思い出したぞ！　おまえの名まえは、橋かけの名人、鬼六じゃ。」

「は～っ、あわわわわ……。」

鬼六は、自分の名まえを耳にすると、手をうって大よろこび。そのまま後ろへひっくりかえり、川のそこへ消えてしまいました。

「おうい、鬼六～っ、鬼六～っ！」

大工どんがいくらよんでも、鬼はもう、ふたたびすがたをあらわしませんでした。

鬼六のかけたあの橋は、それからも、どんな大雨にもびくともしなかったということです。

（おわり）

# 仁王とどっこい

むか～し、いまの中国が、まだ唐とよばれていたころのお話じゃ。

八幡さまの門の前に、仁王さまというこわ～い顔をした像が立っているのを知っておろう。この仁王さまがどうして八幡さまの門の番をするようになったかというお話じゃよ。

あるところに、たいそうな力持ちの仁王という名の大男が住んでおった。

ある日のこと、仁王は村の子どもによびとめられた。

「仁王よ、たいへんだでや。さっき、旅のぼうさんにきいたらな、唐の国にそれはものすごい力持ちの、どっこいという大男がすんどるって。」

自分より強い者などおらんと思っとる仁王は、

「よ～し、それなら、わしとどっちが強いか力くらべしてやる。」

海べへきた仁王は、ふねにのりこみながらいうた。

「わしは、ちょっと唐の国へいってくるで、このふねをかりるぞい。」

ふねをこぎだそうとする仁王に、見知らぬ旅のぼうさんが声をかけた。

「仁王よ、唐の国へいくのなら、このやすりを持っていくがいい。きっと役にたつぞ。」

ぼうさんはふところから出したやすりを仁王に手わたし、どこへともなく立ち去っていったんじゃ。

このおぼうさんが八幡さまじゃったと。

さて、仁王は、広い海を何日も何日もこぎつづけて、やっとのことで唐の国へたどりついた。

「わしは、日本一の力持ち、仁王じゃあ！　どっこいと力くらべにやってきた。いざ、勝負しろ！」

と、どっこいの家をたずねていくと、どっこいはるすじゃった。

「帰るまで待たせてもらうぞ。」

仁王が、のんびり待っておると、ズシーン、ズシーン！　と、ものすごい地ひびきがして、大声がとどろいた。

「お～い、ばあさん、もどったぞう！」

その声を聞いたとたん、仁王はいちもくさんににげだしてふねにとびのり、わきめもふらずこぎはじめた。

家に帰ったどっこいは、日本から力くらべにきた男がにげていったと聞いておこった。

「ひきょうもののめ、にがすものか！」

あっというまに浜べへやってきたどっこいは、はるかおきの仁王を見つけると、さけんだんじゃ。

「お〜い、もどってこ〜い！」

どっこいは、大きなかぎのついたくさりをとりだし、それをぶんぶんふりまわし、仁王のふねめがけて投げつけたんじゃ。 

「そ〜れっ！」

ガキッ！

かぎは、しっかりと仁王のふねにくいこんだ。どっこいがくさりをひっぱると、ふねはがくんと後もどり。


仁王は、力のかぎりこぎつづけたが、ふねはぐいぐい岸のほうへもどされてしまうのじゃった。

もうだめだ、と思った仁王は、あの八幡さまのことばを思いだした。

「そうじゃ、やすりじゃ！」

仁王はやすりをとりだすと、ギコギコと、くさりを切りはじめたんじゃ。

「そ〜れ、そ〜れ！　そ〜れ！」

くさりをひっぱるどっこい。

くさりを切る仁王。

どちらも力いっぱいじゃ。

そのあいだにも、ふねはすごいはやさで岸へ近づいていく。

ついにくさりが切れたんじゃ。

そのいきおいでどっこいは、後ろにひっくりかえってしまった。

ドシーン。

それはじしんのように地面をゆるがし、大きなつなみをひきおこした。

ザザザー、ドドドーッ！

なんと仁王のふねは、その波にのって、いっぺんに唐の国から日本まで流れついてしもうたそうな。

「やれやれ、助かった。それにしてもどっこいというのはすごいやつじゃ。」

唐の国でも、どっこいがおなじようにおどろいておった。

「鉄のくさりをひきちぎるとは、なんという力持ちじゃ。やれやれ助かった。」

それ以来日本では、重いものを持ち上げるとき「どっこい！」と、声をかけ、唐の国では「仁王！」と、声をかけるようになったということじゃ。

また、八幡さまにやすりをいただいて、命びろいした仁王は、それからは八幡さまの門番をするようになったそうじゃ。

（おわり）

# 地獄のあばれもの

むかしむかし、ある町に、一人の医者がおったが、この医者、人のやまいをなおすどころか、自分がやまいにかかって死んでしもうた。

死んだ人は、三途の川をわたり、あの世へいくのじゃが、さて、そこは美しいごくらくか、はたまた、おそろしいじごくか……？　それは、えんま大王が決めることじゃった。

医者は、えんま大王にいうた。

「大王さま、わたくしめは医者でございます。生前は、人々のお役にたったのでございます。どうぞ、ごくらくへやってくださいませ、はい。」

「こら！　うそつきめ。おまえはにせ医者で、あくどくもうけおったではないか。」

「そんな、めっそうもない。」

「だまれ！　わしに口答えする気か。じごくいきじゃ！」

医者は、鬼につまみあげられ、ぽいっとほうりなげられてしまった。

「ひゃあ～っ！」

落ちたところは、じごくへとつづく道じゃった。医者はかくごを決め、かたわらの石にこしをおろすと、つぶやいた。

「どうせじごくいきじゃあ。だれか、道づれがくるのを待とう。」

さて、つぎにえんま大王のところへきたのは、山ぶしじゃった。

山ぶしは、えんま大王の前に進み出た。

「せっしゃは、人助けの山ぶしというて、世間のわざわいをとりのぞきもうした。まちがいなく、ごくらくいきでしょうな。」

「うそをつくでない！　おまえは、神仏のたたりじゃというて、なんでもない人々から、金をまきあげたじゃろ！」

「と、とんでもない。」

「おまえは、じごくいきじゃあ！」

山ぶしも、ぽいっとほうりなげられた。

じごくへの道では、医者が待っとった。

「やあ、あんさんもじごくいきで？　これで二人になったが、もう一人いれば心強いわいなあ。」

すると山ぶしもこしをおろして、

「どうせじごくいきじゃ。あわてることはない。もう一人くるまで待とう。」

さて、つぎにあらわれたのは、かじ屋のおやじじゃ。

「大王さま、おらは、百姓のかまやくわをたくさん作って人助けしましたのや。ごくらくいきでやしょう。」

「おまえは、鉄にまぜものをして、なまくら道具を売ったな！　ほら、ちゃんとえんま帳に書いてあるわい。」

「まぜものしねえと安くならねえで。」

「口答えするでない。じごくへいけ！」


かじ屋もほうりなげられ、じごくへの道までふっとんでくると、医者と山ぶしが、にこにことむかえた。

「いらっしゃ〜い。」

「では、ぼちぼちまいりましょうか。」

そんなわけで、三人は、つれだってじごくの入り口、じごく門についた。門番が、おそろしい顔でいった。

「ほれ！　さっさとはいらんか。そして、あの山を登っていくんだど。」

三人が見ると……、なんとそれは、つるぎの山じゃった。

「あんな山を登ったら、足がさけっちまうよ。」

「ど、どうしよう。」

医者と山ぶしがおろおろしていると、かじ屋がにっこりしていうた。

「ここは、おいらにまかしとけ。」

なにをするのかと思えば、とりだしたやっとこで、ぽきぽきとつるぎを折り、火をおこして、トンカン、トンカンそれをうちなおした。

「そらできた。鉄のわらじだで。これをはいて歩けば、つるぎが折れるでよ。」

三人は、鉄のわらじをはいて、つるぎの山へ登っていった。

ぽっきん、ぽっきん。つるぎはおもしろいように折れる。

「うひゃあ、こりゃあすごい！　後ろからくるもののために、道をつくっておこう。」

ぽきぽき、ぽっきん、ぽっき〜ん。

「それそれ、どんどん、折れ折れ。」

たまげたのは、鬼たちじゃ。

「な、なんだ、あいつら！」

「た、たいへんだ！　大王さまにしらせねば。」

それを聞いたえんま大王、おこったのなんのって。

「つるぎの山に道を作っただと？　ばっかも～ん！　だまって見とるやつがあるか！　さっさとひっとらえてかまへほうりこめ。かまゆでじゃ～。」

たちまち三人はつかまって、かまの中にほうりこまれた。鬼たちは、下からどんどん火をたいた。

「あちっちっち、こりゃいかん！」

「やけどするう～。もうだめじゃ！」

するとこんどは、山ぶしが、

「ここは、わたしにまかせなされ。火遁の術のいりょくを見せてくれる。」

と、じゅもんをとなえだした。

「ぬるま湯になれ、ぬるま湯になあれ。ナムウンケイアラビソワカ、か～っ。」

ふしぎやふしぎ。お湯は、ちょうどいい湯かげんになった。

「おぬしの術も、たいしたもんじゃ。」

「こんなりっぱな山ぶしどんをじごくに送るなんて、えんまも目がないのう。」

「それにしても、いい湯じゃのう。」

三人は、すっかりいい気分。うかれて歌まで歌いだすしまつじゃ。

さあて、いかりくるったえんま大王。

「うぬぬぬ……、あやつら、じごくをごくらくとまちがえおって！　ゆるせん！　断じてゆるせん！　わしが、じきじきにせいばいしてくれるわい！」

えんま大王は、大きな手で三人を一つかみにすると、口の中へほうりこんでしもうた。三人は、えんま大王のはらの中におちていった。

「う～む、さすがえんま大王のはらの中、なかなか広いわい。」

おもしろがっている場合ではない。

「あ～っ、なんだか体がぐにゃぐにゃしてきたよ。」

「たいへんじゃ～、体がとけてきた～。」

「とけたら、なくなってしまうだよ。」

こんどこそ、もうだめじゃ。うえ～ん。」

山ぶしとかじ屋はなきだしたが、医者はおちついたもんじゃ。

「心配するなって。体のとけぬ薬を作ったで、飲んでみなされ。」

その薬を飲むと、たちまち体はしゃんとなった。

三人は大よろこびで、えんま大王のはらの中を見物しだした。

「医者どん、これはなんだべ？」

「そりゃ、わらい筋じゃよ。」

医者が、そのわらい筋をひっぱると、えんま大王は、急にわらいだした。

「うひ、うひ。うひひひ……。」

こんどはなき筋をひっぱると……、

「うえ～ん、うえ～ん。悲しいよう。」

と、なみだをぽろぽろ。

わけもなく、わらったりないたりす

るえんま大王に、鬼たちは、きみわるそうに顔を見合わせた。

「こりゃあ、おもしろい。」

はらの中の三人は、わらい筋に、なき筋、それからおこり筋、と、あちらこちらの筋をめちゃくちゃにひっぱった。

「ぎゃはっはっは…、はひ？　がおがお、うえ〜ん、ひいっ。」

えんま大王がなけば、なみだのこうずいとなり、おこってあばれれば、岩山がガラガラとくずれる。いやはや、もうたいへんなさわぎじゃ。

医者は、はらの中に、なにか薬をぬりながらいうた。

「さあて、そろそろ下し薬をぬって、外へ出ようかいのう。これはきくぞ。」

ないたりわらったりしていたえんま大王、はらをかかえてべんじょにかけこんだ。

ピー、ゴロゴロ……。

えんま大王のおしりから、医者、山ぶし、かじ屋がつぎつぎととびだした。

にこにこ顔の三人を見た大王、

「よくも、わしにはじをかかせたな。おまえたちは、じごくにおるしかくもないわい！　とっととしゃばへもどれ〜っ！」

と、三人を地上へふっとばしたんじゃ。

この世にまいもどった三人は、おどろくやらうれしいやらで、大わらい。

こうして三人は、いつまでもなかようくらしたそうな。

（おわり）

# 貧乏神と福の神

むかしむかし、ある村に、ものすご～くびんぼうな男がおった。いくらはたらいてもくらしはちっとも楽にはならん。というのも、じつは、この家には、以前からびんぼう神がすみついておったんじゃ。

「ひっひっひっ、わし、びんぼう神。この家はすみごこちがよくてのう……。」

これでは、くらしが楽になるわけがない。男は、もう、すっかりあきらめて、毎日ぼうっとしておったそうな。

そんな男のくらしを見かねた村の人たちは、男に嫁ごを世話してやった。

この嫁ご、めんこいうえに、はたらき者。朝からばんまで、それはようはたらく。嫁ごだけに、はたらかせるわけにはいかんで、男もまた、せっせとはたらくようになった。

そうなるとこまったのはびんぼう神じゃ。

「なんだか、だんだんここにはいずらくなってきたのう。わしゃ、どうすればいいんじゃろう。」

と、だんだん元気がなくなってきた。

それから何年かたった、ある年の大みそかのこと。

男の家では、わずかながらもごちそうを用意して、ゆっくり正月をむかえようというとき……。

「うえ～ん、うえ～ん。」

天じょううらから、なき声が聞こえる。

「だれじゃろう、見てこよう。」

男が見にいくと、なんと、きたない身なりのじいさまが一人、声をはりあげてないておった。

「あんたは、いったいだれかね？」

「わしゃ、びんぼう神じゃ。ずっとむかしからこの家にすんどったのに、おまえら夫婦がようはたらくもんで、今夜、福の神がやってくるちゅうんじゃ。そしたら、わしゃあ出ていかなきゃならんのだ！　わ～ん、わ～ん。」

男は、自分の家の守り神がびんぼう神と聞いて、すこしがっかりしたが、それでも神さまは神さまじゃ。下の部屋におりてもらって、嫁ごにわけを話した。

そして、びんぼう神がかわいそうになった男は、ついこんなことをいうてしもうたんじゃ。

「せっかく長いことおったんじゃ。これからもずっと、ここにおってくだされ。」

嫁ごも、口をそろえていう。

「そうじゃ、そうじゃ。それがええ。」

どこへいってもきらわれもののびんぼう神、はじめてやさしいことばをかけられて、こんどはうれしなきじゃあ。

「うえ〜ん、うえ〜ん。」

こうしているうちに、夜もふけて、除夜のかねが鳴りはじめた。これが神さまのこうたいする合図なんだと。

そのとき、トントントン……と、戸をたたく音がした。

「こんな夜ふけに、どなたですじゃ。」

「がっはっはっ。おまたせ、おまたせ。神の国からはるばるやってきた、福の神でごぜえますだ。」

ついに、福の神がやってきた。福の神はびんぼう神に気がつくといった。

「なんだ、まだおったんか。出ていかんと、力ずくでも追い出すぞ！」

だが、びんぼう神もまけてはいない。

「なにお〜っ、やるか〜。」

と、福の神に突進したが……、ひょろひょろのびんぼう神と、でっぷり太った福の神では、勝負にならん。

それを見ていた夫婦は、

「あっ、あぶねえ！」

「びんぼう神、負けるでねえ！」

おどろいたのは福の神じゃ。

「なんでびんぼう神をおうえんするんじゃあ。」

しまいにゃあ、夫婦はびんぼう神といっしょに、福の神をおすしまつ。

「わっせい！ わっせい！」

とうとう三人がかりで、福の神を家の外へおし出してしまったんじゃ。

福の神は、あぜん、ぼうぜん。

「わし、福の神だよね。中にいるのがびんぼう神……、どういうこっちゃ。」

首をひねりながら、すごすごとひきあげていった。

「わあい、やった、やった！」

つぎの日は、めでたい正月。びんぼう神もいっしょに正月をいわった。

それからというもの、この家はあまり金持ちにはならんかったが、元気で幸せにくらしたと。

びんぼう神はどうしたかって？ いまもやっぱり、この家の天じょううらにいるそうじゃ。

（おわり）

# 節分の鬼

むかし、ある山里に、ひとりぐらしのじいさんがおったんじゃと。

この山里では今年もほうさくで、秋祭りでにぎわっておったが、だあれもじいさんをさそってくれるものはおらんかった。

じいさんは祭りのおどりの輪にもはいらず、遠くから見ているだけじゃった。村の子どもたちが、そんなじいさんをはやしたてる。

「ほれほれ、ほろけじじい。もうろくじじい。わ〜い、わ〜い。」

べつに、じいさんはもうろくしているわけじゃねえ。なんとなくみんなが、そう思って遠ざかっていただけだ。

じいさんのおかみさんは、病気で早くになくなって、ひとり息子も二年まえに病気で死んでしもうたんじゃ。

じいさんは、毎日おかみさんと息子の小さなおはかにおまいりすることだけが楽しみじゃった。

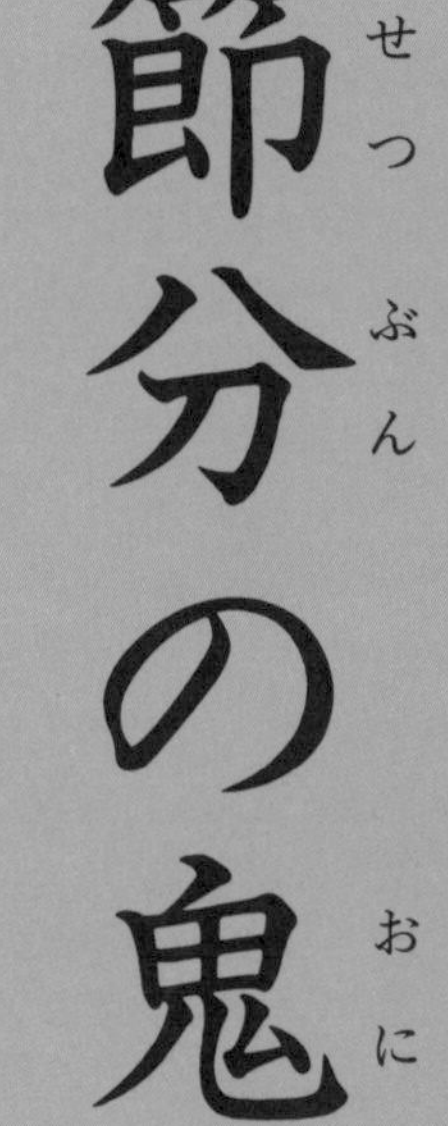

「かかや〜、息子や〜、早くおむかえにきてけろや〜。ごくらくさ、つれてってけろや〜。」

そういって、いつまでもいつまでも、おはかの前で手をあわせとるのじゃった。

やがて、この山里にも冬がきて、じいさんの小さな家は、すっぽりと深い雪にうもれてしもうた。

冬のあいだじゅう、じいさんはおはかまいりにも出かけられず、じっと家の中にとじこもっておった。

正月がきたって、もちを買う金もなし。ただ、冬のすぎるのを待っているだけじゃった。

その年も明けて、ある晴れた日、さみしさにたえられなくなって、じいさんは雪にうまりながら、おかみさんと息子に会いに出かけた。

おはかは、すっかり雪にうまっておった。じいさんは、そのおはかの雪を手ではらいのける。

「さぶかったべえ〜。おらのこさえたあまざけだ。これ飲んであったたまってけろ。」

じいさんは、あまざけをそなえて、おはかの前で長いこと話しかけておった。

れてしまっておった。


もう日もとっぷりくれてしまっておった。

暗い夜道を歩くじいさんの耳に、子どもたちの声が聞こえてきた。

「鬼は～、外！　福は～、内！」

「鬼は～、外！　福は～、内！」

じいさんは、足を止めてあたりを見まわした。どの家のまどにも明かりがともって、楽しそうな声がする。

「ほう、今夜は、節分じゃったか……。」

じいさんは、息子が元気だったころの節分を思いだした。

鬼の面をかぶったじいさんに、息子が豆を投げつける。

「鬼は、外だ～っ！　鬼は、外だ～。」

「わっはっはっは、まだじゃ。まだ出ていかぬぞ。」

「これでもか、これでもか、え～い！」

「わあっ、まいった、まいった。」

息子に投げつけられた豆のいたさも、いまでは楽しい思い出じゃ。

しみじみひとりぼっちが身にしみて、なみだがあふれて止まらんかった。


じいさんは家に帰ると、おしいれの中から、古いつづらを出してあけた。

「おお、あったぞ。むかし息子とまいた節分の豆じゃあ。ああ……、それに、これは息子がわしにつくってくれた鬼の面じゃあ。」

思い出の面をつけたじいさんは、あることを思いついた。

「おっかあも、かわいい息子ももういねえ。ましてや、福の神なんざにゃ、とっくに見はなされておる。」

こう思ったじいさんは、鬼の面をかぶって豆をまきはじめた。

「鬼は……内。鬼は～内、鬼は～内。福は～外、福は～外っ。」

じいさんは、わざとあべこべにさけんで、豆をまいた。

「鬼は～内、福は～外。」

もう、まく豆がなくなって、へたへたとすわりこんでしまった。

そのとき、じいさんの家にだれかがやってきた。

「おばんで～す。おばんで～す。」

「だれだあ？　おらの家になにか用だか？」

「わあ～っ！」

じいさんは、戸をあけてたまげた。

そこにいたのは、赤鬼と青鬼じゃ。

鬼は、にこにこしながらいうんじゃ。

「いや～、どこさいっても、鬼は～外、鬼は～外って、きらわれてばかりでのう。それなのに、おまえの家では、鬼は～内って、よんでくれたでな。」

じいさんは、ふるえながら、やっとのことでいった。

「す、すると、おめえさんたちは節分の鬼？」

「んだ、んだ。こんなうれしいことはねえ。まんずあたらしてけろ。」

と、ずかずかと家にはいりこんできた。

「ま、待ってろや。いま、たきぎを持ってくるだに。」

この家に客がきたなんて、何年ぶりのことじゃろうか。たとえ赤鬼と青鬼であろうと、じいさんにはうれしい客人じゃった。

赤鬼と青鬼とじいさんが、いろりにあたっておると、またまた人がたずねてきた。

「おばんで～す。」

「鬼は～内ってよばった家は、ここだかの？」

「お～、ここだ、ここだ。」

「お～、さむ。お～さむ。あたらしてもらうべえ。」

ぞろぞろ、ぞろぞろ、おおぜいの鬼たちがはいってきた。

「あらら……、こんなに！」

な～んと、節分の豆に追われた鬼どもが、み～んなじいさんの家に、集まってしもうた。

「な～んにもないけんど、うんとあったまってけろや。」

「うん、あったけえ、あったけえ。」

じいさんは、いろりにまきをどんどんくべた。

じゅうぶんにあったまった鬼たちは、じいさんにいうた。

「なにかおれいをしたいが、ほしいものはないか？」

「いやいや、な～んもいらねえだ。あんたらによろこんでもらえただけで、おら、うれしいだあ。」

「それじゃあ、おらたちの気がすまねえ。どうか、のぞみをいうてくれ。」

「それじゃあ……、あったかあ～いあまざけでもあれば、みんなで飲めるがのう。」

「おお、そうか。ひきうけたぞ。」

「待ってろや～。」

鬼たちは、あっというまに出ていってしもうた。じいさんは、しばらくぽつんと待っておった。

「待たせたのう。」

しばらくすると、あまざけやら、ごちそうやら、そのうえお金まで山ほどかかえ、鬼たちがどど~と帰ってきた。

たちまち大えんかいのはじまりじゃ。

「ほれ、じいさん。いっぺえ飲んでくれや。」

じいさんもすっかりごきげんになってしもうた。こんな楽しい夜なんて、おかみさんや息子をなくしていらい、はじめてのことじゃった。

鬼たちとじいさんは、いっしょになって、大声で歌う。

「やんれ、ほんれ、今夜はほんに節分か。はずれもんにも福がある。やんれ、やんれさ~。はずれもんにも春がくる~。」

大えんかいはもりあがって、歌えやおどれやの大さわぎ。

おしまいには、じいさんまで、鬼の面をつけておどりだした。
「やんれ、やれ、今夜は節分。鬼は~内。こいつは春から、鬼は内~っ。」
鬼たちは、じいさんのおかげで、楽しい節分をすごしたのじゃった。
朝になると鬼たちは、また来年もくるからと上きげんで帰っていった。

そうして春がやってきた。

鬼たちがおいていったお金で、じいさんは、おかみさんと息子のはかを、りっぱなものになおしたんじゃと。

りっぱなはかの前で手をあわせながら、じいさんはこういっておった。

「おら、もうすこし長生きすることにしただ。来年の節分にも、鬼たちをよばねばならねえでなあ。鬼たちにそうやくそくしただでなあ。」

じいさんはそういうと、はればれした顔で、家に帰っていった。(おわり)

# かもとりごんべえ

むか〜し、かもとりごんべえという
てっぽううちがおったそうな。

てっぽうのうではというと、それはもうへたくそで、毎度、毎度、かもたちにばかにされてばかりおったそうな。

「やれやれ、……なんとかして、一度に百わのかもをとれねえだかなあ。そんなら、おもしれえだになあ。」

そんな、むしのいいことを考えとったごんべえは、あるとき、古いてっぽうをかき集めて、一度に何発も玉の出るくふうをしてみたりしたが、いやはや、みごとに失敗。百わどころか、その日は一わのえものもないしまつ。

それでもごんべえは、どうしても一度に百わのかもをとりたかった。

「おお、そうじゃ。冬になったら、うまくいくかもしれん。」

そうさけんだごんべえは、なにを考えついたのかごろりと横になり、のらりくらりと冬のくるのを待ったそうな。

やがて、冬。ぐ〜んとひえこんだあるばん、かもとりごんべえは、古いなわをどっさり持って、うら山の池へと出かけたそうな。

池にはあつい氷が張り、たくさんのかもたちが、氷の上でつばさを休めて、ねむったままかたくこおりついておった。

「うひゃあ、おるわおるわ、かも百わ。しめしめ、のこらず生けどりじゃ！」

ごんべえは、うれしくてにたにたわらい、こおった池にふみこんで、かたっぱしから、かもたちになわをかけた。

数えてみると、ぜんぶで九十九わ！

「ま、一わたらんが、ええじゃろう。」

ごんべえはとくい顔で、しばったかもたちを引きずって帰っていった。

ところが……、朝になって、太陽が出てきたからたいへん。

こおったかもたちがとけて目をさまし、いっせいに、バタバタ、バタバタ。

かもたちは、なわをつけたまま、空高く飛びたった。

「うわあっ、ま、待て〜っ！　せっかくつかまえたのに。にがさんぞ！」

ごんべえは、かもたちをしばったなわを、しっかりと持った。

九十九わのかもが飛びたったので、

なわのはしを持ったごんべえも引きずられ、ちゅうぶらりんとなって、しかたなく空を飛んでいったぞな。

そのうち、手がつかれてなわをはなしたので、まっさかさまに、ひゅ〜っ。ドサッと落ちたところは、広いあわ畑じゃった。

「あんれ、天から人がふってきた！」

畑仕事をしていた人たちはびっくり。ごんべえがこれまでのことを話すと、みんなは、た〜んとおもしろがってな、

「そんならここで、しばらくはたらいてったらええ。」

というてくれたそうな。

そして、何日かすぎたある日……。

ごんべえは、とくべつ大きなあわの実が、どさあっと実っとるのを見つけてな。大よろこびでそのくきにかまを入れたところが、くきがいきおいよくはねて、ひゅうんとごんべえをふっとばした。

「わああっ、こんどはどこさいくだよ！」

畑をこえ、山をこえ、飛んで、飛んで、飛んでいって……、ごんべえがようやく落ちたところは、見知らぬ町じゃった。

そして、ごんべえは、こんどはその町のかさ屋ではたらくことになった。

ところがある日、ごんべえが、かさ屋の庭先にかさを広げてほしておると、きゅうに強い風がふいてきてな。

びゅうん……と、かさが空中にまいあがり、かさの柄をつかんだごんべえは、またもや、空に飛ばされた。

ふわあり、ふわあり……。

「こりゃ、けっこうなながめじゃ。」

と、飛んでいくうちに、ひときわ強い風が、ビュー！

かさはばらばら、ごんべえはまっさかさま……。落ちたところは、なんと、もとのうら山の池じゃったそうな。

気がつくと、やたら、そこらじゅうがくすぐったいので、調べてみたら、ももひきの中に、どじょうがうじゃうじゃはいっておった。

「うひゃあ、かもはとれなんだが、どじょうが百ぴきじゃ！　だが見とれよ、このつぎはかならず、かも百わ、つかまえてやるだでな。」

ごんべえはそういって、やっとこさ自分の家へ帰っていったんじゃとさ。

（おわり）

# 宝の下駄

むか～しむかし、ある村に、さか立ちをするのが大とくいの元気な男の子がおった。

「あ～らよっと！」

くるっとさか立ちして、そのままとことこじょうずに歩く。こうしていると、つらいこともみ～んなわすれることができるのじゃった。

男の子は、おっかさんと二人ぐらしじゃったが、おっかさんは、長いことやまいでねたきり。じゃから、家にはもう食べるものも、お金もない。

ある日、おっかさんが元気のない声でいうた。

「なあ、むすこや、権造おじさんのとこいって、金かりてきてくれんかや。」

「は～い、いいですよ～っ。」

男の子は、元気よく権造おじさんの家にむかった。

「おじさ～ん、おじさ～ん。」

たずねていった男の子に、おじさんはつめたかった。

「ばっかも～ん！　こないだかした金も、よう返さんのに、そんなにたびたびかせるわけがないじゃろっ。」

おじさんは、男の子の前で、ピシャリと戸をしめた。

男の子はがっかりしたが、どうにもならん。

「らんらら、ららららん。はいっ、とっ。」

とくいのさか立ちをすると、男の子は、また元気が出てくるのだった。

「まあ、ええわい。ど～ら、家へ帰るとすっぺえか。」

男の子は、ぴょんぴょんと、さか立ちをくり返しては、すとん、ぱっと立つ。

そのときじゃ。

「お～い、小僧！　小僧！」

頭の上のほうから声がする。

「こりゃ～、きっときつねのいたずらにちげえねえ。」

と思っていると、すぎの木のてっぺんから、す～っとおりてきたものがおる。

「はっはっは、よっこらせい、と。」

男の子の目の前にあらわれたのは、白いひげをはやした老人だった。

「お、おめえ、き、きつねがばけとるんじゃろ？」

男の子がおどろいていうと、

「このわしがか？　わしは仙人じゃよ。わしはおまえに、このげたをやろうと思ってな。」

と、げたを男の子にさしだした。

「こんなげた、どうするんじゃ。」

「このげたはな、たいそうありがたいものなんじゃぞ。」

「こんなぼろげたが、ありがたいの？」

「そうじゃとも、このげたをはいて、ころぶとええ。そうするとな、小判が一まい出てくるんじゃよ。」

「ははは、うそばっかり。」

「うそじゃねえ。じゃがな、あんまりころびすぎたらあかんぞ。背がだ～んだん、ちっこくなって、もとにもどれんようになるでな。」

「ふ～ん、こんなぼろげたから、小判が出るのか……？」

「ええか、くれぐれもいうとくが、あんまりころびすぎるなよ～っ。もとにもどれんようになるでな～っ！」

こんなことをいいながら、仙人はまた、ぴょんぴょんとどこかへいってしもうた。

男の子は、ひょっとしたらきつねにだまされたかもしれんとは思うたが、それでもげたをはいて、さか立ちしながら家へ帰っていった。

「おっかあ～、もどったで～！」

「おじさん、金かしてくれたかや？」

「だ～めじゃや。」

「そうかい、そうじゃろうなあ。あれっ、なんだ、そのげたは？」

おっかさんは、見たこともない古びたげたに気がついた。

「これか～、なにやら、へんちくりんなじいさんがくれたんじゃよ。えいっ、や～っ。あっ、あ～っ！」

男の子は、そのげたをはいたまままさか立ちをすると、よろよろとふらついて、ドスーンとしりもち。

そのとき、チャリンと小判が一まいとびだした。

「こ、小判！　おっかあ、よろこべ。あのじいさんのいうたことは、ほんとうじゃった。このげたをはいてころぶと、小判が出てくるというた。」

男の子は、大よろこびでぴょんぴょんさか立ちして、すてんところぶ。

すってん、ころりん、チャリーン！

すってん、ころりん、チャリーン！

男の子は、こうしてつづけて二度ころぶと、小判はぜんぶで三まいになった。

男の子とおっかさんは、これで年が越せると、手をとりおうてよろこんだ。

こうして、男の子の家では、このげたをたからものとして神だなへまつり、正月にはもちをついて近所へくばった。

おっかさんの病気も、よい薬を買うことができて、すっかりよくなったそうじゃ。

このげたのうわさは、たちまち村じゅうへひろがり、やがては、あのけちんぼの権造おじさんの耳にもとどいた。

おじさんは、すぐにやってきた。

「このごろ、えろうけいきがええそうじゃないか。」

と、ずかずかとあがりこんできたおじさんは、すぐに神だなのげたに目をとめた。

「ほほう、あれが小判が出るというげたかいな。ど〜れ、ちょっくら見せてもらおうかい。」

「おじさん、これはだめだよ。」

「まあ、ええから、どいた、どいた。」

男の子をつきとばして、おじさんは神だなのげたに手をのばした。

「ほほう、これがそのげたか。借金返すのはあとでええから、二、三日かりていくぞい。」

「あっ、おじさん、そのげたは使い方が……。」

「まあまあ、そうけちけちするなって。しんせきじゃないか。あばよ。」

権造おじさんは、たからのげたを手にすると、大よろこびで帰っていった。

さて、家に帰ったおじさんは、家じゅうをしめきって、門にはかぎをかけ、庭に大ぶろしきをしきつめた。

そして……。

「ど〜ら、ころぶとするか。」

と、ズデーン。

げたをはいて、わざとよろけてころぶ権造おじさん。

ぽ〜んと出た小判がチャリーン。

「小判じゃぞ、小判が出たぞ。うひ、うひひひ。本物の小判じゃ〜い。」

大よろこびのおじさんは、またまたとびあがってはしりもちをつく。

ズッテン、ごろ～ん、チャリーン。

ズッテン、ごろ～ん、チャリーン。

「うわあ～、出るわ！　出るわ！　なんぼでも出るわ。」

おじさんは、いつまでもいつまでもしりもちをくり返しておった。

ズッテーン、ごろん、チャリーン。

ズッテーン、ごろん、チャリーン。

こうして、権造おじさんの家では、庭じゅうが小判の山となっていった。

男の子は、心配になってかけつけた。でも、門がしまっていて中にはいれない。あっちこっちのぞきまわってみた。

そして、かきねのすきまから、庭をのぞいておどろいた。なんと、庭は小判の山じゃ。

「なんじゃあ、こりゃあ。」

あわててかきねをとびこえて、庭へかけこんだ。

「うわ～っ、すごい小判じゃ。ところで、おじさんはどこへいった？　おじさ～ん、おじさ～ん！」

返事がないので、男の子は、小判の山をかきわけた。

と、中からあのげたが出てきた。

「ああ、よかった。げたがあったぞ。」

そのとき、なにやら、小さな虫のようなものが、げたからぽとりと落ちて、小判にしがみついているようなようすじゃった。

「な～んじゃ。へんな虫！」

男の子に、ぽいとすてられた虫は、どうも、権造おじさんにそっくりの顔をしているようじゃったが……。

「おじさんは、いったいどこへいったんじゃろ～な。まあ、ええわい。」

こうして、おじさんは、もう二度と人々の前にあらわれることはなかったそうな。 

あんまりころびすぎて、小さな虫になってしもうたのじゃった。

これが、あの権造虫のはじまりじゃそうな。

（おわり）

# 雪女

むかしむかしの、寒い寒い北国でのお話です。あるところに、茂作と己之吉というきこりの親子がすんでおりましたそうな。

この親子、山々がすっぽり雪につつまれるころになると、てっぽうを持ってりょうに出かけていくのです。

ある日のこと、親子はいつものように雪山へはいっていきましたが、いつのまにか、空は黒雲におおわれ、冬山は人をよせつけぬかのように、あばれはじめました。ふきすさぶ雪と風は、のぼってきた足あともかき消してしまいます。二人は、やっときこり小屋を見つけて、そこであらしが去るのを待つことにしました。

「今夜はここでとまるより、しかたあるめえ。」

「うんだなあ……。」

ちろちろともえるいろりの火にあたりながら、二人は昼間のつかれからか、いつのまにかねむりこんでしまったのです。

小屋の外はふぶきです。風が戸をたたきます。風のいきおいで、戸がガタンと開き、雪がまいこんできました。いろりの火が、ふっと消えました。

「う〜、寒い。」

あまりの寒さに目をさました己之吉は、そのとき、雪のまう土間に人かげを見たのです。

「だれじゃ、そこにおるのは？」

そこにすがたをあらわしたのは、若く美しい女の人でした。でも、そのひとみのなんとつめたいこと。雪女です！

雪女は、ねむっている茂作のそばに立つと、口から白い息をはきました。茂作の顔に白い息がかかると、茂作の体はだんだんと白くかわっていきます。そして、ねむったまま、しずかに息をひきとっていきました。

雪女は、こんどは己之吉のほうへちかづいてきます。

「た、助けてくれ！」

ひっしでにげようとする已之吉に、なぜか雪女はやさしくいいました。

「そなたはまだわかわかしく、命がかがやいています。助けてあげましょう。でも、今夜のことを、もしもだれかに話したら、そのときは、そなたの美しい命はおわってしまいましょう。」

そういうと、雪女はふりしきる雪の中にすいこまれるように、消えていってしまいました。

いま見たことは夢だったのでしょうか。已之吉は、そのまま気をうしなってしまったのでした。

やがて朝になり、目がさめた已之吉は、父の茂作がこごえ死んでいるのを見つけたのです。

それから一年がたちました。

ある大雨の日、已之吉の家の前に、一人の女の人が立っておりました。

「雨でこまっておいでじゃろう。」

気だてのいい已之吉は、女の人を家に入れてやりました。

女の人はお雪という名でした。

已之吉とお雪は、どちらからともなく心をよせあいました。こうして二人は夫婦になり、何年もしあわせな月日が流れていきました。

かわいい子どもにもめぐまれた二人は、それはそれは、しあわせでした。

けれど、ちょっと心配なのは、暑い日ざしをうけると、お雪はふらふらとたおれてしまうことです。でも、やさしい已之吉は、そんなお雪をしっかり助けてなかよくくらしていました。

そんなある日、はり仕事をしているお雪の横顔を見て、已之吉は、ふっと遠い日のことを思い出したのです。 

「のう、お雪。わしは以前におまえのようにに美しいおなごを見たことがある。おまえとそっくりじゃった。山でふぶきにあっての。そのときじゃ、うん。あれは、たしか雪女……。」

ここまでいったときでした。

「あなた……、とうとう話してしまったのね。あれほどやくそくしたのに。」

お雪が悲しそうにいいました。

「どうしたんだ、お雪！」

お雪が立ちあがりました。お雪の着物はいつのまにか白くかわっています。

あの夜のことを話されたからには、お雪はもう、人間でいることができないのです。

「あなたのことは、いつまでもわすれないわ。とてもしあわせでした……。」

そのとき、戸がバタンと開いて、つめたい風がふきこんできました。そして、お雪のすがたは消えたのです。

北国の冬の山には、いまも雪女がいると人はいいます。

雪女は、やさしい人の心をもとめて、ヒューヒューと悲しくないて、雪の山をかけめぐっているということです。


（おわり）

# 初夢長者

むか～しむかし、あるところに、長者どんの家がありましたそうな。

ある年の、正月の二日めのばんのことでした。

長者どんは、家ではたらいている人たちをいろりの前に集めて、こんなことをいいました。

「今夜みる夢は、初夢じゃ。その初夢を、あしたわしに話してくんろ。その夢を一分で買うだで。」

長者どんがそういったので、みんなは、早くからねむってしまいました。

つぎの日……。

「さあて、みんな。ゆんべはどんな夢をみたかの？　じゅんにいうてみい。」

長者どんがいうと、みんなはつぎつぎとみた夢の話を、おもしろおかしく、かたり聞かせます。

やがて、いちばんわかい小僧の番になりました。

ところが、小僧は……、

「おら、いわねえ。」

と、だまりこくったまま。

「なに～っ、長者さまに話されんとは、なんちゅうことだ！」

「まあまあ、それなら、二分で買うだで、話してみい。」

「いいや、なんぼもらっても、おら、話さん。」

「一両ではどうだや？　五両、十両！　えいっ、二十両じゃっ。」

話せないとなると、なお聞きたくなる長者どん。ほうびの金をふやしたけれど、小僧は首をふるだけでした。

とうとう、長者どんのいかりはばくはつしました。

「むむむ、で、出ていけえっ。」

かわいそうに、小僧はおやじさんのところへ帰されてしまいました。

おやじさんは、心配してたずねました。

「おめえ、なにかわるいことでもしたんだか？」

「いいや、長者どんに初夢の話をしなかっただけだい。」

「で、どんな夢をみたんじゃ？」

「ご主人に話せなかったものが、親にいえるかっ。」

「なんじゃと！　いえっ、いわんか。」

「いいや、ぜったいにいわん！」

なんともごうじょうな小僧がいたもんです。

かんかんにおこったおやじさんは、箱ぶねをつくって小僧をほうりこみ、しっかりふたをしてくぎでうちつけ、海に流してしまいました。

小僧をのせたふねは、あちらの海、こちらの海と、さんざん流されたあげく、何十日めかに、やっとある小さな島に流れつきました。

ところが、そこは鬼が島だったのです。流れついたふねをみつけたのは鬼たちです。

「あれえっ。これはなんだや？」

「ちょっくら開けてみるか。はれまあ、人間じゃあ。」

「ちょうどいい、大将の昼めしに持っていこう。」

鬼たちは、がやがやさわぎながら、鬼の大将のところへ、小僧をつれていきました。

「こんなにやせていては、うまくないわい。すこし太らせてから、さしみにでもして食うべえ。」

鬼の大将がこういうたので、小僧は、岩屋のろうに入れられ、毎日たっぷり食べものをもらうことになりました。

おかげで小僧は、まるまると太ってきました。

そして、いつのまにか、毎日食べものを運んでくる小鬼と、すっかりなかよしになってしまいました。

「ねえ、大将の岩屋はずいぶんりっぱだね。さぞかし、たくさんのたからものがあるんだろうねえ。」

「うん、あるよ。そのなかでも大将がだいじにしているのが、三つあるんだ。一つは『千里棒』といって、『千里！』といえば、さっと千里すっとぶ棒だ。つぎのは、『生き棒』といって、死にそうな人間でも、これでなでるとすぐに生きかえる。三つめは『聴き耳棒』。これは、鳥やけもののいうことが、なんでもわかるのさ。ねえ、すごいおたからだろう。」

と、小鬼もじまん顔。

まもなく、まるまると太った小僧は、大将のところにつれていかれました。

「うまそうに太ったな。どれ、いっちょういただくか。」

すぐにでも食べそうな鬼の大将に、小僧はあわててこういったのです。

「大将、ちょっと待ってくんろ。おら、この島へくるまえに、友だちとかけをしただ。」

「どんなかけじゃ？」

「りゅうぐうと、じごくと、ごくらくと、鬼が島とでは、どこのたからものがいちばんりっぱじゃろうかとな。おら、鬼が島だというた。死ぬまえに一度そのたからものを見てみてえ。」

「そうか。よし見せてやるぞ。だれか、たからものをもってこ〜い。」

「へえい。」

「どうじゃ、すごいおたからじゃろう。」

「大将、一度だけ、そのおたからをさわらせてくんろ。」

「さわってもいいが、けっしてものをいうてはならん。だまってさわれや。」

「うん。」

大将は、とくいそうにたからものを出してならべました。

「よし、これが生き棒、これが聴き耳棒、これが千里棒じゃ。どうじゃあ、これで満足したかや……。」


と、大将がいいおわらないうちに、小僧は、三つのたからものの棒を手に持って、さけびました。

「千里、千里！」

千里棒は、小僧を乗せると、あっというまに千里のかなたへとんでいってしまいました。

鬼の大将は、もう、くやしくてくやしくて、大つぶのなみだをぽたぽたこぼしてなきましたとさ。


「カー、カー……、カー……。西の長者のひとり娘が、死にそうだ。」

千里棒で大阪の国までとんでいったとき、小僧は、聴き耳棒でからすの話を耳にしました。

それによると、西の長者の娘が、重い病気で死にそうだというのです。

小僧は、さっそく西の長者の家をたずねてみました。

娘の病気は、どんな医者にみてもらってもすこしもよくならないのでした。

(そうだ、生き棒の力をためしてみるか。)

小僧は、長者の家をたずねると、娘の病気をなおすといって、へやへはいりました。そして、鬼の生き棒をとり

だし、娘の鼻の先をちょこちょことなでてみました。

と、どうでしょう。娘の顔色はみるみるよくなったではありませんか。

西の長者どんは、よろこびました。

「娘の病気がなおったのは、あなたのおかげ。どうか娘のむこになって、このまま家にいてくだされ。」


そういうわけで、小僧は西の長者の娘のむことなりました。

ところで、西の長者と川をはさんで、東の長者の家がありました。

ここのひとり娘も重いやまいにかかり、東の長者はこまっておりました。

「そうじゃあ、西の長者どんのむこどのにたのんでみるだあ。」

東の長者どんの娘のやまいも、西の長者どんのむこどののおかげで、すっかりなおりました。

娘のやまいがなおっても、東の長者どんは、西のむこどのを引きとめ、なかなか帰そうとはしませんでした。

西の長者どんはおこって、むこを返せ、返さぬの大げんかになってしまい、とうとう、お殿さまにさばきをつけてもらうことになったのです。

「それじゃあ、こうしよう。ひと月のうち、まえの十五日は東のむこになれ。あとの十五日は西のむこになれ。」

なにもかもうまくいって、むこどのは、夢をみているような気持ちでした。

(これも、初夢のおかげじゃ。金の大黒さんを後ろ前にだいた夢をみたが、だれにも話さなかったからだ。初夢を人に話してしまったら、それっきりじゃったものなあ。)

長者のむこになった小僧は、鬼のたからを、そっと川に流しました。
「鬼さん、ありがとうよ。」(おわり)

# 笠地蔵

むか〜しむかし、雪深い山また山のそのおくに、まずしい夫婦が住んでいましたとさ。明日はお正月だというのに、おもちどころか、お米の一つぶもなくなっていました。

「じつはな、あんた。なにかのたしにと思って、髪かざりのかせ玉を作っておいただよ。これを町で売ってくれば、正月のもちくらいは……。」

と、おかみさんがいいました。

男は、さっそくそのかせ玉を売りにいくことにしました。外は、この冬いちばんの寒さでした。

「ひゃあ、さ、寒いなあ……。」

手ぬぐいでほおかぶりをした男は、つめたい風にふるえながら歩きます。谷をこえ、山をこえて、やがて、地蔵峠にやってきました。

いつしか、つめたい雪がふりつもって、おじぞうさんの頭もまっ白です。

「まあま、おじぞうさまがた、さぞつめたかろう。ほんにお気のどくにな。」

と、男はほおかぶりの手ぬぐいをとり、おじぞうさんの頭の雪をはらいます。

夕方になって、やっと町へつきました。大みそかの町は、いきかう人や荷車で大いそがしのにぎわいです。

男は、そんな通りのまん中で、大きな声でいいました。

「かせ玉、かせ玉。か、かせ玉はいらんかのう。」

町の人たちは、かせ玉なんぞには目もくれません。男は、しょんぼり。

そこへ、おなじように、がっくりと元気のないかさ売りのじいさんが通りかかりました。

「かせ玉は売れたかの？　どうじゃな、わしのこのかさを買うてくれ。そのかわり、わしがおまえさんのをみんな買おう……。」

「うん、それはええ……。」

なんのことはありません。とりかえっこしただけです。

とりかえたかさをせおって、男は、とぼとぼと山へかえっていきます。

そして、また、地蔵峠にさしかかりました。

「じぞうさま〜、雪がかからぬようにしてあげますからな。」

男は、さっさっとおじぞうさんの頭

の雪をはらい、かさを一つ一つかぶせていきました。

「あ、一つたりねえ。弱ったなあ。うん、これでかんべんしてくだせえ。なあ、ちっこいおじぞうさまあ。」

心のやさしい男は、自分がかぶっていた手ぬぐいをはずして、小さなおじぞうさんにかぶせました。

その夜、男は、きょうのことを、おかみさんに話してきかせました。おじぞうさんにかさをかぶせてあげたこともな。すると、おかみさんはにっこりして、いいましたそうな。

「そら、ええことをされました。」

「そう思ってくれるか、かあちゃん。」

その夜もふけて……。森のおくから小さなかげが動きだしました。

あの峠のおじぞうさんが歩き出して、夫婦の家の前までやってきました。

「し〜い。しずかに、しずかに……。」

おじぞうさんたちは、家の前に、持ってきた荷物をつみあげました。かさをもらったお礼に、おくりものを持ってきたのです。

おもち、やさい、くだもの、魚、着物など……。さいごに小さいおじぞうさんが、米だわらをかついでよろよろとやってきました。

ドシ〜ン。米だわらをおいたとたんに、おじぞうさんたちは、ドタドタとしょうぎだおし。おじぞうさんたちは、雪の中からもぞもぞはいだして、あわててにげていきました。

「おや、外であやしい物音が……。」

「あんた、出てみて。」

物音で目をさました夫婦が、おそるおそる戸を開けてみると……。

雪の中を一れつにならんで歩いていくおじぞうさんのすがたが見えました。

「あ、あんた……。」

「う、うん……。よかったなあ。」

二人は、すばらしいお正月をむかえることができました。

それからも、かさのお礼におじぞうさんがくれたおくりもので、二人はしあわせにくらしましたとさ。（おわり）

# 鶴の恩返し

むかしむかし、あるところに、心のやさしいおじいさんとおばあさんが住んでおりましたそうな。

雪のふる、寒い日のことでした。

おじいさんが山でしばかりをしての帰り道、ぬまのあたりでつるの鳴きさけぶ声が聞こえました。見ると、一わのつるがわなにかかって苦しんでいます。おじいさんはかけよって、わなをはずしてやりました。

つるは、よろこびを羽いっぱいにあらわして、雪の空へと飛びさっていきました。

その日の夜、いろりのそばで、きょうのできごとをおばあさんに話しておりました。

「つるはな、それはそれはうれしそうじゃった。」

「それはよいことをなさったのう。」

やさしいおばあさんもにっこりして、なんだか二人は、とても幸せな気分になりました。

そのときです。

トントン、トントン。

だれかがたずねてきたではありませんか。こんな夜ふけに、だれでしょう。

しかも、雪の夜に……。

トントン、トントン。

おじいさんは、ふしぎに思いながら、そっと戸を開けてみますと……、なんと、雪の中に、かわいい娘が立っているではありませんか。

旅のとちゅうで、道にまよったというのです。

「それはおこまりじゃろう。今夜はここにおとまりなさい。」

やさしいおじいさんとおばあさんは、よろこんで娘を家にまねきいれました。

「さあさ、からだをあたためなされ。」

おばあさんは、娘にあたたかいおか

ゆを作って食べさせてやりました。

話を聞いてみると、この娘にはどこにもいくあてがないというのです。

「のう、娘さんや、それならわしらといっしょにくらしなされ。」

そうじゃそうじゃというように、おばあさんもうなずきます。

「わたしもこんなうれしいことはございません。よろしくおねがいします。」

娘は二人に頭をさげました。

子どものいないおじいさんとおばあさんにとって、こんなうれしいことはありません。

その夜は、三人でゆっくりとねむりました。

つぎの日、まだ暗いうちに娘は起きだしました。

おじいさんとおばあさんが目をさまさないように、そうっと台所に出ていきます。そして、二人のために朝ごはんのしたくをしようと、娘は米びつをのぞいたのですが……、からっぽです。米もみそもありません。

そのとき、娘は糸のたばを見つけました。なにを思ったのか、娘は糸のたばを持って、はた織り部屋へはいっていきました。

やがて、しめきった部屋から、はた織りの音が聞こえてきました。

キートンカラ、
キートンカラカラ……。

朝の光がさしこんできました。

おじいさんとおばあさんは目をさまして、となりの娘のねどこを見ましたが、もう娘のすがたはありません。

そこに、反物を持って娘がはいってきました。

「なんと、美しいぬのじゃ。」

「ほんに、美しいぬのじゃこと。」

おじいさんとおばあさんは、反物を手にして、ぼ〜っとしています。

娘はいいました。

「おじいさん、これを売ってお米やおみそなど、入り用なものを買ってきてください。」

おじいさんは大よろこびで、そのぬのを持って町へ売りにいきました。

ぬのは高いねだんで売れました。

おじいさんは、そのお金でお米やみそを買い、娘にはかわいいくしを買ってきておみやげにしました。

その夜は、ほんとうに幸せでした。

「さあ、楽しい夢でもみようかの。」

わたしはもうひと仕事します。」

そういう娘におじいさんはびっくり。

「いかんいかん。今夜はもうお休み。」

「いいえ、わたしは、おじいさんたちに、もっとぬのを織ってあげたいの。いいでしょう。

そのかわり、一つだけ、おねがいがあります。わたしがはたを織っているところを、けっして見ないでください。」

「なに？　見てはならんと……。」

「はい、やくそくしてください。」

娘の顔には、なにやらひっしのようすがありました。

おじいさんとおばあさんは、ただわけもわからずうなずくだけでした。

こうして娘は、夜ごとあの美しいぬのを一反ずつ織りあげていきました。

それをおじいさんが町へ持っていくと、とぶように売れました。

ところが、三日、五日とたつうちに、娘はだんだんやつれて元気がなくなっていきました。


戸口に立って夕日をながめる娘のすがたは、いまにもたおれそうでした。

「せめて、あと一反織ってあげたい。」

娘はそう思っていたのです。

その日の夕食どきでした。おじいさんが町で買ってきたごちそうにも、娘はすこしも手をつけません。

「さ、もっとお食べ。」

「いいえ、もういいんです。もうひと仕事してきます。」

これにはおじいさんもびっくり。

「いかん！　今夜は休まにゃからだにどくじゃ。むりをするんじゃない。」

おじいさんがとめるのも聞かず、娘は、よろよろと立ちあがりました。

「ほれ、そんなに弱ってしまって。」

とめようとするおじいさんに、娘ははっきりした声でいいました。

「もう一反だけ。」

それを聞くと、なぜか二人は娘をとめることもできず、ただただ、娘の身をあんじるだけで、どうすることもできないのでした。

娘が仕事部屋にはいると、戸はぴしゃりとしまりました。

おじいさんとおばあさんは、ねどこ

にはいっても心配でねむれません。

「おじいさん、なんだかはたの音が弱ってみだれてきたようじゃ……。」

「よし、見てこよう。」

おじいさんは、がばっとねどこから起きあがりました。

「娘とのやくそくが！」

おばあさんがとめましたが、おじいさんは娘のことが心配でなりません。おじいさんは、仕事部屋の戸を、そうっと開けて、中をのぞきました。

「あ、あれ～っ！」

なんと、はたを織っていたのは、娘ではなく一わのつるでした。

つるは、自分のからだから羽根をぬくと、それをぬのに織りこんでいました。

さいごの力をふりしぼって、一本、また一本……。つるは、すっかり弱っておりました。

おじいさんは、こんどは戸をガラッと開けました。

はっと気がついたつるは、しだいに娘のすがたにかわっていきました。

「お、おまえは……。」

おどろくおじいさんの前に、娘は首をうなだれていいました。

「はい、わたしはあのとき助けていただいたつるでございます。」

「あ、あのときの……。」

「はい、命を助けていただいたおんがえしをしようと、一度だけ人間のすがたになることをゆるされて、ここにまいったのでございます。」

そういうと、娘はす～っと戸口のほうへ出ていきました。

「わたしはもう、ここにいることはできないのです。いつまでもおじいさんたちの娘でいたかったのですが……。」


そういって、外へ出た娘は、つるのすがたにかわって、ゆっくりと空へ飛びたっていきました。

「娘や、わたしたちのことを、わすれないでおくれ。」

おじいさんはいのるように、あの娘のくしを、つるに投げました。

つるは、くしをくちばしで受け、二人にわかれをおしむように、一声二声鳴くと、どことも知れず冬の空高く飛びさっていきました。
（おわり）

# 十二支の由来

むか〜しむかしの、そのまたむかし。山また山の山おくの、山のてっぺんに、ひとりの神さまのおすまいがありました。

ある年の十二月三十日。お正月まであと一日という日でしたが、神さまは、国じゅうの動物たちに手紙を書いておられました。手紙を書きおえられた神さまは、その手紙をまどからふきとばしておしまいになりました。

手紙は風にとばされて、山へ、川へ、谷へ、森へと、国じゅうのすみずみまでとんでいきました。

一夜明けて三十一日の朝、動物たちはこの手紙を手に入れました。

手紙には、こう書いてあったのです。

「一月一日の朝、わたしのところへ一番から十二番までにきたものを、毎年、じゅんばんに動物の大将にしてやる。神さまより。」

動物たちは、はりきりました。

「う〜ん、これはなにがなんでも大将にならねば……。」

ところが一ぴきだけ、この手紙を見なかったものがおりました。のんびりもののねこです。ねこはねずみから、この神さまの手紙のことを聞きました。

いたずらもののねずみは、神さまのところへ集まるのは、一日の朝なのに、二日の朝とおしえてしまったのです。

「ねずみくん、ご親切にありがとう。」

さて、動物たちはだれもが、なんとしても勝ちたいとはりきっていました。

「さ、明日の朝は早い、今夜は早くねるとしよう。」

と、どの動物も、早くからねむりにつきました。

でも、うしだけは、

「わしは歩くのがおそいから、今夜のうちに出かけることにしよう。」

と、日もくれないうちに出かけました。

これを見ていたねずみ、ぴょ〜んとうしのせなかにのっかってしまいました。

「これは楽だわい。」

そんなこととは知らないうしは、のっしのっしと歩きつづけます。

「もしかしたら、わしが一番かもしれんぞ。モー!」

さて、翌朝、まだ暗いうちから動物たちは、いっせいに出発しました。

いぬも、さるも、とらも、へびも、うさぎも、にわとりも、ひつじも、うまも……、み〜んなみんな、神さまのおすまいに向かって走りました。

さて、いよいよ新年の太陽がのぼりはじめました。その太陽を背にして、まっ先にあらわれたのが……、うしです。いいえ！ ねずみでした。

ねずみは、うしのせなかからぴょ〜んととびおりると、ささ〜っと神さまの前にとびだしていきました。

「神さま、新年おめでとうございます。」

「よ〜う。おめでとう、おめでとう。」

うしは、くやしくてしかたありません。

「もう！ モー！」

ってないていましたって。

つづいて、とらがやってきました。

そして、うさぎ、たつとつづきます。

こうして、動物たちが、つぎつぎにとうちゃくしました。

いよいよ、神さまがじゅんばんを発表されることになりました。

「みんな、よくきてくれた。それでは、発表する。一番はねずみ。つづいて、うし、とら、うさぎ、たつ、へび、うま、ひつじ、さる、とり、いぬ、いのしし。十二番までこれで決まりじゃ。」 

この、えらばれた十二の動物たちは、十二支とよばれることになりました。

神さまをかこんで、十二支たちの酒もりのはじまりです。

「かんぱ〜い！」

たつも、とらも、ごきげんです。

うさぎとねずみも、かんぱ〜い！

そのとき、ものすごいけんまくで、ねこが走ってきたのです。 

「おのれ！ ねずみのやつ、よくもだましたにゃあ！ とって食ってやる。こら、まて〜っ！」

ねずみはあわててにげだしました。

ねこはねずみを追いかけまわします。

なんともにぎやかなえんかいです。

ねずみ年からはじまり、うし、とら、う、たつ、み、うま、ひつじ、さる、とり、いぬ、いのしし、とつづく十二支は、このときからはじまったそうです。

そうして、ねずみにだまされて、十二支にはいれなかったねこは、このときのことにはらをたてて、いまでもねずみを追いかけまわしているということです。

（おわり）

## むすびに

川内彩友美

りくつもなにもいらない、見おわったときに、胸の中を暖かいものがよぎれば……。そんな素朴な願いから始まった『まんが日本昔ばなし』のテレビシリーズが、多くの人々の深い愛情とご支援のおかげで、三十年という年輪を重ねることができましたことを、心より感謝しております。

遠い昔から、親から子へと語り継がれてきた昔ばなし――。ここには、自然と共に生きてきた日本人の精神(こころ)が、やさしい灯(あかり)となって輝いています。その灯が大きな手から小さな手へとわたされていくとき、人間としてのたいせつな思いやりや、真心が育(はぐく)まれてゆき、やがて美しい花となって咲き誇るものと信じます。

いま、この尊い財産である昔ばなし……、テレビ化された千四百余編のなかから一〇一話を精選いたしました。この本を手がかりに、ひとりひとりが独自の語り部となって、幼い心にのこる〝母の唄〟をつくりだしていただければ……。

豊かで和(なご)やかなひとときを、お子さまと共有されることを、心から願っています。

N.D.C.913　304p　26cm

決定版　まんが日本昔ばなし101

発　行　1997年11月10日　第1刷発行
　　　　2006年2月20日　第24刷発行

編　者　川内彩友美
発行者　野間佐和子
発行所　株式会社　講談社
〒112-8001　東京都文京区音羽2-12-21
電話　東京（03）5395-3534（編集部）
　　　東京（03）5395-3625（販売部）
　　　東京（03）5395-3615（業務部）
印刷所・製本所　共同印刷株式会社


定価はカバーに表示してあります。　Printed in Japan　ISBN4-06-211587-5